〈世界史〉の哲学 2
中世篇

ōsawa masachi
大澤真幸

まえがき

近代化は、煎じ詰めれば、西洋化の過程だった。西洋に生まれた制度や文化やアイデアが、そのローカリティを払拭し、グローバル・スタンダードになる過程が、近代化であった。ところで、その「西洋」とは何であろうか？ いつ西洋ができあがったのだろうか？どうして、西洋だけが、そのような特権的な文明となったのだろうか？

言うまでもなく、西洋とかヨーロッパといったアイデンティティが、最初からあったわけではない。西洋が形成されたのは、「中世」と呼ばれる期間である。だから、本来の意味での中世は、西洋にしかない。そう断じて過言ではあるまい。本書の主題は、まさにその中世、西洋が形成された時代である。

われわれが西洋と呼んでいる地域は、かつて西ローマ帝国があった場所とおおむね重なっている。ところが、興味深いことに、中世の始まりは、西ローマ帝国が滅亡したときであると見なすのが一般的である。つまり、西ローマ帝国が消滅してしまい、政治的な統一性が失われてしまったのに、その地域を一体と見なすことができるような、文化的な共通性が残った——というよりむしろ新たに形成されたのである。普通は、何らかの政治的な実体があるために、それに対応した文化的な影響が残される（中華帝国のことを考えてみよ）。しかし、西ローマ帝国の場合は、まったく逆である。奇妙なことだ。

死んだことによってこそ、かえって深い影響を残した歴史的な契機の至高の例は、イエス・キリストである。中世は、キリスト教の時代だ。われわれは、本書で、中世が、キリストの死なない死体にとり憑かれた時代であったことを示すだろう。中世という時代を探究していると、われわれは、SFやホラー映画で何度となく繰り返されてきた紋切型のシーンを連想せざるをえなくなる。主人公が、宇宙人や怪物と闘い、彼らの身体を徹底的に破壊し、ついには、「人間」的な原型をまったくとどめないまでにしてしまう。怪物たちの身体は、小さな断片やスライム状の物体にまでなっている。主人公は、怪物たちを殺害したと思って安心して背を向けるのだが、その途端に、断片化したり、粘液化したりした怪物の身体が再び動き出し、集合して、もともとの「人間」のような姿を取り戻す……。中世におけるキリストの身体——とその代理物——は、この種の身体を思わせる。

＊

本書は、二〇〇九年から『群像』誌上に書いてきた連載の一部である。この連載は、まだ継続している。私は、どこに向かうのかまったくわからないままに大海に船を出すような冒険ができない性質で、この連載が、どのような経路を辿って、どこに向かっているのかを最初からずっと意識している。年単位の連載は大航海だが、しかし、私の手元には海図がある。

連載は、このような大きな構想の中でなされるが、書く者にとっては、別の緊張感があり、それがまた心地よくもある。読者がたまたまその一回だけを読んだとしても、あるいは以前の部分を忘れてしまっていたとしても、読むことの喜びを味わってほしいと思うのである。だから、私としては、読者が『〈世界史〉の哲学　古代篇』を読んでいなかったとしても、また本書を最初から順番に読まず特定の関心のある章だけを選んで読んだとしても、楽しんでもらえるものにしたつもりである。

『群像』編集部で、私の連載を担当してくださっているのが、三枝亮介さんである。彼には、この連載の企画のときから相談にのってもらっている。一回毎の連載は、まずは三枝さんを読者として想定して書くので、執筆者である私自身を別にすれば、本書の質を最も強く規定しているのは、三枝さんの眼である。毎月ぎりぎりまで私の原稿を待ち続けてくださる三枝さんに心よりお礼を申し上げたい。また、『〈世界史〉の哲学　古代篇』とこの『中世篇』を単行本としてまとめるにあたって、編集を担当してくださったのは、連載中ずっと三枝さんとともに『群像』編集部にいた須藤寿恵さんである。とても信頼できる編集者である。須藤さんにも、この場を借りてお礼申し上げたい。

二〇一一年八月一一日

大澤真幸

目次

第1章　フィリオクエをめぐる対立

1　消える死体／残る死体

ソクラテスの最期の言葉は、「アスクレピオスに雄鶏を」という依頼の一言であった。ここで、言わば、ソクラテスの死体が鶏の死体に置き換えられている。鶏の死体は、ソクラテスの死体の代理物である。あるいは、これが動物の死体であることを考慮に入れれば、次のように言ってもよいかもしれない。鶏の死体は、ホモ・サケルとしてのソクラテス、ソクラテスの身体から抽出されたホモ・サケルとしてのアスペクトである、と。ホモ・サケルとは、動物的な生にまで還元された人間の身体のことである。

ここでは、二つのことを確認しておこう。第一に、鶏＝ソクラテスの死体は、神アスクレピオスに贈与するためのものである。「古代篇」第13章に詳しく述べたように、鶏は、ソクラテスたちがアスクレピオスに対して負っている借り――病を治してもらったこと――に対する返済というコンテクストに置かれているのだ。本来は、ソクラテスの身体そのものが贈与されるべきなのだろうが、その身代わりとして、鶏が差し出されているのであろう。したがって、第二に、提示された（鶏の）死体は、すぐさま、人々の目の前から消え去るべきものとして存在している。それは、残ることではなく消えることを目指しているのだ。

これをもう一度、キリストの死と比較してみよう。第一に、キリストの死体も、負債と返済というコンテクストに置かれていた。キリストの死は、罪への贖いだとされているからである。だが、それは、誰に対する返済なのか？　古代の教父オリゲネスが提案して以降知られるようになった一つの有力な解釈は、悪魔への返済である。原罪を犯したことによって、人間（の魂）は、悪魔の人質になっていたと見なし、囚われていた人間（の魂）を解放するために、神が、キリストの身体を悪魔に支払った、と考えるわけである。キリストの身体は身代金である。しかし、この解釈には、根本的な問題がある。これでは、神と悪魔が対等に取り引きしていることになり、一神教の原則に反するからである。とすれば、やはり、ソクラテスのケースと同様に、ここでは、キリストの身体は、神へと贈られていると考えなくてはなるまい。しかし、キリスト自身が神ではないか？　この問題には、いずれ立ち返ることになるだろう。

いずれにせよ、キリストの贖罪の死は、変則的な贈与であることは確かである。そのことのゆえに、第二に、十字架上のキリストの死んだ身体は、集まっていたすべての人に対して顕示されなくてはならない。ソクラテスの代わりの雄鶏は、アスクレピオスがそれを持ち去ることで、消えてしまう。だが、キリストの身体は取り残され、衆目にさらされなくてはならなかった。なるほど、キリストの死体は、死の三日後には墓からなくなってしまったとされており、それがキリストの復活の故であると解釈された。しかし、その前に、キリストの死体は、十字架上に留まって、人々に対して、その姿を見せなくてはならなかったのである。

ソクラテスもキリストも、死後、その死体を残す。前者は、身代わりの鶏の形態で、後者は、十字架にはりつけられた姿で。しかし、ソクラテスの死体（の代理物）が、消え去ること、取り去られることを指向していたとすると、キリストの死体は、まずは、残ることを指向している。こうした対照を銘記しておこう。

2　二種類の資本主義？

さて、われわれは、西洋という文明がどのように成り立っていたのかを考察してきた。

西洋が、ヘブライズムの伝統とヘレニズムの伝統の化合物であることは、誰もが知っている。だが、そうだとしても、そのような化合が、なぜ、そしていかにして可能だったのか？　ここまでの議論は、次のことを示してきた。それぞれの伝統を表現する「精神の型」が、ジグソーパズルの隣り合ったピースのように、互いに補うような形態をもっていた、ということを。たとえば、冒頭に確認したソクラテスの死とキリストの死の間の、(同型性ではなく)対照性も、二つの精神的な伝統の間の相補性を暗示する事実の一つである。しかし、こうした相補性は、まだ、西洋が成立するための必要条件に過ぎない。実際、二つの伝統が有機的に結合して、「西洋」という単一の文明を形成するのは、われわれが主として考察の対象としてきた古代よりも、はるかに後になってからである。

だが、そもそも、なぜ西洋なのか？　われわれは、どうして探究の規準的な対象を、西洋に定めているのか？　探究を駆動している基本的な謎は、普遍性という現象である。しばしば、普遍性は特異性の内に宿る。すなわち、非常に特異な出来事や物語が、普遍的な訴求力を有することがある。こうした交錯は、どのようなメカニズムの下で生じるのか？

歴史上、このような交錯の最も顕著な例は、資本主義である。一方では、資本主義は、きわめて特殊な文化的背景の内に根をもっている。マックス・ヴェーバーが注目したのは、資本主義のこの側面である。だが、他方で、資本主義は、どのような文化的な背景にも適用可能な中立的な機械のようにも見える。資本主義は、公式的にはそれを否定するような体制（社会主義）にさえも浸透していくのだ。

　ミシェル・アルベールは、資本主義のこうした二重性を見て、資本主義には二つのタイプがある、と結論した。経済的な価値以外のすべての価値に無関心なアメリカ型の資本主義と、もっと「道徳的な」、つまり宗教的な背景をもっているライン川流域的な資本主義がある、というのだ[*1]。後者が、資本主義の文化的な特殊性を、前者が、資本主義の普遍的で中立的なメカニズムとしての側面を指していることは明らかである。だが、このように、「一つだと思っていた資本主義が二つだった」と解してしまえば、資本主義という現象のもっている本質を捉えそこなってしまうだろう。もともと、アメリカの資本主義は、ライン川流域、つまりスイスからドイツとフランス東部を経てネーデルランドまでに至る地域の資本主義よりももっと厳格に宗教的で道徳的だったのだから。あるいは、アルベールのように捉えた場合には、ヴェーバーが（プロテスタンティズムの）「倫理」と（資本主義の）「精神」とを連続的に捉えたときに、彼を探究に駆り立てた疑問を見失うことにもなるだろう。われわれとしては、一つの同じ資本主義の中に極端な二重性が孕まれていると解すべきである。

　資本主義という現象をさらに根源へと向かって遡れば、「西洋」なる現象を見出すことになるだろう。資本主義に関して認められる二重性は、そもそも、西洋化の二重性である。西洋は、その名が示すように、特殊な地理的単位の上に展開した文明である。しかし、同時に、近代化が基本的には西洋化であることから明らかなように、西洋は、圧倒的な普遍性を呈してもいる。われわれの探究のまなざしが、まずは西洋の成り立ちの機制に向けられているのは、このためである。

3　西洋が始まったとき

それにしても、西洋はいつ生まれたのか？「西洋」あるいは「ヨーロッパ」といった名前で指示できるような、強力な整合性を有する文明的な一体は、いつ頃、成立したのだろうか？ 先にも述べたように、紀元前後の時期には、「西洋」はまだどこにもない。たとえば〈西洋〉哲学史は、古代ギリシアから説き起こすのが通例だが、その段階では、当事者たちの主観的な意識に準拠しても、また客観的に見ても、西洋と見なすべき文化的な統一性があったとは、とうてい言えない。後になって西洋となるような要素があったと見ることはできるが（現にわれわれもそうしてきたわけだが）、そのときすでに西洋があったと断ずるとすれば、それは明らかな誤りである。それならば、いつ西洋は出現したのだろうか？

多くの歴史家は、いわゆる「中世」の期間の中で、つまりこの期間の中のいずれかの時期に、西洋とかヨーロッパといった実体が歴史的に登場したと見なしている。しからば、中世とは何か？　中世とはいつのことか？「中世 Middle Ages, moyen âge」という語を最初に用いたのは、ペトラルカを初めとする、一四世紀イタリアの人文主義者たちである。これは、古代と近代（あるいは未来）に挟まれた中間の時という意味である。栄光の古典古代でもなければ、輝かしい未来への入り口としての近代にも属していない、という消極的な名前を与えられたこの時代が、西洋という文化的なアイデンティティの成立期にあたっている。

中世はいつ始まり、いつ終わったのだろうか？　このことを厳密に確定することは、われわれの探究にとって、たいした意味はないが、だいたいの期間を確認しておいた方が、今後の論述が容易になる。まずは、背景となる基本的な事実を確認しておこう。イエスの死後、キリスト教はローマ帝国の中に深く浸透していった。最初の内、帝国は、国家祭儀を脅かすとしてキリスト教を弾圧するが、それでも、キリスト教の波及は止まらなかった。やがて、周知のように、キリスト教はローマ帝国によって公認され（コンスタンティヌス帝によるミラノ勅令）、事実上、帝国の国教になる。ここに至って、言わば、公的な制度のレベルで、ヘブライズムとヘレニズムが合体したのである。肥大化し過ぎたローマ帝国は、三九五年にテオドシウス帝が死亡したときに、東／西に分割された。東ローマ帝国（ビザンツ帝国）は、その後、一千年余り続く。しかし、西ローマ帝国の方は、ゲルマン民族の大移動を受けて、分割後ほどなくして、つまり四七六年に、滅亡してしまった。

しばしば、西ローマ帝国が消滅した日付が、中世の開始のときと見なされてきた。だが、言うまでもないことだが、ギリシア・ローマの古代が、このとき、唐突な終わりを迎えた、などと考えるべきではない。古代後期は一夜にしては終わらず、中世との間に明確な境界線を引くことはできない。が、しかし、すぐ後に述べるように、中世の始まりを表示する目安として、西ローマ帝国の滅亡の年を挙げておくことには、まったく根拠がないわけでもない。

それならば、終わりはいつなのか？　中世の終わりは？　多くの人に好まれたのは、一四五三年である。これは、ビザンツ帝国が崩壊した年、つまりローマ帝国が消滅した年である。この年を利用すれば、中世は、西ローマ帝国の滅亡とともに始まり、東ローマ帝国の滅亡とともに終わるという、たいへんきれいな構図を得ることができる。だが、西ローマ帝国の滅亡と違って、東ローマ帝国の滅亡をメルクマールにすることには、まったく意味がない。当時の、つまり一五世紀のヨーロッパ人が、東ローマ帝国の崩壊に強い衝撃を受けたということを示す証拠はないからである。

これよりも半世紀弱の後、一四九二年であれば、「終わり」を徴づける年として、もう少しふさわしい。この年は、スペインの宮廷に雇われたイタリア人がアメリカを（インドだと思い込んで）「発見」した年であり、また、いわゆるレコンキスタが終了した年、つまりヨーロッパ人がグラナダのイスラム王国を終焉に追い込んだ年だからである。この二つの動き――アメリカへの進出とイベリア半島の征服――は、無関係ではない。これらは、外へと向かおうとするヨーロッパの精神の二つの現われである。

だが、明確な時代区分は、必ず違和感を残す。イタリアに目を向ければ、一三世紀末には、美術、建築物、知的動向等に、中世的な趣から距離をおいた作品が現われているようにも思える。ニコラ・ピサーノとその息子による数多の説教壇（一二六〇―一三一〇）、ペトラルカ（一三〇四―一三七四）の抒情詩、マサッチオ（一四〇一―一四二八）の絵画、ブルネレスキによるフィレンツェ大聖堂の円蓋（一四二〇―一四三四）等は、一四九二年よりも前のものだが、すべて「近代」の香りをも発していないだろうか。

こうした事実を念頭において、そしてもともと「中世」という語がイタリアの人文主義者たちによって発明されたということを考慮にいれて、中世をイタリア・ルネッサンスの前までとするのが、教科書的な理解である。しかし、これにも問題がある。中世は、実際には、ダイナミックな過程で、その中にいくつもの「ルネッサンス」を含んでいる。これが今では歴史家の一般的な理解である。よく知られているのは、ジャン゠ジャック・アンペールが提起した「カロリング朝ルネッサンス」（八世紀末―九世紀）、そしてチャールズ゠ホーマー・ハスキンズが導入した「一二世紀ルネッサンス」等である。[*2] 興味深いことに、中世という時代においては、絶えず新しいことが創造されているのに、それらは、つねに過去のルネッサンス（再生）という形式を纏（まと）っていた。中世の人々は、新しさをまったく評価しなかった——というより嫌悪していた——からである。逆に、古さは肯定的な意味をもっていた。問題は、狭義のルネッサンスが、カロリング朝ルネッサンスや一二世紀ルネッサンス等の他のルネッサンスと比べて、より深い断絶を意味しているのか、ということである。新しいものが、そのまったき反対物の外観のもとで——つまり非常に古いものとして——絶えず創出されていたところに、中世の特徴がある。とするならば、狭義のルネッサンスもまた、一連のルネッサンスの一つとして相対化すべきではないか。

それならば、逆に、連続的な変化の過程があるのみであって、中世と近代とを分かつ大きな断絶などそもそもない、という極端な立場は成り立たないのだろうか。これもまた、事態の本質を捉えるには不都合な見方である。たとえば、科学史の研究家は、一六世紀から一七世紀の初頭にかけての時期に「科学革命」があった、と述べている。コペルニクス、ガリレイ、そしてニュートンが登場したのは、この期間である。われわれの自然観は、科学革命以降、現在に至るまで、ほぼ連続している、と言ってよいだろう。実際、われわれが今日、高校までの間に勉強するような科学の骨格は、科学革命の頃に確立されたものである。つまり、科学革命以降の自然観は、今日のわれわれの観点からも、おおむね合理的なものに感じられる。しかし、それ以前の自然観に対しては、今日のわれわれは、明白な違和感を覚える。とするならば、科学革命以降と以前の間のどこかに、質的な差異を画するような境界線があったと考えないわけにはいかない。[*3]

以上を総合するならば、中世とは、五世紀末から始まるおよそ一千年間であると見なすことができるだろう。その中に、いわゆるルネッサンスも含めたい。狭義のルネッサンスは、他のいくつものルネッサンスの一つであり、その最後の波であったと解すべきではないか。中世とは、端的に言ってしまえば、キリスト教の時代、キリスト教が深く生活の全領域に浸透していった時代である。「西洋」とか「ヨーロッパ」といった文明的な単位は、中世を通じて、あるいは中世のある時期に形成された。その「西洋」は、地理的な広がりに関して言えば、かつて西ローマ帝国があった地域とほぼ重なっている。今日、われわれが「(西)ヨーロッパ」と呼んでいる領域、ヨーロッパの中心部分と見なしている地域、それは、かつて西ローマ帝国があった空間なのである。西洋とは、西ローマ帝国の跡地に生まれた文明である。

ところで、先に述べたように、西ローマ帝国の崩壊を中世の開始と同一視する見解もあるくらいだから、西ローマ帝国自体は、中世の本格的な展開よりも前に消滅してしまっている。西洋という強力な文化的アイデンティティが結果的に生まれたことを考えると、奇妙なことではあるが、西ローマ帝国は、消滅したことを通じて、深くかつ長い影響を残したかのようなのだ。ちょうど、キリストが、死んだことによってその影響を刻んだのと似ている。中世という時代区分が西洋の歴史にしか事実上使えないこと、[*4] このことが、中世と西洋との深い結びつきをよく示している。

4　東と西のキリスト教

中世がキリスト教の時代であったとするならば、キリスト教こそが西洋を可能にした最も重要な要素だと考えるべきなのか？　そのような断定は、しかし、未だ肝心な部分を逸している。キリスト教に加えて、ギリシアやローマに由来する契機も重要だ、というすでにここまで述べてきた論点を繰り返したいわけではない。ここで留意したいことは、キリスト教には、二つの種類があるという事実である。西洋の誕生に与(あずか)ったのは、その内の一つである。キリスト教が深く浸透していれば、そこに西洋が形成される、というわけではない。キリスト教の全般が重要なわけではない。特定のタイプのキリスト教が有効だったのである。

二つのキリスト教とは、（ギリシア）正教 Orthodoxy と（ローマ）カトリック Catholicism である。ローマ帝国に定着したキリスト教は、正教とカトリックに分解した。その分解は、ローマ帝国の東／西分裂に対応している。ビザンツ帝国（東ローマ帝国）のキリスト教は「正教」を名乗った。それに対して、西ローマ帝国の跡地で繁栄したのは、カトリックである。もともと、ローマ帝国の分裂前から、コンスタンティノープルとローマは二大教会であり、ライバル関係にあった。ローマ帝国が分裂し、しかも早々に西ローマ帝国が滅亡してしまったがために、ローマ教会は、政治的に、コンスタンティノープルのビザンツ皇帝に従属せざるをえなくなる。このことがローマ教会とビザンツ皇帝との間の関係の悪化を招き、結局、それぞれの教会が、異なるキリスト教を継承することとなったのだ。

今しがた述べたように、西洋が誕生したのは、かつて西ローマ帝国があった地域である。とするならば、西洋の成立を問うという主題にとっては、なぜ正教ではなく、カトリックの方だったのか、を問わなくてはならない。実際、西洋という名の文明的な一体性は、ビザンツ帝国にまでは及んでいない。というより、西洋的な特質は、ビザンツ帝国の「跡地」に出現した諸社会の特徴との対照によって、つまりは「東ヨーロッパ」と呼ばれる地域の諸社会や諸民族の特徴との対比によって、むしろ際立たせることができる。要するに、二つのキリスト教の伝統は、その類似よりもその相違において目立っているのである。

ここでの問題意識との関連で特に興味深いのは、資本主義の出現、資本主義の起源との関連である。この点に関して、最も重要な知見は、世界システム論によって提起されてきた。この理論の指導者イマニュエル・ウォーラーステインの考えでは、資本主義は一六世紀に誕生した。無論、それを主導したのは西ヨーロッパである。世界システム論によれば、資本主義的なシステム、すなわち近代世界システムは、「世界＝経済」という形式をとる。[*5]世界＝経済は、経済的に中核／準周辺／周辺といった形態で分節化されている。資本主義が西ヨーロッパに誕生したということは、もう少していねいに言い換えれば、西ヨーロッパを中核とするような世界＝経済が形成され始めたということである。ウォーラーステインによれば、世界＝経済は、「長い一六世紀」を通じて、少しずつ成長していった。この説に従えば、資本主義は、中世が終わったすぐ後に、西ヨーロッパの企業家たちを主たるエージェントとするようなかたちで生み出されたということになる。

だが、近年、世界システム論の学統からも、資本主義の、したがって世界＝経済の誕生は、それよりも前に、すなわち中世の真っただ中に認めるべきである、とする説が提起されている。[*6]エリック・ミランによれば、資本主義的な経済システムへの移行は、中世の後期に、すなわち一二世紀にすでに始まっている。[*7]それは、先に言及した一二世紀ルネッサンスの時期と重なっている。つまり、それは文化的な革新と並行して生じているのだ。ミランが、資本主義化のエージェントとして注目しているのは中世の都市、もう少し厳密に言えば、都市国家間のネットワークである。[*8]中世は、基本的には農村的な社会であり、今日われわれが使うような意味での「経済」という語すらもってはいない。しかし、広範な自治権を有する、多数の都市（都市国家）の誕生もまた、中世の特徴である。その都市国家間のネットワークを中核に置くような、資本主義的な世界＝経済が、中世の後期には認められる、というのだ。無論、世界＝経済の規模や資本主義的な生産様式の浸透度に関しては、一六世紀以降のシステムとの間に圧倒的な差異がある。しかし、一二世紀の都市国家には、資本主義的な階級関係や分業のシステム、搾取の様式が、萌芽的であるとはいえ、すでに登場していた。

この中世の世界＝経済において、中核は、西ヨーロッパの都市国家のネットワークだとして、問題は、周辺はどこだったのか、ということである。搾取されていた周辺は、主として、東ヨーロッパ、つまりビザンツ帝国（とその近辺）だったのだ。たとえば、中世の貿易の中心にあった穀物貿易と織物貿易をとってみよう。バルト海地域からネーデルランド（一二五〇年頃より）やイングランド（一四世紀）への穀物輸出が、あるいは黒海沿岸地域からジェノヴァ、ヴェネチア、モンペリエのような諸都市への穀物輸出が、西ヨーロッパの諸都市の労働者の消費にとって不可欠であった。穀物だけではない。東ヨーロッパからネーデルランドやイタリアへの、毛皮、材木、畜牛といった原料の輸送量は、増加していった。これらに対して、西ヨーロッパから東ヨーロッパに向けて輸出されたのは、都市製品であり、この量も増大の傾向にあった。要するに、東ヨーロッパが一次産品の輸出に特化し、西ヨーロッパは、さまざまな工業製品を輸出したのだ。この地域間分業は、今日、「先進国」が「第三世界」の諸国を従属的な地位に置くときのやり方とまったく同じものである。

ヴェネチアやジェノヴァのようなイタリアの諸都市国家がビザンツ帝国に対してとった政策は、一種の植民地主義政策であった。すなわち、一次産品に対するヨーロッパ諸都市の需要を満たすために、ビザンツ帝国の諸地域は、さまざまな一次産品にモノカルチャー化された。ミョウバン（織物産業に必要）、綿花（織物産業、製燭産業に必要）、アルカリ灰（石鹸やガラスの生産に必要）等が、それらの一次産品である。ライウーは、こうした状況に関して、市場を主導したイタリア人たちは「ビザンツ帝国における独自の製造業の発達を許さなかった」としている。また彼は「一二—一三世紀までモレアに栄えていた織物産業が、その後ほとんど衰退してしまったのは、決して偶然によるものではなく、重要な意味をもつこと〔イタリア人の活動の結果だということ〕なのである」とも、またギリシアのガラス産業が一三世紀後半の好況期に西からの輸入に駆逐されたとも論じている。[*9]

このように、最も初期の資本主義——ほとんど資本主義以前の資本主義ともいうべき段階——のシステムの中でも、西ヨーロッパと東ヨーロッパは、まったく対照的・対立的なポジションに置かれている。前者の内に発達した都市のネットワークが、主導的で、それゆえ中核的なポジションを得ているとすれば、後者は、搾取される従属的・周辺的なポジションに追いやられているのだ。

*

さて、問うべきは、東と西の間のこうした相違を規定する究極の原因は何かである。今、中間の因果関係を無視して、東の文化と西の文化の本質的な差異を煎じ詰めれば、結局、それは、正教とカトリックの違いに帰着する。正教とカトリックの差異が、今述べてきたような東ヨーロッパと西ヨーロッパの運命の相違に――たとえば中世の萌芽的な資本主義経済の中での中核と周辺の違いに――どのように繋がっていたのか、無論、そうした因果的な繋がりがあったとしてのことだが、それがどのようなものだったのか、この点については、とりあえず今は問わずにおこう。まずは、そもそも、同じキリスト教だというのに、正教とカトリックはどのように違うのか、これを明確にしておく必要がある。

　正教とカトリックの相違は、それぞれの教会建築の内部に入ってみるだけで、直ちに看取することができる。教会建築の中で最も重要な場所は、身廊の最奥部にある内陣である。内陣には主祭壇がある。東方正教系の教会の内部に入っても、内陣には直接に入っていくことはできず、そもそも内陣を見ることすらできない。内陣は、聖像壁（三つの扉をもつ仕切り壁）の向こう側に位置しているのだ。カトリック系の教会は、これとは対照的である。さすがに、信者が内陣に直接入っていくことはできないようになってはいるが、内陣が壁によって隔てられているわけではない。外陣の端から内陣まで簡単に見とおすことができる。最も重要な聖体（ホスチア）は、聖櫃（せいひつ）の中に収められてはいるが、しかし、これでさえも、さまざまな機会に、簡単に顕示台の上に置かれ、人目に曝される。それどころか、聖体祭においては、聖体は教会の外にまで連れ出され、衆目の中に置かれるのだ。

　両者を支配する原理の相違がどこにあるのか、一目瞭然であろう。カトリックの原理は、見せること、現わすこと、顕示することにある。それとは逆に、正教の原理は、隠すこと、不可視であること、肝心なことを現前させないことにある。

こうした相違の歴史的な起源は、有名な聖像禁止問題である。ビザンツ帝国では、聖画像が、つまりイメージが廃棄された。無論、聖画像やイメージの利用が、偶像崇拝を意味すると解されたからである。帝国では、七二六年から七八七年、そして八一五年から八四三年、聖画像の破壊が公式教義になっている。西側は、イメージに対して、まったく逆の態度を取った。ローマ教会は、聖画像崇拝を正当化したのである。とりわけ、シャルルマーニュ（カール大帝）――フランク王国の国王にして、教皇レオ三世によってローマ皇帝に任じられ、一時的にローマ帝国を復活させたあのシャルルマーニュは、側近となった高位聖職者の助けを借りて、この問題に巧みに対処した。彼は、表象を禁止すべきかどうかの議論には立ち入ること自体を拒否し、「どちらにもあらずの論」を展開したのだ。

こうして、東では、聖画像は禁止されたが、西では、許容された。これが、隠すキリスト教と見せるキリスト教の対照として持続した。前者においては、神は不可視の抽象性を厳格に保っている。後者においては、逆に、神は、ときに可視的な具象性を帯びる。聖体を見せることだけを目的とする台（顕示台）が教会内に用意されていたという事実が、後者の宗教の性格をよく示している。

東西のこうした相違は、西洋の「帝国」にしか見られない、ある顕著な特徴とどう関係しているのだろうか？　ここで念頭においている顕著な特徴とは、宗教的な権威と世俗の権力との間の極端な二重性である。両者の間には、一応は、整合的な関係がある。前者が後者を正統化しているのだ。たとえば、教皇がシャルルマーニュに帝冠を与えたときのように。あるいは、東フランク国王のオットー一世が教皇によって神聖ローマ皇帝に任じられたときのように。しかし、実際には、西ヨーロッパの歴史のほとんどの期間において、聖なる権威（教皇）と俗なる権力（皇帝、国王、領主等）は、互いに独立に行動しており、むしろ対立的でさえある。その結果として、西洋には、帝国があるのかないのかわからないような状況が出現した。神聖ローマ帝国が、実効的な支配力をもたないまま、ただヴァーチャルな帝国としてのみ持続したのである。

東は、これとはまったく逆である。ビザンツ帝国においては、宗教的な権威と世俗の権力は完全に一元的である。すなわち、事実上、世俗の権力の頂点にある者（皇帝）が、教会の指導者でもあったのだ。皇帝には、コンスタンティノープル総主教を初めとする総主教の任命権があったからである。つまり、ビザンツ帝国では、宗教的な権威の頂点と世俗的な権力の頂点が合致しているのだ。こちらのシステムの方が、西側のシステムよりもはるかに高い論理的な一貫性を有しているように思える。こうした聖俗の一元性という点では、たとえば、イスラム帝国も同様である。また中華帝国も、基本的には同じ一元性をもっている。西洋だけが、西洋のヴァーチャルな帝国だけが、例外である。

5 「フィリオクエ」の有無

前節で概観した二つのキリスト教の相違、すなわち隠すキリスト教（東）と現わすキリスト教（西）の相違は、「フィリオクエ filioque」の一語をめぐる東西キリスト教の間の論争に直接反映している。東西教会の仲違いは、九世紀に始まるこの論争を通じて、もはや修復不可能なものになった。論争に端を発した対立の果てに、東西教会は「大分裂」に至ったのだ。一〇五四年の出来事である。

「フィリオクエ」の語の有無こそが、東方正教会とローマ・カトリック教会の差異を要約している。その背後には、父と子と聖霊の間の三位一体の定義をめぐる意見の対立がある。[*10] まずは、経緯を説明しておこう。三位一体の理解をめぐるあまりの混乱を受けて、ニケーア公会議（三二五年）、コンスタンティノープル公会議（三八一年）、そしてカルケドン公会議（四五一年）が招集された。これら公会議を通じて、信経の文句が定められた。信経とは、教義のエッセンスを要約した短い文章のことである。その信経は、カトリック側の典礼では、一般に「ニケーア＝コンスタンティノープル信経（シンボル）」と呼ばれている。この場合の「シンボル」とは、象徴という意味ではなく、共通の信仰という意味である。ニケーア＝コンスタンティノープル信経の表現では、聖霊――三位一体の三つ目の位格にあたる聖霊──は「父から生じる」とされていた。信経は、帝国の標準言語とされていたギリシア語で書かれていたが、その肝心な部分を、カトリック側の聖職者の言語であるラテン語に訳すと、次のようになる。

Credo …in spiritum sanctum　（私は信じる、聖霊を）
dominum et vivificantem　（主であり、命を与える聖霊を）
qui ex Patre procedit　（父から生じた聖霊を）

これに対して、カトリック側の何人もの神学者が、「私は聖霊を信じる、……父と子から生じた聖霊を」とすべきであると主張したのだ。原文に対して付加された部分（「と子」）をラテン語で表すと「フィリオクエ filioque」となる。したがって、カトリック側の主張では、最後の一行は、次のようでなくてはならない。

qui ex Patre Filioque procedit　（父と子から生じた聖霊を）

聖霊は専ら父から生じるとする正教側の理解では、三位一体の三つの位格（父と子と聖霊）の中で、父に優位が与えられている。父が三つの位格を支配するのだ。それに対して、フィリオクエを付加すべきだとするカトリック側では、父と子（イエス・キリスト）が同格の扱いになる。この「フィリオクエ」こそ、西洋の本質を──中世に形成されつつあった西洋の西洋たる所以を──圧縮して表現している、という仮説を立ててみたらどうだろうか。

この仮説が妥当だと思えるのは、これを起点にして、ここまで言及してきた中世ヨーロッパの諸特徴を、あるいはまだ言及していないさまざまな側面を、統一的に説明できるからである。たとえば、正教が隠す宗教であるのに対して、カトリックは現わす宗教である、と述べておいた。ここで「子」とは何かを考えてみよ。子とは、地上に受肉した神、人間としてこの地上に現われた神ではないか。それゆえ、三位一体における子の重視と、カトリックの「現わす宗教」としての側面は、正確に呼応している。

ビザンツ帝国では聖なる権威と世俗の権力が一元化しているのに対して、西ヨーロッパでは、両者が拮抗しあっている、と述べておいた。根幹的な社会構造のこのような相違も、「フィリオクエ」の語をめぐる攻防に表現されている、三位一体に関する東西の理解の相違と、完全にパラレルである。一方で、正教においては、三位一体は、言わば「父の王国」である。父の優位のもとで、三つの位格が統合されているからだ。この構成は、ビザンツ帝国における、聖俗の権力の一元性と対応している。他方で、カトリックの理解では、父と子は同格である。これもまた、聖なる権威（父）と地上の権力（子）とが拮抗し、対立しあっている西ヨーロッパの状況ときれいに対応しているではないか。

＊

子とは、一人の平凡な人間となった神である。イエスがまさに人間であるということは、彼が十字架上であえなく死んでいくという事実によってこそ示される。ところで、ある種の死者に対する愛着、もっと端的に言えば、死体への、死んだ身体への執着は、ヨーロッパ中世の顕著な特徴である。たとえば聖人崇拝を考えてみよ。中世では、非常に多くの聖人が尊敬と愛情の対象となった。それぞれの聖人は、暦の中に場所を与えられ、記憶に留められた。教会によって絶えず新しい聖人がつくられていたので、つまり暦に収納すべき聖人の数があまりに増えてしまったため、すべての聖人をまとめて祝うための日、すなわち万聖節が設けられたくらいである。

聖人は、特権的な死者である。われわれはここに、イエス・キリストの反復を見ることができるのではないか。イエスの誕生と死も、いやイエスの誕生と死こそ、暦の中にその痕跡を留めている。受肉の日（クリスマス）、復活祭、聖霊降臨祭といった形でである。暦がまずあって、その中で、イエスの誕生や死が記念されたというより、逆に、それらを記念するに相応しいように暦が教会によって整えられていった、と言ってもよいくらいである。暦には、最後の晩餐のときに、イエスが己の身体について神秘的なことを語りながら弟子たちに命じた言葉、「わたしの記念としてこれを行いなさい」（ルカ二二章一九）が響いている。聖人もまた、同じように暦の中で記念された。聖人は、言わば、稀釈されたキリストである。

また中世の人々の聖遺物への執着は、驚異的である。聖遺物とは、聖人や聖女の肉体的な残滓である。聖人たちの身体を彷彿とさせるものであれば、何であれ聖遺物となりえた。聖遺物には、触れた者の病を治すなど奇蹟を起こさせる力が宿っていると信じられ、人々は異様な情熱をもって聖遺物を収集し、またそれに近づき触れようとした。聖遺物は、非常な高値で売買された。ということは、聖遺物を売り歩く商人もいたということである。聖遺物があるところは聖地となり、人々が集まってきた。教会や修道院にとっては、それゆえ、聖遺物は重要な財源である。彼らは、たいへん高価であったとしても、重要な聖人の聖遺物を入手しようとしたのである。

聖人（の死体）や聖遺物が、われわれの探究にとってことのほか興味深いのは、それが中世における都市とそのネットワークの形成を促す決定的ともいえる機能を果たしているからである。先に、中世の都市（国家）のネットワークが、初期資本主義の世界＝経済を産み出すエージェントになっていた、とするエリック・ミランの説を紹介した。それならば、どうして、中世に特別に活力がある都市が生まれたのだろうか？　その原因の一つとして、キリスト教とともに導入された（ある種の）死者への崇敬を挙げることはできないだろうか。「死者の都市化」は、中世の初期に始まった現象である。古代ユダヤ教も古代ギリシア文化も、死体との接触を忌むべき穢れ（けが）と見なしていたので、死者は、共同体の外に、たとえば街道沿いに埋葬された。だが、キリスト教の下では、四世紀以降、死者は、教会の脇にある聖遺物の横に埋葬された。要するに、死者の身体が都市の中に導き入れられたのである。

聖遺物があれば、その脇には教会が建てられる。その周囲には、さらなる建物が造られる。信者もここをめざして巡礼してくる。このように人が集まれば、そこには市が開かれ、商業が繁栄するはずだ。聖地のネットワークと通商のネットワークが、あるいは都市間の同盟関係が、重なりながら成長してきたに違いない。まるで、聖人の死んだ身体が、不思議な引力をもっていて、都市（とそのネットワーク）を形成しているかのようだ。

このような触媒的な機能を果たす死体の原点には、キリストの身体、キリストの死体がある。聖遺物への愛着は、キリストの身体への崇拝の延長上に現われる。ここで、本章の冒頭に論じたことを想起しておこう。ソクラテスの死体とは対照的に、キリストの死体は残存することを指向していた、という指摘をである。

それにしても、どうして、中世において、死体が、ある種の死体が、身体の残された断片が、これほどまでに人を惹き付ける不思議な力を有したのだろうか？　この不思議な力に、中世という社会の――「西洋」を産み出した中世という社会の――秘密の全重量がかかっているようにすら見える。たとえば、人を惹き付けるこの力がなければ、そして都市の真ん中にこの力を組み込まなかったら、西ヨーロッパの中に、資本主義の担い手となるような活力のある都市国家が生まれることはなかったかもしれない。あるいは、父なる神を死すべき人間と同格と見なす信仰がなければ、聖権と俗権の対立的な二重性を背景にした、ヨーロッパ独特の封建社会も出現しなかったかもしれない。こう考えれば、残された死体、消えない死体が発揮したこの不思議な力に、中世の秘密が隠されている、と言っても過言ではない。

だが、この力をキリスト教の影響だ、と言ったところで、何も説明したことにはならない。第一に、それは、説明されるべきことを最初から前提にしたトートロジーに過ぎない。今、問題にすべきは、どうして、そのようなキリスト教が効力をもったのか、なのだから。第二に、キリスト教が普及したすべての社会や地域で同じようなことが起きたわけではない。東方正教は、ここに見てきたような死体の引力を否定するキリスト教であった。冒頭で、ソクラテスの死体（の代理物）は提示されるや、すぐに隠される、と論じた。正教もまた、同じように、超越的な身体を隠すことを指向する宗教であった。それゆえ、「キリスト教の影響で」ということでは、西ヨーロッパ中世で効果を発揮した死体の魔力を説明したことにはならないのだ。われわれの今後の探究は、この魔力は何に由来するのか、それはどのような影響をもたらしたのか、こうしたことに向けられなくてはならない。

繰り返せば、聖人の遺物にせよ、十字架上のキリストの身体にせよ、それらはすでに死んでいるはずなのに、人々を集合させ、動かす独特の活力を宿しているように感じられる。それらは、死んでいるはずなのに、死にきれない身体の断片である。そう考えると、聖遺物の執拗な力は、ＳＦやホラー映画の中で何回となく繰り返し描かれてきた、あるシーンを連想させずにはおかない。主人公が、人間の姿をした怪物や宇宙人と闘い、彼らの身体をずたずたに破壊してしまう。最後には、怪物たちの身体は、人間の原形をとどめないほどになる。ときには、粘々(ねばねば)した液状の物体になってしまう。主人公は、敵を完全に殺したと思って安心するのだが、その直後に、断片と化した、あるいは液状化した身体が再び動き出し、集まり、もう一度、人間の姿をとる……。聖遺物は、決して死に尽くすことのないこの種の死体を連想させる。

この章で、われわれは、中世という時代の輪郭と中核とを大づかみに捉えてみた。大局観をまずは示しておく必要があったからである。中世に、いかにして「西洋」が形成されたのか？　それが、近代をどのように準備し、また阻害したのか？　厳密な考察はこれからである。

＊1　ミシェル・アルベール『資本主義対資本主義』小池はるひ訳、竹内書店新社、一九九二年（原著一九九一年）。

＊2　ほかに、たとえばロベルト＝サバティーノ・ロペスは「一〇世紀ルネッサンス」ということを言って、議論をまきおこした。Robert Sabatino Lopez, "Still Another Renaissance?", *The American Historical Review*, vol.57, no.1, Oct. 1951.

*3　たとえば、今日、われわれが「クラシック音楽」として聴く音楽は、主としてバロック音楽以降の作品である。特別な学問的関心でももっていなければ、それより過去の作品を聴く機会はほとんどない。つまり、クラシック音楽とは、一七世紀以降のヨーロッパの音楽なのである。それよりも古い音楽、すなわちルネッサンスの音楽に対しては、多くの現代人は、自分たちとの距離を感じるだろう。科学的な認識だけではなく、音楽的な感性についても、一七世紀以降現在までは地続きであり、それより前との間には断絶があるのだ。

*4　たとえば「日本の中世」等、他の地域にも、近現代と古代の間に「中世」があったかのように言われるが、中世という概念を、このように拡張して使ってしまうと、それが何であるかが、その本質が何であったかが、さっぱりわからなくなってしまう。中世は、西洋に固有の時代であると考えるべきである。

*5　世界＝経済は、世界＝帝国の対義語である。政治的に統合されていないことが、後者との最大の違いである。

*6　世界システム論にこだわらなければ、類似の説は、さらにいくつも見出すことができる。中世後期に「商業革命」があったとする説すらある。しかし、ここではそれら諸説を広く検討する必要はないだろう。

*7　Eric H. Mielants, *The Origins of Capitalism and the "Rise of the West"*, Philadelphia: Temple University Press, 2007.

*8　ミランの説を初めとする世界システム論の諸説に関しては、いずれていねいに論ずることになる。ここでは、基本的な問題の配置を確認するために必要な範囲で、要点のみを記しておく。

*9　Angeliki E. Laiou, "Venice as a Centre of Trade and of Artistic Production in the 13th

Century," Hans Belting ed., *Il Medio Oriente e l'Occidente nell'arte del XIII secolo*. Bologna: Editrice CLUEB, 1982, pp.11-26.

＊10 三位一体こそ、キリスト教を、とりわけ中世のキリスト教を理解する上での鍵である。われわれは後に、三位一体について、詳細に主題的に論ずることになる。

第2章　信仰の内に孕まれる懐疑

1　大学の言説

　ジャック・ラカンは、言説（語り）を四類型に分類している。それぞれ、「主人の言説」「大学の言説」「ヒステリーの言説」「（精神）分析家の言説」と呼ばれている。これらの中で、主人の言説の原点としての性格については、かつて、ごく簡単に論じた（『古代篇』第12章）。四類型は、この主人の言説を起点においたシンプルな論理的な操作によって、「（主人の言説↓）大学の言説↓ヒステリーの言説↓分析家の言説」の順に導出することができる。ここでは、四つの言説の内容について論じるつもりはない。興味深いのは、これらの類型に与えられた個性的な名前、とりわけ「大学の言説」という名前である。「ヒステリーの言説」「分析家の言説」という命名については、納得がいく。ラカンが精神分析の理論家であることを思えば、分析家の言説に特別な地位を与えるのは当然であろう。また、フロイトの精神分析の理論は、ヒステリーという現象を解釈することによって生まれたと言っても過言ではないほどにヒステリーに深く結びついているので、「ヒステリーの言説」が出現する理由も容易に推測できる。

残りは、主人の言説と大学の言説である。変則的な他の二類型とは違って、主人の言説と大学の言説は、言説の二つの主要なカテゴリーだと見なすことができる。（厳密さを犠牲にして）大雑把に言えば、主人の言説は、行為遂行文（の集合）に、大学の言説は、事実確認文（の集合）に、それぞれ対応している。だが、なぜ、ラカンは、認知に関わる言説に、「大学」という名を与えたのだろうか？「主人」の言説の方は、その名にとりたてて独創性はない。行為遂行文の典型は「命令」であり、「主人」は、命令が機能するような垂直的な関係性を一般的に代表しているからである。だが、大学の言説は、なぜ、「学者の言説」とか、「科学の言説」ではないのか？認知的な言説を「大学」という制度で代表させるのは、奇異ではないか？逆に言えば、社会内で生産される事実確認文の全体を「大学」によって象徴させるのがごく自然であるような社会的な状況の中に、ラカンは生きていたのである。その状況こそは、ヨーロッパ（西洋）である。

われわれは、西洋の中世について考察している。中世こそが、西洋がまさに西洋としてのアイデンティティを確立した時代である。その中世の特徴の一つとして、大学という制度をもったということが挙げられる。今日では、大学は、日本を含め、世界中の至るところにある。しかし、それは、どこもかしこも近代化したからであって、近代以前に大学にあたる教育施設をもったのは、西ヨーロッパだけだった。しかも、ヨーロッパにだけは、近代どころか、一千年近くも前に大学が設立されていた。一一世紀末から一三世紀前半にかけて、中世の主要都市には、次々と大学が作られたのだ。[*1] ここで、大学は、中世的であるだけではなく、都市的な現象であることも銘記しておく必要がある。

なぜ、西ヨーロッパでのみ、つまりラテン語文化圏でのみ、これほど早い段階から大学が発達したのだろうか？ 学校は、西ヨーロッパ以外にも、もちろんあった。高等教育機関もまた、西ヨーロッパ以外にも、あるいは中世以前にも、いくらでも見出すことができる。しかし、大学と見なしうる制度は、まず中世ヨーロッパでだけ異常に発達したのである。どうしてだろうか？ まず、大学の特徴は何か？ 大学は他の学校とどう違うのか？

大学 universitas とは、本来、一種の同業者組合、教師たちの団体 corporation であった。それは、法人と見なしうる集団の最も初期の形態の一つである。特徴として、次の二点を挙げておくことができるだろう。第一に、その開かれた性質である。大学は、市民の一般に開かれた教育機関であった（実際に、そこで教育を受けた者は、都市民のごく一部だったとしても）。最も初期の大学として、ピタゴラス学院やプラトンのアカデメイアが挙げられることがある。しかし、ピタゴラス学院は、閉じられた秘教的な教団であった。アカデメイアは、知的なことに関心をもつ一般の人を受け入れる態勢をもってはいたが、「幾何学を学ばざる者はこの門をくぐるなかれ」という門の銘が示唆しているように、なお、俗事から撤退した一部の知者に教育対象を限定しようとする強い傾向をもっていた。それに対して、中世の大学の知は、university という名が含意しているように、普遍的 universal な教育方法に基づく知、外へと開くことを指向する知であった。中世の大学では、ラテン語を別にすると、いわゆる自由学科 liberal arts（文法、論理学、弁論術の言語系三科目と、算術、幾何、天文、音楽の数学系四科目）が全員に教育された。なぜ、これらが liberal と形容されたかというと、これらが、都市の自由民に必須と見なされたからである。中世では、都市の住民であることが自由民であることを保証したが、自由民は、自ら判断して行為を選択できなくてはならない。そのために必要な理性を鍛える訓練になるのが、自由学科であった。大学は、都市の自由民の一般へと開かれていたのである。

第二に、大学は、世俗の制度であって、宗教的な制度ではない。西ヨーロッパの外部にも、高等教育機関はあったが、それらは、教理の研究と教育を目的とした、直接に宗教的な学校であるか、さもなければ、官僚を養成するための教育機関であった。しかし、大学はそのどちらでもない。西ヨーロッパでも、修道院など宗教的な制度が、大学と並ぶ、もう一つの知の中心であった。また、大学で研究され、教育された、最も重要な知は神学であり、その意味では、大学も宗教から自由ではない――というより宗教と深く結びついている。だが、それでも、大学では、知の総体が教育されたのであって、聖書の記述に盲従するような釈義がなされていたわけではない。ただ、当時はキリスト教以外の知はありえなかったがゆえに、結果として、キリスト教的な知が教育されたのであって、大学それ自体は、決して、直接に宗教的な制度ではなかったということに留意すべきである。教師は聖職者ではなく、学生は修道士でも、宗教的なエリートでもない。直接には宗教的ではない世俗の制度の中から、あるいは官僚的な技術とは無関係な制度の中から、膨大で体系的な知を産み出した前近代的制度は、ヨーロッパの大学のみであった。

さて、ここで、もう一度問おう。どうして、西洋においてのみ、近代よりもはるか以前に、大学が発達したのだろうか？　ありそうな解答、すなわち、中世の後期ともなれば、現代社会の複雑性が増し、法律や医療等の専門家を供給する必要があったからだという、現代人がすぐに思いつきそうな解答は、間違っている。ヨーロッパと同程度に、あるいはそれ以上に複雑な社会であった、他の文明や帝国では、大学は生まれなかったからである。ヨーロッパ流の大学などはなくても、必要な専門家は育成できたのだ。それならば、どうしてヨーロッパの中世にのみ大学が生まれたのか？　この問いは、西洋という文明のアイデンティティがいかにして形成されたのかという本来的な問題意識の野心に比べると、相対的に小さな課題だが、探究の道行きに光を照らすカンテラとしての役割くらいは果たしてくれるだろう。「大学」が中世ヨーロッパにおける顕著な現象であるとすれば、中世において西洋的なるものが成立した機制を説明する理論は、必ず、副産物として、大学が同時に生まれた必然性をも説明するはずだから。

＊

今述べたような二つの条件（開放性と世俗性）によって特徴づけられるような大学が出現したこと、この事実は、まずは、中世のヨーロッパにおいて、知（学問）が信（宗教）から独立しようとしていたということを示しているだろう。言い換えれば、このとき、哲学（愛知）と宗教（教義）との間に、微妙な亀裂が走っているのである。

一般には、近代以前のどのような文化の下でも、世界のあり様を説明する知は、それ自体、宗教的な教義の形態をとっている。ヨーロッパの中世でもまったく同じだ――と思える。実際、知は、すべてキリスト教を前提にしている。キリスト教的ではないような、ましてキリスト教を公然と否定するような知は存在しない。無論、第三者が異端と見なすような知は、数限りなく存在したが、それを唱える当事者の主観的な意識からすれば、自らの知の方がよりいっそうキリストの教えや聖書の記述に忠実だということになる。したがって、中世のヨーロッパにおいても、知は信と深く融合しており、信に従属していたように思える。トマス・アクィナスが述べたように、哲学は神学の婢女（はしため）である。[*2]

だが、もし知が信に完全に従っているのであれば、どうして、それは、教会や修道院で要としたのだろうか？　大学は、教会や修道院に付属していた学校ではない。知的な探究（のみ）探究されなかったのだろうか？　どうして、大学という別の制度、別の団体を必要としたのだろうか？　大学は、教会や修道院に付属していた学校ではない。知的な探究のために、あるいは哲学的な教育のために、大学が設立されたとき、当事者たちさえも意識してはいなかった、知の信からの小さな離反が始まっていた、と解すべきではないだろうか。中世の哲学にとっていかに大学が重要だったかということは、まさに、それが「スコラ哲学（学校の哲学）」と呼ばれたという事実の内によく現われている。冒頭に紹介したラカンのジャルゴンを用いれば、「主人（≠神）の言説」から「大学の言説」が独立し、両者が対立する兆しが宿っているのだ。

こうした離反、つまり宗教からの学知の離反は、通常は、はるかに後の時代、啓蒙主義の時代の出来事であると解釈されている。事実、離反が完結するのは、その頃だと言ってよかろう。宗教からの完全なる独立を果たした最初の哲学者は、一八世紀後半から一九世紀の哲学者、つまりカントである。

中世に見出される、信と知の間の亀裂は、啓蒙期のそれとはまったく比べものにならない、微かなものである。だが、それは、かえってより不思議であるとも言える。普通は、一七世紀以降に、宗教の知への規定力が弱くなることには、ごく当然のさまざまな社会的原因があると考えられている。科学革命以降の発見がキリスト教の教義と矛盾するとか、資本主義下の社会生活が宗教的な価値観を桎梏と見なすようになったとか、容易にその原因を推定することができる。しかし、中世はキリスト教の時代である。これほど、キリスト教が、ヨーロッパの人々の間に広く、また彼らの生活に深く浸透していた時代はなかった。とすれば、キリスト教の隆盛の真っただ中において、知の方に、キリスト教を裏切るような不穏な徴候が胎動していたことになる。それが最も繁栄し、もっとも肯定されていたそのとき、逆に、それを相対化したり、否定したりする動きが同時に孕まれてしまっているということ、この点にキリスト教の逆説がある。[*3]

大学は、したがって、哲学が、宗教的な教義に対して感知していた違和の制度的な表現である。ヨーロッパに最初の大学が生まれてから七百年以上も後に、カントは――その著書『諸学部の闘争』で――大学の命は哲学部（人文学部）にある、と述べている。大学が理性の拠点となりうるのは、哲学部があるからだ、と。大学というものを産み出した、ほとんど無意識の衝動のことを思えば、カントのこの断定は、大学の本質を見抜いた慧眼だと言うことができるだろう。

2　神の存在証明

宗教に対する哲学の違和は、哲学に外在する制度の内に影を落としているだけではなく、哲学そのものの内容の中にも反映している。その最も明白な例は、「神の存在証明」という営みである。神の存在証明は、中世の哲学者の中心的な主題の一つである。本来の意味でのスコラ哲学の嚆矢（こうし）とされる一一世紀の哲学者、カンタベリーのアンセルムスが、神の存在証明の最初の有名な方法を提供している。さらに時代を二世紀ほどくだって、トマス・アクィナスは、神の存在を証明する方法は五つあるとして、それらをすべて提示している。

彼らの証明が成功しているかどうかについては、これを評価し、吟味した同時代の、あるいは後世の哲学者たちによって判断が分かれる。ある者は成功と見なし、ある者は重大な誤りを見る。言うまでもないことだが、少なくとも、アンセルムスやトマスは、証明に成功したと考えている。

神の存在証明は、神に対して冒瀆的であり、キリスト教を毀損するような側面をもっている。神の存在は、まさに証明されたのだから、表面的には、証明以前よりも神は強く肯定されたかのように思えるかもしれない。神の存在証明は、神への信仰を強化するのに寄与していると考えられるかもしれない。だが、神の存在証明は、それ以上に、神にとって否定的な効果をもたらす。どうしてか？　証明が失敗しているからではない。証明がエレガントでないからでもない。

何が問題なのか？　まさに証明を試みているという事実、その成否はともかくとしてまさに証明しようとしたという事実が問題なのだ。神の存在が確実であるならば、どうして、わざわざそれを証明する必要があるのか。このように反問してみれば、その冒瀆性は明らかだろう。

念のために述べておけば、アンセルムスやトマスは、神が存在しているかそれとも不在なのかはっきりしないので、白黒をはっきりさせるために証明してみよう、と思って証明を試みたわけではない。彼らは、神の存在をいささかも疑っておらず、曇りのない信仰を有している——と少なくとも当人たちは意識している。神の存在が証明されることは、言わば、既定路線である。つまり、予定通りに証明に「成功する」のである。

彼らがやったことは、したがって、次のように要約することができる。実際には、神の権威や存在に対する揺るぎない信仰をもっているのだが、わざと、その信仰をカッコに入れ、その信仰を批判的な検討に付すことで、信仰の合理性を示すこと、これである。こうした、信じていることを暫定的にカッコに入れることで、理性による批判の対象とする、という方法は、今日でも一般的に用いられる哲学の常道である。たとえば、科学的な認識の客観的な妥当性を信じてはいるが、それをカッコに入れて、その可能性の条件を検討しようとしたカントの『純粋理性批判』、あるいは、実生活においては、他我の存在をいささかも疑ってはいないが、その確信をカッコに入れた上で、他の主観性や魂の存在を証明できるかを検討する現象学の議論、さらには、実生活において殺人をしたいとは思ったこともないが、殺人の禁止を合理的に正当化しうるかをあえて試みる倫理学の諸説……、これらはいずれも信の一時的な停止（カッコに入れる）の下での、批判的な思考実験という形式を共有している。こうした哲学的な方法の原型が、神の存在証明である。

だから、神の存在証明に着手したからといって、その哲学者が、実生活において信仰を失っていたわけではない。さらに、結果的には、神の存在は証明されるのだから、これは、明らかにキリスト教の積極的な擁護である。だが、しかし、それでも、神の存在をあえて証明しようと試みるのであれば、まさに、その証明という行為そのものが、神の存在への一片の懐疑を、客観的には表現していることになるのではないか。反証される可能性もありえた、証明に失敗する可能性もありえた、という前提を採用しない限り、証明という営みそのものが無意味なものになってしまう。だから、神の存在をあえて証明しようとすることに、不信や懐疑が混入していることは明らかだろう。仮に、証明に成功したとしても、その不信や懐疑は完全には無にはならない。一旦は、懐疑したという事実は、消えないからだ。つまり、そのことが、信仰が端的で無条件なものではなかった、ということを含意しているからだ。そもそも、まったく直接的で無条件でなかったならば、それは、わざわざ証明されることで補強されるのであれば、そのこと自身が信仰と言えるだろうか。

したがって、神の存在証明は、その意図とは逆に冒瀆的である。このことを最も簡単に言えば、神の存在証明こそが信仰の否定ではないか。

理解する方法は、神の身になってみることである。神の立場を想像してみるのだ。もし誰かあなたの友人が、こう言ったとしよう。「私は君の言っていること、あんな犯罪に関与してはいないという君の主張をまったく曇りなく信じているよ。だが、一応、そのことを証明してほしい〔証明してみよう〕」。もし友人がこう言ったら、あなたは傷つくだろう。その友人はあなたの言っていることをほんとうは信じてはいないことが明らかだからだ。信じていれば、「犯罪をしてはいない」というあなたの言葉だけで十分なはずだ。まして、「私はあなたが存在していることを信じているよ。でも、念のために、そのことを証明してくれ〔証明してみよう〕」と言われたらどうであろうか。しかも、これは笑いごとではなく、現実にもありうることである。たとえば、あなたが、年金とか、失業保険とか、あるいは就労資格証明とかといった、何らかのサービスや証明書を、役所に取りに行ったとしよう。だが、何かの手違いで出生届の提出とか、入国手続などがなされていなかったとする。このときに、融通のきかない官僚機構の窓口で、あなたはこう言われるかもしれないのだ。「あなたは存在していません。そのサービスを受けるためには、正式な方法であなたが存在していることを証明してもらわなくてはいけません」と。神は、今まさに、このかわいそうな申請者と同じような扱いを受けているのだ。官僚的な正式の手続に対応するのが、哲学的な論証である。

神の存在の証明を試みる者は、信仰をカッコに入れるのだと言う。つまり、不信心をアイロニカルに装ってみるのだ、と。本心では信じているのだ、と。だが、この自己申告は真実だろうか？ 主観的な意識においては、彼は、神の存在を信じている、ということになる。だが、証明という客観的な行為が表現していることは、むしろ、懐疑である。主観的な意識と客観的な行為のどちらが彼にとっての真実なのか？「信じている」ということと「信じていると信じていること」とは別のことである。キルケゴールがずっと後になって述べることになるように、人は、己の信仰についての確証を得ることはできない。信じているかどうかは、主観的な確信においてではなく、その行為において示されるのである。神の存在証明に関与した哲学者たちは、彼らの自己申告とは独立に、あるいはその証明に成功したかどうかという評価とは別に、すでに、無垢な信仰を失っている、というべきである。彼らが、神の存在を信じてはいない、と断定してしまえば、確かに、それは言い過ぎかもしれない。しかし、彼らの信仰の中に懐疑の芽が混入していることは、否定できない。

しかし、中世において、この懐疑の密かな侵入がなければ、哲学は始まらない。そしてまた、その懐疑がなければ、宗教的な制度から独立した大学という、もう一つの知の拠点も生まれなかっただろう。ここで、疑問をもう一度復唱しておこう。キリスト教の信仰が最も深く根付いていた、中世のただ中において、同時に、その信仰への懐疑がこっそりと侵入してきているのは、なぜなのか？

3　普遍論争

だが、それにしても、アンセルムスやトマスを初めとする中世の哲学者たちは、どうして、神の存在証明に熱中したのだろうか？　彼ら自身は、それをどのように説明するのだろうか？　まさか神の存在への懐疑が兆しているからだとは言えないし、またそのような自覚ももっていなかったとすれば、彼ら自身は、自分の哲学的な営為の意味をどのように自己了解していたのだろうか？

彼らの眼には、実際に、神の存在への不信を公然と表明しているように見える論者が存在していたのである。それこそ、いわゆる唯名論者である。したがって、この問題に深くかかわっているのは、世に言う「普遍論争」である。中世哲学の最も基本的な争いは、普遍論争にこそある。とはいえ、普遍論争において各論者が占めた位置は、かつて言われたほど自明ではない。今では、実在論／概念論／唯名論という三分割による整理もほとんど利用されてはいない。が、普遍論争が、中世哲学が気にかけた最も中核的な主題にかかわっていることは紛れもない事実である。[*4]

神の存在証明は、信に対して懐疑が侵入していることの、哲学者の内的な表現、主体的な表現である。それに対して、普遍論争は、同じことの哲学者たちの間の間主観的な表現であると見なすことができる。普遍論争においては、懐疑は、外的に見える形を取る。それが、今しがた述べたように、唯名論である。

普遍論争は、現在のわれわれの観点から要約すれば、言葉の意味作用に関する論争である。言葉は、対象を、その一般性・普遍性において意味している。たとえば、「夏目漱石は人間である」と述べるときの「人間」という言葉は、夏目漱石を要素として含む人間の一般的・普遍的な集合を意味している。この言葉が意味しようとしている普遍者が存在しているのか。存在しているとすれば、どのような意味においてなのか。これが普遍論争の争点である。

「人間」という言葉によって指示されている普遍者が存在していると仮定しよう。その場合、それは、夏目漱石の外にあるのか、内にあるのか。外にあるとすれば、「夏目漱石は人間である」という言明は、何を意味しているのかさっぱりわからなくなってしまう。夏目漱石と人間は相互に外在しているのだから、「夏目漱石は人間ではない」という言明が真だということになるからだ。つまり、人間が夏目漱石に外在しているときには、「夏目漱石は人間である」と言われているそのときに、逆に、「夏目漱石は人間ではない」ということになってしまう。それならば、逆に、人間が、夏目漱石の内にあるとすればどうなのか。このとき、人間は、夏目漱石の部分だということになる。だが、これまた奇妙である。そうだとすると、夏目漱石は、人間と非人間の合成物だと見なさざるをえず、「夏目漱石は人間である」という断定はまたしても間違いだと判定されることになるからだ。ただし、普遍者の存在をめぐるこうした問題は、中世における新しい問題ではない。プラトンのイデア論において、まったく同じことが主題化されているからである。イデアは、まさしく普遍者である。

このように、普遍者が存在しているとすると背理に陥る。この点に着眼したのが、唯名論者である。唯名論の最初の明晰な定式化は、アンセルムスの同時代人――厳密にはアンセルムスよりも半世紀弱ほど後に生まれた――アベラールによってなされた。アベラールの唯名論とは、簡単に言ってしまえば、言葉が意味しているところの普遍者は存在してはいない、という主張である。もう少し繊細に言い換えれば、言葉は、それが意味しているところの普遍者が存在しているか否かということに不関与だ、というのが唯名論の主張である。たとえば、「ここには夏目漱石はいない」という言明は、文句なしに有意味だが、それに対応する対象としては無である。

唯名論に従えば、「神の存在」という言葉も、神の存在と無関係だということになる。ところで、神こそは、あらゆる存在者を包摂するような、あるいはあらゆる存在者がそこから由来するような究極の普遍者である。しかし、言葉によって、それを指示することは原理的に不可能だ、と唯名論は主張する。実在論者は、ここに、不信心への傾きを感じ取った。神の存在証明は、こうした危機への対抗策である。

それならば、唯名論者は、無神論者だったのか。そんなことはない。ここには、実在論者の場合とは、ちょうど逆の捩れがある。すなわち、実在論者は、神の存在を信じていると主張しつつ、証明の営みを通じて、逆に、懐疑を表現してしまっていた。唯名論の場合には、これとは反対方向の逆立が見られる。そもそも、アベラール流の唯名論は、神の不在を積極的に主張しているわけではなく、言葉が、神の存在／不在と関係することができないと述べているだけだ。アベラール自身は、むしろ、信仰篤き人であった。アベラールは、二十歳以上も年下の弟子エロイーズとの情熱的な悲恋によってもよく知られているが、事件の後に修道院に入ったエロイーズに対して、彼は書簡で、繰り返し「神に愛される人」であれと説いている。[*5] アベラールの信仰は、私生活においてだけ発揮されていたわけではない。アベラールはキリスト教神学に対しても、大きな貢献をなしている。たとえば、アベラールは、キリストの十字架上の死に関して、独自の解釈を提起しているし、彼が編んだ論戦のための命題集『然りと否』は、後に神学の標準的なテクストとして使用された。

ともあれ、ここまでの論述を通じて確認しておきたいことは次の点である。キリスト教の信仰が、知的エリートのレベルでも、また民衆的なレベルでも、歴史上最も強固な根を張り、拡がっていたように見えていた西洋中世の中後期において、本人たちさえも気づいていないような密かな仕方で、その信仰を蝕む小さな懐疑が芽生えていたのである。その制度的な表現が、諸都市に設立された大学である。また同じことの、一人の哲学者の営みにおける個人的な表現が、神の存在証明だ。さらに、西洋の哲学者たちのコミュニティの中での表現が、普遍論争である。いずれも、通常は、キリスト教の浸透を証明する現象として挙げられる。大学では、キリスト教神学が教えられ、哲学者たちは、あの手この手で神の存在を証明しようとし、普遍者である神の存在をめぐる論争に参加したのだから。しかし、われわれは、ここにキリスト教を否定する要素が混入していることに気づかざるをえない。

この逆説の原因は、どこに求めるべきか？　それは、キリスト教それ自身の内に、西洋に伝えられ、普及したキリスト教それ自身の内に求めるほかあるまい。さしあたって、この段階では、ジャン＝リュック・ナンシー[*6]が指摘している次の事実にのみ注意を喚起しておこう。他の宗教には見られない、キリスト教の顕著な特徴は、聖典の、聖なるテクストのあからさまな二重性である。旧約聖書／新約聖書の二重性が、それである。新約聖書が導入されたとき、旧約聖書が廃棄されたわけではない。旧約聖書を前提にしなくては新約聖書は意味をもたない。が、しかし、新約聖書は、旧約聖書に単純に加算されたわけでもない。新約は、旧約の更新、旧約の乗り越えを意味しているからである。それゆえ、旧約／新約の二重性は、キリスト教が、自己関係的な否定性を孕んでいることを端的に表示している。キリスト教には、もともと、自己を否定するような逆説が埋め込まれていたのである。だが、それは、西洋中世において、具体的には、どのように展開したのか？

4　存在の類比／一義性

西洋中世のキリスト教信仰には、不安な揺らぎが孕まれているように見える。信仰が深く浸透していく、まさにそのときに懐疑が侵入する、この両義性はどこから来るのか？この逆説をもたらす原因は何か？西洋の西洋たる所以の内に孕まれたと思われるこの逆説は、何に由来するのか？解の手掛かりを得るために、中世哲学の最も成熟した形態、西洋哲学の頂点を、まずは概観してしまうことにしよう。ここまで論じてきたように、哲学こそは、その懐疑の表現であり、懐疑との無意識裡の闘争であるとするならば、最終的にそれが行きついた場所、最後に見出した困難の中にこそ、逆説をもたらした要因が最も鮮明なかたちで浮上してくるはずだからだ。

中世哲学の頂点に立つ思索家としてここで念頭においている哲学者は、二人である。第一は、言うまでもなく、トマス・アクィナスである。先に述べたように、トマスは、神の存在 esse を証明しようとした。トマス自身の表現をそのまま引けば、「神が存在する」という命題は、それ自体としては自明だが[*7]、われわれにとっては自明ではなく、証明を必要とする。証明においては、感覚的なものから可知的なもの（知性において捉えられたもの）へと至るのが、あるいは可知的なものを繰り返し感覚的なものに照らして再確認するのが、望ましい。というのも、トマスによれば、人間の認識は、感覚的なものを、感覚に対する現われを、まずは始まりとしているからである。

こうした方針のもとに、先にも述べたように五つの証明が提案される。その証明は、意外と素朴である。ここで証明の一つひとつを再検討するには及ばないだろう。その証明は、意外と素朴である。喩えて言えば、ここに波が押し寄せているという事実から、どこかに波を引き起こしている究極の源（神）があるはずだ、ということを推測するのに似ている。[*8]

だが、これらの証明において、トマスは重大な困難に遭遇する。神は、被造物の世界、つまり人間の経験的な地平から絶対的に超越している。このことは、神を、経験的な対象（被造物）と同じように扱ったり、認識したりすることは不可能だということを意味している。たとえば、「このリンゴは大きい」というときの「大」と同じ意味で、「神は大きい（偉大だ）」と述定することはできない。そんなことをしたら、神をいかに肯定的に称賛してもなお、神を被造物たるリンゴと同断の、世界に内在する対象と見なしたことになるからだ。さて、目下重要なのは、「存在」についての語りだ。この「大きい」という述語の場合と同じように、「このリンゴが存在する」というときの「存在」と、「神が存在する」というときの「存在」は、同じ意味ではありえない。そうであるとすれば、この二つの

「存在」は、たまたま同じ音の言葉であるだけで、まったく意味が違うのか、つまり「同音異義語」なのか。しかし、これもまた困る。このとき「神が存在する」という命題がまったく意味不明なものとなり、経験的な対象についての感覚から始まる証明を不可能なものにしてしまうからだ。

一方では、経験的な対象が存在しているということの感覚から出発して、神の存在へと移行できなくてはならない。他方で、神は、経験的な世界から絶対的に断絶していなくてはならない。この矛盾する要請を満たすために案出されたアイデアが、「存在の類比」という考え方である。これは、「神の存在」は「リンゴの存在」と同じ意味ではないが、後者からの類推、後者のあり方をもとにした隠喩によって語ることができる、とする考え方だ。

しかし、「存在の類比」は、やはり曖昧なアイデアであると言わざるをえない。この曖昧さを断固として拒否したのが、中世哲学のもう一つの頂点、トマスよりも半世紀弱ほど後に生まれた、一三世紀後半の哲学者ドゥンス・スコトゥスである。「神は、リンゴと同じ意味で存在しているわけではないが、似たような意味で存在している」という主張は、神とリンゴの間の違いを強調しているように見えて、実際には、むしろ、両者の差が程度の問題に過ぎないことを示してしまっている。スコトゥスは、むしろ、二つの「存在」は、概念として捉えたときまったく一義的（同じ意味）であるとする。二つの「存在」の同義性を、事象のレベルではなく、概念のレベルに見出すことによって、経験的な世界と神との間の圧倒的な差異を確保しつつ、両者に共通して「存在」について語ることができる、というのがスコトゥスの「存在の一義性」というアイデアである。

これによって、トマスの議論にあった曖昧性は除去される。が、それには、ある反作用が伴う。「神が存在する」という言明は、「このリンゴが存在する」と陳述するときとまったく同じ意味で「存在」という語を使っている。そうであるとすれば、神は、このリンゴ、あのリンゴのような被造物と同様に、単一的な個体として存在している、ということになる。トマスにおいては、神は普遍的な存在であった。スコトゥスにおいては、逆に、特異的・単一的な個体である。もっとも、それは、有限な被造物とは違い、無限の——無限定な——個体であるとされてはいる。しかし、「存在」の概念としての一義性を確保したことによって、神が普遍性を放棄して、個体へと収縮したことは確かである。それどころか、個別性の度合い——これをスコトゥスは「内的固有の様態」と呼ぶ——に関して、神は被造物よりも完全だとされるのだ。

*

さて、中世哲学の二つの頂点を対比させたことによって、どこに困難が、どこに躓(つまず)きの石があるのかが可視的なものとなる。それは、神と経験的な世界との間の圧倒的な断絶性と連続性とをともに確保しなくてはならない、という要請に由来するのだ。こうして、われわれは、前章の考察と合流することができる。というのも、この要請こそ、キリストということ、まったく神であると同時にまったく人間でもあるところのキリストということの条件にほかならないからである。

われわれは、前章での考察において、西欧と東欧、西のカトリックと東の正教とは、どこで分岐するのか、ということを主題にした。正教は、三位一体の定式において、聖霊は、父（なる神）から発出した、とする。それに対して、カトリックは、聖霊は、父（なる神）と子（なるキリスト）の両方から発するとする。カトリックにおいては、父と子の間の対等性と同一性を、つまり両者の差異と同一性とをともに確保しようとする強い指向性が作用している。神であるところのキリストは、同時に人間でもあるがゆえに、十字架の上で死んでいく。キリストの人間性の証であるところの死体に、さらに、その等価的な代理物に、西洋中世は魅了されているように思える。

トマスもスコトゥスも、神であると同時に人間でもあるところのキリスト性を捉えようとしている――そしてそのことに失敗している。そのように解釈できるのではないか。たとえば、トマスは、「類比」ということで、両者の間の差異と同一性を曖昧に、不徹底に調停しようとした。つまり、彼は、（神性と人間性との間の）差異と同一性の両極の間に、類比という論理によって均衡点を見出そうとしたのだ。しかし、このような妥協の論理は、差異も同一性もどちらも否定していることになる。

それに対して、スコトゥスは、神と人間の両方に適用される存在概念の一義性を確保したのだが、そのとき、神は、個体に、特異な個人になる。イエス・キリストは、実際、歴史上の特異的な個人なのだから、スコトゥスの神の概念は、人間としてのキリストに一挙に近接したかのように見える。だが、スコトゥスの個体としての神、無限者としての神は、いったいどこにいるのだろうか、と問うてみると、こうした印象は誤りであることがわかる。トマスは、知性の対象（神もその中に含まれる）と（被造物についての）感覚表象を連続的に捉えているが、スコトゥスの場合は、両者を完全に分断する点に特徴がある。その理由は容易に推測がつく。「存在」の概念が両者に一義的に――つまり同じ意味で――適用される以上、神もその中に含まれる「可知的対象」と被造物に関する「感覚表象」とを、決して交わることのない異なる領域に配分しておかなくては、神と被造物との区別がまったくつかなくなってしまうからだ。したがって、個体としての神は被造物の世界から無限に隔たったところにいる。スコトゥスは、個体としての神を歴史の内に、経験的な世界の内に降り立たせることはしていないのだ。とすれば、スコトゥスの個体としての神もまたキリストとは違う。つまり彼もまた、キリストという怪物を捉えることには失敗しているのである。

このように、トマスとスコトゥスの哲学を整理したとき、次のことに気づくだろう。われわれの探究を駆り立てる謎は、普遍性という謎、特異的なことがまさにその特異性を強調することを通じてかえって普遍性を際立たせることがありうるという謎であった。要するに、普遍性と特異性との間の短絡という現象が、われわれの探究の原点である。中世の後半を代表する二人の哲学者、トマスとスコトゥスは、この短絡を分断したところに出現したと言ってもよいかもしれない。(特異性なき)普遍性の方を取ったのがトマスであり、特異性の方を取ったのがスコトゥスである。こうした反対方向への分断の間で認識されずに残されているもの、それは他ならぬイエス・キリストである。

述べてきたように、中世のキリスト教の信仰は、その繁栄の極点においてなお、小さな懐疑を消去できずに苦しんでいる。その懐疑の源泉をたどるならば、そこには、キリストと呼ばれたイエスが、捉え損なわれたままに横たわっているのである。

＊1　ヨーロッパの主な大学の設立年を列挙すれば、次のようになる。ボローニャ大学が一〇八八年、パリ大学が一一五〇年頃、オックスフォード大学が一一六七年、ケンブリッジ大学が一二〇九年……と。興味深いのは、アメリカ合衆国の名門大学の例である。無論、これらの大学は、中世にはない。中世においては、新大陸そのものがまだ「発見」されていないのだから。しかし、ハーバード大学、イェール大学、プリンストン大学といった伝統校は、合衆国の独立・建国よりも前に始まっている。たとえばハーバード大学の創立は、一六三六年のことである。最初のピューリタンの巡礼者たちが入植してから、まだ十六年しか経ていないときだ。大

学の方が国家よりも古いのだ。いかに、西洋にとって大学が重要であったかを示唆する事実ではないか。

＊2　この言明は有名だが、ほんとうは、ここでトマスが「哲学」という語で指示しているのは、アリストテレスの哲学である。つまり、トマスは、哲学の全般を侮蔑してこんなことを言っているのではなく、アリストテレスの哲学を神学に援用すべきだと述べているだけである。

＊3　これとまったく逆の逆説もある。いずれていねいに論ずることになるが、先取りして簡単に述べておけば、啓蒙期にわれわれが見ることになるのは、まったく反対方向に作用する逆説である。宗教的な信仰を強く否定すればするほど、逆にそれが復活するという逆説がそれだ。カントの哲学こそが、この逆説を範例的な仕方で体現している。カントは、神学を否定する啓蒙精神の代表として登場する。そのことが、しかし、理性の領分、理性がなしうることの範囲を、理性的に自己限定することにつながり、逆に、その外部に、信仰が生きることを可能にしたのだ。つまり、啓蒙主義的な理性の批判が、逆に、宗教的な信仰の活動の権利を与えることになったのである。

＊4　普遍論争については、以下の書の説明がわかりやすい。八木雄二『天使はなぜ堕落するのか——中世哲学の興亡』春秋社、二〇〇九年、第五章。

＊5　アベラールが三十九歳、エロイーズが十七歳のときに、二人は恋に落ちた。アベラール自身の回想の記録によれば、教師と弟子であった二人の間で、知よりも愛をめぐる言葉が多く交わされるようになり、アベラールの手は本よりもエロイーズの胸に伸びるようになる。やがてエロイーズはアベラールの子を宿し、出産した。このアベラールの恋に、やはり唯名論者だった彼の師ロスケリヌスは激怒し、エロイーズに「論証ではな

く淫行を教えた」と弟子を非難し、彼との縁を切ったと言われる。ロスケリヌスの著作として、今日残っているのは、このときアベラールに宛てた書簡だけであって、彼の唯名論的な主張も、弟子アベラールの著作を通じて間接的に知られるのみである。哲学者としての名声では、少なくとも今日から振り返ると、ロスケリヌスはアベラールには遠く及ばない。なお、「神に愛される人であれ」というアベラールの言葉に対する、修道女エロイーズの返答は、「神よりもあなたに愛されたい」というもので、彼女の愛が、事件後も冷えることなく続いていたことを示している。

＊6 Jean-Luc Nancy, "La déconstruction du Christianisme," *Les Etudes Philosophiques*, n°4, Paris: Presses Universitaires de France. 1998.

＊7 「神が存在する」がそれ自体としては自明だというのは、神とは定義上「それ自らの存在」であり、この命題は、トートロジーになるという意味である。

＊8 この比喩は、八木の前掲書からの借用である。

第3章　二本の剣

1　統治という技術

すでに指摘したように、西洋キリスト教世界の社会構造上の特徴は、聖なる権威（教会）と俗なる権力（国王、領主等）との間のきわめて明確な二元性にある。こうした顕著な二元性は、他の帝国、西ヨーロッパ以外の地域で成立した他の（前近代の）帝国には見られなかった。ビザンツ帝国では、世俗的な権力の頂点と宗教的な権威の頂点が一致していた。イスラム帝国では、聖なる権威と俗なる権力の一元性はさらにいっそう厳格に保たれていた。中華帝国でも、皇帝は同時に天子であり、一元性が守られていた。

西洋においても、公式的には、宗教的権威が世俗の権力に対して、正統性の供給源となってはいるが、つまりこの限りでは一元的な一貫性が定められてはいるが、実際には、権威と権力のそれぞれはしばしば、独立して行動し、ときには対立した。中世史を彩る、現在のわれわれから見ればいくぶんか滑稽ですらある、いくつかの有名な出来事は、こうした対立に由来している。たとえば、聖職者の叙任権をめぐって教皇権と君主権の間で一一世紀から一三世紀にかけて続いた争いを思えばよい。この闘争は、よく知られた「カノッサの屈辱」の事件を初めとして、教皇が君主や神聖ローマ皇帝を屈服させ、その優位性を証明するような形で終結するが、しかし、こうした闘争が必要であったこと自体が、権威と権力の間の一元的な優劣関係が不安定であったことの証拠になる。実際、叙任権闘争よりも少し後の事件、すなわち「教皇のバビロン捕囚」などと呼ばれることもある、フランス王の主導のもとでなされた教皇庁のアヴィニヨンへの移転の場合は逆に、教皇の権威よりも王たちの権力の方が、その時点では強力であったことを示している。このように、西洋では、そして西洋でのみ、権威と権力の間の分離は明白である。どうしてであろうか?

この問いは、後期のミシェル・フーコーの研究と直結している。「個人を規律訓練する権力」によって近代社会を特徴づけた後のフーコーの研究の中心的な主題は、近代社会の「統治性」の系譜を遡ることにあった。コレージュ・ド・フランスの講義（一九七七―一九七八年）「安全・領土・人口」で、フーコーは、権力関係の三つの様態を区別している。第一は、領土的な主権国家の制度モデルに対応した法システムである。第二は、近代社会の規律メカニズムである。そして、第三は、人口を配慮する現代国家の安全装置にもなっているような、「人間たちの統治」である。第一の権力の様態は、近代以前（一九世紀より前）に確立された主権領土国家の権力に対応する。第二の権力は、法制度の外側で、たとえば監獄、学校、医療現場等で作用した。そして、人口の管理に関係した第三の権力にこそ、フーコーの関心は移行していった。権力の様態を、このように截然（せつぜん）と三分できるのかという点には、異論もありうるが、いずれにせよ、フーコーは、この権力の「発見」について、講義の中で次のように語っている。

人口について語るうちに、頭に浮かんではなれなくなった単語がある。（中略）「統治 gouvernement」という単語である。人口について語れば語るほど、私は「主権者」とは言わなくなってきた。ここでもまた、私は比較的新しい何かを表すよう、指し示すよう導かれてきた。新しい何かとは、単語として新しいのでも、現実のこれこれの水準において新しいのでもなく、新たな技術として新しい何かということである。というより、王の権力を制限するべくあるとき「王は君臨するが統治しない」と言うことさえ可能になったほどに統治が諸規則に対して特権を行使しはじめるということ、統治と王国がこのように逆転するということ、統治が根底では主権より、王国より、支配権 imperium よりはるかに近代において政治的問題そのものであるということ、これらは絶対的なしかたで人口に結びついていることであると私は思う。[*1]

フーコーが着眼したのは、君臨とは区別された統治、主権や支配権から区別された統治である。こうした区別の原点には、聖なる権威と俗なる権力との分離があると考えてよいのではないか。言い換えれば、権力が権威と癒着している間は、(フーコーが述べているような意味での)「主権」「支配権」「君臨」といった様態を取ったのではないか。そうであるとすれば、統治性の系譜を追うということは、西洋において、権力と権威の間の分離がかくも容易であった原因を探究することでなくてはなるまい。

フーコー自身は、統治技術の起源に、キリスト教的司牧の「魂の統治」があったと見なしている。だが、同時に、フーコーは、一八世紀における不連続を強調する。一八世紀に、主権と統治の十全な分離が生じたのだ、と。フーコーによれば、両者は、それまでは曖昧な形で結びついていた。一八世紀は、フーコーの言う「古典主義時代」に属しているる。彼は、古典主義時代をそれ以前(ルネッサンス)から区別することに、強い関心をもっていた。フーコーの診断は、こうした彼の基本的な歴史認識に従っている。だが、もし統治の技術の母胎が、フーコー自身が述べていたように、キリスト教の司牧の活動にあるのだとすれば、一八世紀における断絶だけを強調するこうした説明は、明らかにまだ事態の半分にしか照明をあてていない。初期キリスト教の司牧のやり方と一八世紀以降の近代の権力の様態を結ぶ線が見出されなくてはならないだろう。そこに、中世が入ることは言うまでもない。

2 足萎えの王

中世の「円卓の騎士」をめぐる物語群の中でも、とりわけ印象深く、研究者たちにも注目されてきた一つの物語を、ここで考察のための手掛かりとして提示しておこう。それは、「足萎えの王」、つまり足に傷がつけられ、不具になった王の物語である。この王が君臨している国は不毛の地で、麦も育たなければ、木々が果実をつけることもない。彼は、戦いで腿を負傷したため、自分の足で立つことも、馬に乗ることもできなかった。だから、王は、気晴らしをしたいときには、舟に乗って出かけ、魚釣りをした（そこから、王には「漁夫王」という綽名（あだな）がつけられた）。その間、彼の鷹係、弓矢係、狩猟係が、王の森で狩りをしている。とはいえ、この王の釣りは、たいへんめずらしいものだったに違いない。つまり、釣りのような最小限の外出すらも、めったに見られなかったに違いない。というのも、王は、十五年にもわたって、自分の寝室から出なかった、とされているからである。王は、その寝室で、聖杯に載せて出されたパン——聖餐で出されるのと同じパン――だけを食して生きていたのである。

足萎えの王の物語の別のヴァージョンでは、次のようになっている。こちらでは、王自身が森の中で狩りをするのだが、そのとき、彼は自分の犬や狩猟係を見失ってしまう。やがて王は浜辺に辿りつき、そこで舟の上に載った、きらめく剣を発見する。王が、この剣を鞘から抜き出そうとすると、魔術的な仕方で槍がどこからか飛んできて、彼の両膝に傷を負わせた。

どちらの版でも、最後には、足萎えの王の傷は癒える。どのようにして？　円卓の騎士の一人ガラハッドが探索の果てに、ある槍を見つけ出す。その槍の先に残っていた血を王の傷口に塗りつけたときに、王の傷は癒えるのだ。その槍とは何か？　どの点で特別な槍だったのか？　それは、十字架上のキリストの脇腹を刺した槍である。残っていた血は、当然、キリストの血だ。

この物語が注目されるのは、この王が――深い傷を負っているがゆえに実質的なことは何もできないこの無能な王が――、君臨しているが統治はしていない王のあり方を、極限にまでつきつめた形で象徴しているように思えるからである。王は、馬にも乗れず、狩猟もできない。乗馬や狩猟は、世俗的な権力の行使を、つまり統治活動を象徴しているに違いない。統治権力は、直接には、代務者たち、すなわち鷹係、弓矢係、狩猟係などによって行使される。ここで重要なことは、彼らが王の名において権力を用いているとき、王は、自室に閉じこもったり、あるいは船上でただ釣り糸をたらしたりしていなければならないということである。つまり、王は、「何もしないこと」で統治活動に貢献しているのである。足萎えの王の物語は、君臨と統治、聖なる権威と俗なる権力の二元性とそれらの間の統一性とを同時に、寓話的に表現している。

この物語のもう一つの興味深い点は、足萎えの王が、王としての威厳、王としての力を回復するのに、キリストの血が、決定的な仕方で与(あず)かっているということである。王から一切の活動を奪った傷は、キリストの血に触れることで魔術的に消え去る。その血は、イエスの死体の脇腹を刺し貫いた槍によって媒介されている。「ヨハネによる福音書」の記述に従えば、イエスの死後、イエスがほんとうに絶命したかどうかを確認するために、一人のローマ兵が、十字架上のイエスの脇腹を槍で刺した。足萎えの王のもとに運ばれたのは、この槍である。新約聖書外典を根拠とする一説によれば、このときのローマ兵の名がロンギヌスであったために、その槍は「ロンギヌスの槍」と呼ばれることもある。王が王として復活するために、どうしてキリストの血が必要だったのだろうか？

この点、すなわち足萎えの王の復活において、キリストの死んだ身体に由来する血が活用されているという点に注目して、物語を振り返ると、王とキリストの死体との繋がりは、最初から暗示されていることがわかる。そもそも、王の足に傷を与えた槍は何であったのか？　それ自体、イエスを刺した槍だったのではないか。王は、自らの身体を傷つけたその同じ槍によって救われたのではないか。そうだとすれば、ここで王は、イエスのごとく刺されているのであって、その身体はイエスの身体と重ね合わされていることになる。王は、毎日、聖杯に載せられたパンを食べている。周知のように、パンは、キリストの血と同一視されているワインとともに、聖餐で供される。パンは、キリストの肉だとされるのだ。したがって、足萎えの王の身体は、実際、キリストの死体によって栄養を与えられていたことになる。つまり、統治することなく君臨していた王、無為のままに引きこもることで（代務者たちの）統治の活動を支えていた王は、最初から、キリストの死んだ身体と独特のやり方で連続していたのである。

3　キリストの傷口――引力と斥力

ここで、第1章での考察を想い起こしておこう。われわれは、――東のビザンツ帝国と比較しながら――西洋中世の社会が死体に魅了されているように見える、と指摘した。数ある死体の原点には、無論、キリストの死体がある。足萎えの王の物語は、こうしたコンテクストの中で解釈されなくてはならない。人々が死者に惹かれていたことをよく示す事実は、聖遺物への愛着である。聖遺物とは、聖人や聖女の肉体の痕跡、聖人・聖女の死体を連想させるあらゆる事物のことである。聖遺物の中の聖遺物、最も重要な聖遺物は、当然のことながら、キリストの遺体や受難に関連した聖遺物であり、それらの集合は、「アルマ・クリスティ（キリストの武器）」と呼ばれ、中世のとりわけ後半において、繰り返し図像として描かれた。十字架、いばらの冠（ユダヤ人の王を擬態させられたイエスの頭に被せられた）、聖衣（イエスの最後の衣裳）、釘（イエスの手足を十字架に打ち付けた）等とともに、あの槍もまた、アルマ・クリスティの一要素である。

中世の人々を惹きつけた死者たちの集合の中心には、キリストの死体があった。そして、そのキリストの死体の魅力のさらなる中心には、脇腹の傷口が、血がしたたり出ている穴がある。このことを、いくつかの事実を通じて確認しておこう。たとえば、ボナヴェントゥラは、『修道女たちに宛てる生の完成について』で、修道女たちに、イエスの脇腹の傷口の意味について次のように説いている。

ああ侍女よ、あなたのために傷ついたキリスト、さらし台の十字架に釘付けにされたキリストへの愛の段階とともに近づいていきなさい。祝福された使徒の聖トマスといっしょに見つめなさい。ただたんに、キリストの両手に刻印された釘の跡だけではありません。釘によって彼の両手にできた穴に、あなたが指で触れることだけに満足していてはいけません。彼の脇腹の傷にあなたの手をかざすことだけに満足していてはいけません。そうではなくて、彼の脇腹の扉口から全身で入っていって、イエスの心臓にまっすぐ進んでいきなさい。そしてそこで、キリストの愛に燃えつくされて、キリストへと変貌するのです。[*2]

ここにあるように、イエスの脇腹の傷口は、信者の生ける身体がそこからイエスの死体の中に入り込み、ついにはそれと一体化してしまうための門となっているのである。ボナヴェントゥラから引いた文章の中で、イエスの十二弟子の一人聖トマスが言及されているのは、「聖トマスの不信」として知られている次のようなエピソードがあるからである。すなわち、聖トマスは師イエスの復活を信じることができなかったため、復活したイエスに誘われるがままにイエスの脇腹の傷口に手を差し入れて、眼前の身体がまぎれもなくイエスであることを確認したとされているのだ（ヨハネ二〇章二四―二九節）。つまり、トマスは、実際に、自分の身体（の一部）を、脇腹の傷口を通じて、イエスの身体の中に入れたのである。脇腹の傷口は、まずは、信者の眼差しを惹きつける（「聖トマスといっしょに見つめなさい」）。そうしているうちにやがて、信者は、自分の身体がその傷口を通じて、吸い込まれていくような感覚を得たのであろう。

実際、ベネディクト会の修道女、ヘルフタのゲルトルートや、あるいはイタリアの福女、フォリニョのアンジュラのような熱心な女性信者は、写本のイエス像を見ているうちに、あるいはキリストの受難を描いた芝居を見ているときに、自分自身がキリストの脇腹の傷口を通じて彼の中に入っていくのを感じ、至福の感覚を味わったという。傷口から入った身体は、どこに向かうのか。キリストの心臓である。心臓こそ、当時は、身体の機能上の中心であると見なされ、他の臓器とは異なる別格的な地位を与えられていた。キリストの脇腹の傷は、キリストの身体の核（心臓）へと向かう開口部だったのである。[*3]

一三三〇年の作とされている、ある「アルマ・クリスティ」の図像では、画面の中央にある傷の彩色画の部分が剝落してしまうほどに、ひどくいたんでいるという。信者たちが、その部分に集中的に触れ、キスしてきたからであろう。シエナの聖女カテリーナは、キリストの脇腹の傷に自らの唇をあて、その傷口から出てくる膿を自身の中に吸い込み、生きるのに必要な糧にしていたとされていた。カテリーナがその唇を傷口に重ねている絵も、描かれている。ライモンド・ダ・カプアによる「聖女伝の写本」のひとつの挿絵（一五世紀）がそれである。[*4]

これらの例が示しているのは、キリストの身体は、脇腹の傷口――血や膿といった体液が出てくる穴――を媒介にして、人々を、信者たちの身体を引き寄せる力を発揮している、ということである。キリストの死んだ身体は、他者たちの身体を最終的には自らの内に統合し、癒合させるような引力を発揮するのだ。その引力は、傷口を経由して心臓へと向かっている。

＊

それと同時に、キリストの身体は、同じ傷口＝穴を媒介にして、反対の力、すなわち斥力をも発揮しているように見える。あるいは、次のように言うこともできる。他者の身体を引きつけ統合する力だけではなく、逆に、他者の身体を外へと押し出すような力が、キリストの死んだ身体において作用しているようにも見えるのだ、と。この点を説明するには、岡田温司（おかだあつし）が指摘している事実、すなわち、キリストの傷口はしばしば唇や女性器――とりわけ後者――のイメージで描かれているという事実を、まずは確認しておく必要がある。アルマ・クリスティの図像の中にイエスの脇腹の傷が描かれるとき、それは、縦に黒い亀裂の入った、大きく赤い紡錘のように描かれていた（例えば「ノルマンディー公妃ルクサンブールのボンヌの聖務日課書」[*5]〈一三四五年〉）。それは、見る者にどうしても、唇や女性器を連想させずにはおかない。

傷口が同時に女性器であるとするならば、それは、身体を結合する器官であるだけではなく、別の身体をそこから産出する器官でもあるはずだ。実際、十字架上のキリストが、脇腹の傷口から、乙女を出産する図像が、一三―一四世紀頃、たくさん描かれ、広く流布していたという。男が出産していることを、それほど奇妙に思う必要はない。もともと、「創世記」では、エヴァ（女）はアダム（男）の肋骨から造られたことになっていたからであり、事実、この「創世記」のエピソードは、キリストによる女児の出産の「予型typus」として解釈されていたからである。[*6]

ここでわれわれが留意しておかなくてはならない重要なことは、生まれた乙女は、たいていは王冠をかぶって出てくるこの女児は何者か、ということである。彼女は、エクレジア、すなわち集会＝教会の寓意像である。キリストは、傷口という性器を通じて、教会を出産していたのである。われわれは、教会において作用していた聖なる権威と地上の王国や領地において作用していた俗なる権力との間の分離と統合が、西洋中世において、いかにして精妙なバランスを維持しえたのかを探究している。そうだとすると、キリストの傷口から教会が生まれ出てくるという比喩を見逃すわけにはいかない。しかも、あの足萎えの王、君臨すれども統治しなかったあの王は、自身の傷を、このキリストの傷口からの血によって癒していたのである。

これらの諸事実をとりまとめて解釈し、問いに回答を与えるのは、もう少し後にまわさなくてはならない。状況を、さらに仔細に観察しておく必要があるからである。男性であるキリストの身体に開いた傷口は女性器で（も）あった、と論じてきた。同じような両義性は、キリストの血そのものにも宿っている。すなわち、これも岡田温司が――キャロライン・W・バイナムの研究[*7]に依拠しながら――指摘していることだが、キリストの血は乳（母乳）と重ね合わされてもいるのだ。

たとえば、中世末期からルネサンスにかけて広く流布した、キリストとマリアによる二重の「執り成し」と呼ばれる図像がある。キリストとマリアが、信者たちの救済を神に執り成すあり様を描いたのがこの図像である。ここで興味深いのは、このときつねに、キリストは自分の脇腹の傷口を、マリアは自分の乳房を指し示しているということである。[*8]ここでは、傷口から出る血と乳房から出る乳との間の等価性が暗示されている。一五世紀に描かれた、カルロ・クリヴェッリの「キリストの血を集める聖フランチェスコ」の場合には、もっと直接的である。この絵では、キリストは、乳首のすぐ下にある自分の傷口から血を搾り出して、聖フランチェスコに与えている。この仕草は、母が母乳を搾り出す姿とまったく同じである。[*9]

以上から、われわれは、次のことを確認することができる。第一に、キリストの身体、あるいはむしろキリストの死体は、その傷口を通じて、他者の身体を引きよせ、己の内に統合するような作用を発揮していたようだ。第二に――同時に――、その同じキリストの身体は、母親からの出産のように、他者の身体を己から分離するような作用をも有していた。そして、第三に、ちょうど母親が自分が産んだ赤子を母乳をもって育てるのと同じように、この身体の分離は、身体間の再結合をも予定している。分離そのものが、さらなる結合を予定しているのである。そうして結合した身体の連なりが、エクレジア（教会）と呼ばれた。

4　存在論的パラダイムとオイコノミア的パラダイム

キリスト教が支配していた西洋中世において、どうして聖なる権威と世俗の権力が、かくも容易に分離しえたのか。これがわれわれの問いであった。この問いは、中世の神学者たちによって論争の的となっていた、「ルカによる福音書」のある一節に、われわれを導くことになる。それは、最後の晩餐において、イエスが、ペトロの離反（「あなたは、三度私を知らないと言うだろう」）を予言した少し後の場面、祈りのためにオリーブ山に出かけるすぐ前の場面を描いた一節である。弟子たちがイエスに言う。「主よ、剣なら、このとおりここに二振りあります」と。これに対して、イエスは、「それで十分だ」と答える。二本の剣があることを――剣が二本以上でも以下でもないことを――イエスは肯定しているのだ。

古来、二本の剣は、権力の象徴として解釈されてきた。一本は、霊的権力（権威）を、もう一本は、物質的権力（世俗）を、それぞれ代表しているというわけだ。論争の主題となったのは、その二本の剣が誰に属しているのか、ということである。もっと端的に言えば、二本はともに教皇に属しているのか、それとも、一本が教皇（聖職者）に、他の一本が、皇帝（世俗の支配者）に属しているのか、さらに二本の間にどのような優劣の関係があるのか、これが論争の主題である。教皇の霊的権力が世俗的な主権者の物質的権力よりも上位であるとする理論は、ボニファティウス八世の回勅のなかで最初に明示的に表現される。さらに、ローマのアエギディウスの「教会権力論」が、この理論を体系化した。アエギディウスによれば、「権力の充溢」は、教皇に存する。

どちらの権力が上位にあるかという論争は、激しいものであった。皇帝の支持者と教皇の支持者の間の戦いは、言葉の水準を越え、ときに暴力的なものにまで達した。たとえば、ボニファティウス八世は、教会への課税をめぐって、フランス王フィリップ四世と争い、フィリップ四世を破門しようとするが、逆に、国王側から反撃されて、アナーニの自分の別荘に幽閉されてしまう。本章の冒頭で言及した、教皇庁の「アヴィニヨン捕囚」は、このアナーニでの敗北の屈辱で、ボニファティウス八世が憤死したすぐ後の出来事である。

このように、世俗権力側と聖職者権力側の争いが激しかったために、歴史学者を含め研究者は、この論争に目を奪われてしまうが、そのとき、どちらの派をも前提にしている、より根本的な設定が、問われることなく放置されてしまう。そもそも、剣はなぜ二本なのか？　剣が一本ではなく、二本必要なのはどうしてなのか？　権力は、なぜ二つに分割されていなくてはならないのか？　たとえば、ローマのアエギディウスが使った「権力の充溢」という語は、二つの権力がそろっている状態を意味する専門用語だが、こうしたことを主張する者でさえも、権力が分割されうることを前提にしている。権力が、端的に一つしかないとは主張しないのである。どうして、権力は二分割されているのか？

＊

この問題に対して、ひとつの興味深い回答が、近年、ジョルジョ・アガンベンによって与えられている。実は、われわれの本章での考察は、最初からアガンベンの『王国と栄光』を念頭に置きながら展開されている。[*10] たとえば、アガンベンもまた、足萎えの王の物語に注目している。[*11]

アガンベンによれば、中世のキリスト教神学は、二つの完全に区別されうるパラダイムをもっている。われわれが、一般に「神学」として解しているのは、「存在論的パラダイム」とアガンベンが呼ぶものである。それは、神の存在について問う。だが、これに加えて、あるいはこれに寄り添うように、もう一つのパラダイムが、「オイコノミア的パラダイム」とも呼ぶべきものがある。それは、神の存在ではなく、神の活動、神による世界統治の活動を問う。オイコノミア的パラダイムにとっての謎は、神による救済という活動にある。これら二つのパラダイムが、二種類の権力に対応している。存在論的パラダイムに相関した権力が、霊的権力（権威）であり、オイコノミア的パラダイムに対応している権力が、世俗的権力（統治）である。キリスト教神学が、こうした二つのパラダイムをもたざるをえなかった必然性がどこにあるかを明らかにすることで、権力が二分割される理由も解明されるはずだ。われわれは、このような見通しをもつことができる。「オイコノミア oikonomia」という語は、パウロの言葉の中にすでに見出すことができる。たとえば、パウロは、「テモテへの第一の手紙」で次のように言っている。

あなた〔テモテ〕はエフェソにとどまって、ある人々に命じなさい。異なる教えを説いたり、作り話や切りのない系図に心を奪われたりしないようにと。このような作り話や系図は、信仰による神のオイコノミアの実現よりも、むしろ無意味な詮索を引き起こします。

アガンベンによれば、パウロが用いたこのような「オイコノミア」には、神学的と形容できるような特殊な意味合いは未だない。そもそも、オイコノミアとは本来、どのような意味であろうか？　今日の「経済 economy」の語源となっている、ギリシア語の「オイコノミア」は何を意味していたのか？　それは、「家 oikos」のさまざまな部分の間の機能的な「秩序（配置）」を維持する運営を意味している。「オイコス」は、家長的関係（主人—奴隷）、親的関係（親—子）、婚姻関係（夫—妻）の三つの関係を含む複合的な組織である。オイコノミアは、これらの関係にあるべき秩序とそれをもたらす経営である。右に引用した「テモテへの第一の手紙」では、「オイコノミア」は、こうした本来の用法の比喩的な転用に過ぎず、とりたてて神学的に特化した意味をもってはいない。「信仰による神のオイコノミア」とは、「神によって私に委ねられた善き運営」という意味である。つまり、ここでは、オイコノミアは、神や精神にもっぱらかかわる「救済計画」ということではなく、何らかの行動や任務を一般的に漠然と指している。

とはいえ、パウロにおいても、古代ギリシアの用法との明確な相違を認めることができる。古代ギリシアでは、オイコスとポリス（都市国家）ははっきりと区別されていた。政治は、専らポリスにおける善き生に関わるものであって、それは、オイコスを切り離すことで成り立つ。つまり、政治と「オイコノミアの術」とは峻別されていた。ところが、パウロは、「メシア的共同体（教会）」の運営を、政治（ポリス）に関する用語ではなく、家（オイコス）に関する用語で表現したのだ。ギリシアの本来の用法に忠実であったら、メシア的共同体は、家族の外部に拡がる普遍的な共同体なのだから、政治（ポリス）に関する概念によって特徴づけられてしかるべきである。ところが、パウロは、メシア的共同体の運営は、むしろ、オイコスに類比的であると考えたのである。こうした用語の拡張あるいは転倒は、パウロよりも前から始まっていたらしい。しかし、パウロが、これを圧倒的に加速したことは確かである。

オイコノミアが固有に神学的な意味を獲得するのは、三位一体の教義が真剣に論じられるようになったときである。三位一体とは、父（神）と子（キリスト）と聖霊が、三つの独立した基体（hypostasis）であると同時に、同一の実体（ousia）である、とする教義である。ギリシア語の「ヒュポスタシス（基体）」は、ラテン語では「persona（位格）」と訳された。われわれは、聖霊が父から発するのか（正教）、それとも父と子から発するのか（カトリック）という論争との関係で、かつて、この教義に一度論及している（第1章）。だが、率直に言えば、三位一体は、訳のわからない教義である。父と子と聖霊が、同格で互いに独立した基体であるとすれば、これら三つは異なるものでなくてはならない。しかし、もしそうであるとすれば、異教的な多神論に陥ってしまう。一神教としての厳格性を維持するためには、それらは、同一の実体でなくてはならない。結局、父と子と聖霊は同じものなのか異なるものなのか？

この難問は、今はおいておこう。「オイコノミア」が神学の内に定着する経緯だけを、アガンベンの議論を参照しながら、スケッチしておきたい。神の存在を分析すると仮定してみよう。神は、被造物の世界、人間が存在している経験的な世界をまったく超越した仕方で存在している。ここから、神の存在については、被造物の存在からの類比によってしか語ることができないとする、前章で論じた、トマス・アクィナスの説が出てくる。神の本質についての観念は、その観念に関する述語を一つひとつすべて否定することによってのみ到達することができるとする、否定神学もまた、神の存在を捉えることの困難に対するもう一つの回答である。「存在の類比」の説にしても、否定神学にしても、被造物たちが存在する平面から直接には神の存在に到達しえないとする。が、同時に、ある種の間接的な迂回路を通じてならば――類比や（述語の）否定といった屈折を介するならば――、人間は神の存在に到達することができる。こうした理論は、存在論的パラダイムに属する神学である。三位一体の教義と対応させたとき、この神学は、父――人間たちの世界を超越した父――を中心にして神を捉えていることになるだろう。

だが、ここには、まだ重要な問題が残る。こうした神の把握は、神が被造物たちのこの世界に対してどのような関係をもっているのか、何も教えてくれないからだ。言い換えれば、神が、人間の歴史の流れをどのように統治し、決定したかについて、存在論的パラダイムは何も語ってはいない。「神の存在」を、被造物についての存在と厳密に同じ意味で語ることができると断ずる、ドゥンス・スコトゥスの「存在の一義性」の説は、こうした不満を一つの動機としているだろう。しかし、「存在の一義性」を云々したところで、まだ、神による（人間の）救済の実践については、内容のあることを語ったことにはならない。ここに登場するのが、神の実践についての神学、オイコノミア的パラダイムである。三位一体を規準にすれば、オイコノミア的パラダイムは、子という基体＝位格を中心に据えていると見なすことができるだろう。子なるキリストこそ、この世界に受肉して、救済の実践に関与したからである。

存在論的パラダイムに対応している権力の様態が、霊的権力――超越的な審級にただ君臨するだけの権威――である。それに対して、オイコノミア的パラダイムに対応している権力の様態が、世俗的権力である。それは、神がこの世界をどのように統治しているのかという実践に関与している。

5　一般摂理と種別摂理

アガンベンの議論をやや大胆に解釈することを通じて、西洋のキリスト教神学に二種類のパラダイムが誕生する経緯を要約してきた。これによって、西洋中世において、聖なる権威と俗なる権力とが明白な二元性を有していたのはどうしてなのか、というわれわれの当初の疑問は解けたのだろうか？　実はまだ解けてはいない。問いの出し方を変えただけなのだ。どういうことか？　二つのパラダイムは三位一体の教義の二種類の解釈である。だが、今度は、どうして、三位一体のようなめんどうな教義が必要なのかが、あらためて疑問になってしまうだろう。どうして、三位一体のようなもってまわった仕方で神について理解しなくてはならないのか？　三位一体の教義を難しくしているのは――ほとんど論理的な破綻にまで導きかねないほどのものにしているのは――、三契機の中の「子なるキリスト」である。神は、どうして、子として受肉したのだろうか？

全知にして全能な神による人間の救済ということを考えてみよう。あるいは、そうした救済を規定する神の摂理について考えてみよう。神が何もかもを知っているということは、神が一人ひとりの人間の細々とした行為をすべて見ているということであろう。神は、それらを知った上で、彼または彼女を救済するのか、それとも呪うのかを決定するだろう。神は、個々の人間のあらゆる行為を見た上で、公正に恩寵を配分していることだろう。

このように考えた場合には、しかし、直ちに困難に遭遇する。恩寵は、どこから見ても、公正に配分されているようには見えないからだ。たとえば、勤勉な農民が、どうしても雨を必要としているときに、なぜか旱魃(かんばつ)になってしまう。それなのに、どういうわけか、誰もいない海では大雨が降っていたりする。ここにどのような公正性や合理性が作用しているのか。あるいは、高潔さで知られたある人物は、不運な落石事故で急死したのに、何人も殺戮した大悪人が、幸福を享受しつつ長生きをしていたりする。

そもそも、神はきちんと知っているのか？　神は、われわれ一人ひとりのことを知っているのか？　このとき、人を襲うのは、次のような疑念であろう。神は知らないのではないか、と。ここからさらに一歩進めて考えることができる。神は、むしろ知らずにいるべきではないか、と。知らないことこそ、神に相応しいのではないか。どのような意味か、実際の古代・中世の神学者たちが展開していた議論に沿った形で、説明してみよう。

最初、われわれは、何もかもを知っていることこそ、神の偉大さを示すものだと解釈した。しかし、翻って考えてみれば、平凡な一市民である私の日々の細かな行為のことまで気にして、それに一々目くじらをたてるのは、偉大な神にはあまり相応しくないことではないだろうか。偉大で高貴な神は、卑小な人物の小さな過ちなどは、「我関せず」と超然として無視すべきではないだろうか。実際、アリストテレスの註釈者、アプロディシアスのアレクサンドロスが、二世紀という早い段階で、このことを指摘している。人間の家長ですら、自分の家のネズミやアリのことまでは気を配らないし、自分の家の細部の整頓にまで口を出したりはしない。それらは、家長の行為として美しくはない。このように述べたあと、アレクサンドロスは、さらに続ける。まして、地上のあらゆることを気にかけるのは、偉大な神にはまったく不適切なことだ、と。

こうした理路を経た上で、次のように結論されることだろう。神は、各々の個人のことなどは配慮せず、恩寵の配分を規定する普遍的な法則だけを決定しているのだ、と。だが、個々の人間は、ただ捨て置かれてしまうのだろうか。そうではない。個々の人間への恩寵の配分については、神の代務者が、神が定めた普遍的な法則に沿ったかたちで、そのときどきの偶然的な原因を作用させながら、決定していくのだ。神の代務者は、一般的には天使だが、その究極的な姿、代務者の原型こそは、イエス・キリストである。実際、イエスは、自分の個別の判断に基づいて、人々に恩寵を与え、救っていたではないか。普遍的な法則を規定する神の意志を、キリスト教神学は「一般摂理」と呼んでいる。それに対して、代務者たちによる個別の救済に対応しているのが、「種別摂理」である。

こうして、イエス・キリスト（を初めとする神の代務者）が導入された理由が説明できる。さらに、西洋世界に、君臨する権威と統治する権力との間の二元性が成立した理由も、ここから理解できるように思える。一般摂理に対応しているのが、権威をもった君臨である。それに対して、種別摂理は、世界内の事物や人間を統治する活動の神学的な表現である。

＊

だが、しかし、これでもまだ説明は不十分なのだ！　以上の説明は、イエス・キリストの登場の必然性を十全に説明し尽くすものではない。神の一般摂理のみを想定し、偉大なる神は、個々の人間や事物、あるいは共同体の運命にはまったく関心がない、と考えてもかまわなかったはずだからである。その場合、神は、わざわざ人間として受肉する必要はない。あるいは、イエス・キリストの出現自体が、神の自己満足的な戯れの一環であって、人間の救済とか贖罪とは関係がない、ということになるだろう。実際、そのように考えた哲学者もいたのだ。

したがって、神の受肉、イエス・キリストの出現の真の意味を説明するには、もっと強力な論理が必要だ。イエス・キリストの活動の意味を、新約聖書がどのように提示しているのか、原点に立ち返って、考え直してみよう。キリストは、ユダヤ教の硬直した律法主義を、言わば脱構築するためにやってきたことになっている。つまり、キリストの活動は、律法主義を終わらせるためにある。しかし、その終わらせ方は、奇妙に両義的である。新約聖書は、律法の無化は、それ自体、律法の真の成就でもある、と語っているからである。律法の否定が律法の完成でもあるということは、どういう意味であろうか？

律法主義を克服するということは、律法に反することを行え、ということであろうか。一見、そのように思える。たとえば、「ルカによる福音書」の中にある、イエスの有名な言葉を想い起こしてみよう。「父、母、妻、子供、兄弟、姉妹を、更に自分の命であろうとも、これを憎まないなら、わたしの弟子ではありえない」。この言葉は、家族を愛するとか、命を大切にするといった、伝統的な規範や法を破ることを命じているように見える。しかし、単に規範や法を蹂躙することが律法主義の克服という意味であるとすれば、それが同時に律法の成就でもあるということが不可解なものになってしまうだろう。

さらに、イエスの言動の全体のコンテクストにおいて捉え直してみれば、「ルカによる福音書」の言葉は、単純に、父、母等を憎めということではありえないことがわかる。キリストが説いたことは、ただひとつ、隣人への愛である。その「隣人」の中には、任意の他者が、したがって、当然、父、母等が含まれるはずだからである。

それならば、もう一度、問おう。律法主義の克服とは何か、と。それは、律法や規範を、独特の仕方で受け取り直すことを意味しているのである。すなわち、律法の効力を一旦は停止した後で、その律法を、今度は、イエス・キリストに媒介されたものとして――すなわちキリストに帰属する意志として――再肯定するのである。したがって、律法の克服＝成就とは、実は、その内部に二つの段階を含んでいるのである。第一に、律法が命ずること、律法が重要だとすることを、まずは、ことごとく否定すること（父、母、……自分の命を憎むこと）。第二に、その律法を、キリスト自身の意志の表現として再肯定すること（隣人を愛すること）。[*12]律法がまさに克服されることによって成就されるとは、この意味である。

したがって、律法の克服＝成就のためには、どうしても、キリストが必要になる。一旦否定した律法を再帰属させる具体的な人間がいなければならないからである。キリスト教において、権力が二重化し、分割される究極の原因もここにある。まずは、超越的な神自身の意志に帰属している、最初の規範や命令がある。これに加えて、それらを宙づりにした上で、あらためて、それらを、自らの個々の具体的な命令へと転換するような地上の指導者が現われる。前者が権威（君臨）の水準を構成しているとすれば、後者が世俗権力（統治）の水準の源流となっている。

しかし、なお疑問が残る。律法をわざわざ一旦宙づりにした上で、キリストに再帰属させなくてはならない必然性は、どこにあるのか？　キリストは、傷を負っていることにおいて、そして死体として執拗に残ることにおいて、中世の人々を魅惑し続けた。中断を介して律法を成就させるキリストの権能は、このような意味での彼の身体の魅惑とどのように関係しているのだろうか？

＊1　ミシェル・フーコー『安全・領土・人口』高桑和巳訳、筑摩書房、二〇〇七年（原著二〇〇四年）、九二頁。訳文を一部変更した。

＊2　岡田温司『キリストの身体』中公新書、二〇〇九年、二三八頁より再引用。以下、キリストの脇腹の傷口に関連した諸事実については、岡田温司によるこの著書（とりわけ第Ⅴ章）に多くを依拠している。

＊3　心臓がその特権的な地位を失うのは、一七世紀前半にウィリアム・ハーヴィが、血液の循環という事実を発見したときである。その発見で、心臓は、ポンプとして血液循環を仲介する一臓器に過ぎなくなる。つまり、血液がただ循環しているだけであるとすれば、心臓もその過程の中の一項として相対化されてしまう。以降、人間身体内の諸臓器は、言わば平等化して、具体的な中心を失う。あるいは、脳という、臓器性の否定でもあるような器官に、中心が次第に移っていく。したがって、血液循環論は、科学的な知識の単純な増加以上の転換、いわゆるパラダイムシフトを意味している。転換は、ほとんど神学的である。それは、人間身体の上での宗教改革だと見なすことができる。

＊4 岡田、前掲書、二四六―二四七頁。

＊5 同二三九頁。

＊6 この点については、岡田温司『もうひとつのルネサンス』平凡社ライブラリー、二〇〇七年を参照。

＊7 Caroline Walker Bynum, *Jesus as Mother: Studies in the Spirituality of the High Middle Ages*, Berkeley and London: University of California Press, 1982.

＊8 岡田温司は、『キリストの身体』において、「ち」→「ちち」→「父」という日本語の繋がりをも示唆している。少なくとも、「ちち（父）」は、男子への尊称であるところの「ち」を反復したところで生まれた語であることは間違いない。その「ち」が、さらに「血（ち）」または「乳（ち）」に由来していた、ということは十分にありうることではないだろうか。

＊9 男性（キリスト）の血が女性（マリア）の乳へと転換することがありうるのだとすれば、逆の転換もありうる。すなわち、女性（マリア）の乳が、男性的な体液のように、つまり精液や尿のように見なされる場合もあった。聖人ベルナルドゥスがマリアの像の前で祈っているとき、その像が突然、生を得て、ベルナルドゥスの口に向かって自分の乳を搾り出したという伝説がある。この奇蹟は、中世末期からバロック期にかけて、絵画の主題として、好んで取り上げられた。そのとき、勢いよく発射され、聖人の口へと放物線を描いて到達する母乳は、まるで射精や放尿のように見える。

＊10 Giorgio Agamben, *Il Regno e la Gloria: Per una genealogia teologica dell'economia e del governo (Homo sacer, II, 2)* Vicenza: Neri Pozza, 2007 [Torino: Bollati Boringhieri, 2009]. 高桑和巳に

よる日本語訳は、『王国と栄光』(青土社、二〇一〇年)。われわれは、これと合わせて、主として、次のフランス語訳を用いている。Joël Gayaud et Martin Rueff tr., *Le Règne et la Gloire*, Éditions du Seuil, 2008. アガンベンは、自らのこの研究を、意識的に、フーコーの統治性研究との関連においている。すなわち、アガンベンは、自らの著書を、未完に終わったフーコーの研究を完結させるものであると豪語している。

＊11 もっとも、いずれ提示することになる、この物語についてのわれわれの解釈は、アガンベンの解釈とはいささか異なっている。アガンベンは、足萎えの王の傷が、槍先に残っていたキリストの血によって快癒したというこの物語の驚くべき結末を、まったく無視している。

＊12 この点については、以下の議論が参考になる。Slavoj Žižek, *The Ticklish Subject*, London, New York: Verso, 1999, p.115.

第4章　謝肉祭と四旬節の喧嘩

1　謝肉祭と四旬節の喧嘩

ピーテル・ブリューゲルの名高い絵画「謝肉祭と四旬節の喧嘩」（一五五九年）に託して、ジャック・ル゠ゴフは、西洋中世の人間の生活は、四旬節と謝肉祭の間を揺れ動いていた、と要約している。[*1]四旬節は、復活祭の前の四十六日間（日曜日を抜かせば四十日間）を指しており、その間は、断食や節制が要求された。この期間中の肉食や性交は罪である。謝肉祭は、四旬節の前に行われる宴であり、はでな肉食が許される時間である。謝肉祭では、四旬節においてまさに罪とされることが許され、さらに推奨されさえした。ル゠ゴフによると、中世では、四旬節的な精神と謝肉祭的な精神とが共存し、葛藤していた。四旬節的な精神とは、法や規範に規定された禁止に従う禁欲の精神である。謝肉祭的な精神とは、快楽を強調する精神、四旬節的な精神において罪とされていることを目いっぱい許容する精神だ。

中世において、食道楽（大食）は、最悪の罪のひとつに数えられていた。とりわけキリスト教のエリート信者、すなわち修道士たちには、一般より禁欲的な食生活が求められ、彼らの間では、特殊な食療法が発達した。修道士の肉食は——中世後期においては許されるようになるが中世の初期には——禁じられた。魚や野菜を食べるのがよいとされたのだ。隠修士に至っては、野生の植物を食べた。食道楽を意味する語「gula」は、「口gueule」に関連した語である。口こそは——フランスとイタリアにおける地獄の表象に関するジェローム・バシェの研究が証明していることだが[*2]——、一一世紀以降、地獄を隠喩的に表象する身体部位であった。地獄は、たとえばレヴィアタンの巨大な口、地獄堕ちになった者たちをすべて飲み込む大きな口として表現されたのである。無節操な食事、無制限の肉食は、地獄行きに直結する罪だとされたのだ。ル゠ゴフは、教会の警告の対象となっていたのは、食物のもたらす快楽であると同時に、口そのものであり、肉体の罪と口の罪は二つで一つだった、とまで断定している。

にもかかわらず、中世には、大食いを許容する謝肉祭も発達した。どうして、野放図な食をこれほどまでに禁圧する規範が浸透しているまさにそのときに、その規範を蹂躙するような慣習も発達したのだろうか？　一つの可能な説明は、四旬節的な食の規制は、キリスト教によってもたらされたものであり、謝肉祭のような慣習は、キリスト教が浸透する以前の異教的な生活様式の残存の結果と見なすものである。ル＝ゴフを初めとする、多くの中世史研究者は、こうした解釈に与しているように見える。

さまざまな事実から推測して、この説明には一定の説得力がある。歴史的に遡行してみれば、中世には、食生活についての二つの系譜がある。それらは、「麦の文明」と「肉の文明」とそれぞれ名づけることができる。前者は、ギリシア・ローマの地中海古代に由来しており、後者は、ゲルマン系異民族に由来している。三―四世紀にかけて、ローマ帝国が危機に陥ったとき、食生活の二つのモデルも激しく争ったに違いない。ローマ人の麦の文明からは、ゲルマン民族の肉の文明は野蛮で粗野なものに見えていただろう。結局、衝突の勝者は、軍事のレベルで見れば、「蛮人」の方、つまり外から移動してきたゲルマン民族の方だった。しかし、同時に、その指導者たちは、洗練された――と彼らには見えた――ローマのモデルに魅力を感じ、それを受け入れた。このとき、すでにローマに浸透していたキリスト教もまた、ローマ的なモデルへの移行に与ったと考えられる。つまり、キリスト教は、この食の対立において、麦の文明の側にいた。こうして、指導者層には、四旬節的な食の規制が受け入れられ、他方で、民衆的なレベルで、異教的な謝肉祭が残る、という食の二重構造が生まれたのではないか。

このようにして、四旬節的なものと謝肉祭的なものの共存は説明できるように見える。

だが、事態をほんの少していねいに見直すだけで、この説明では不十分であることが明らかになる。第一に、謝肉祭がヨーロッパで確立したのが、一二世紀であった、という事実に注目しなくてはならない。もし謝肉祭が異教的な慣習の残存物である（ということに尽きる）とすれば、キリスト教が浸透するのに反比例するように、そのような慣習は消失するはずではないか。しかし、実際には、キリスト教が深く浸透してきた一二世紀において、謝肉祭もまた隆盛を迎えるのだ。一二世紀は、「グレゴリウス改革」が完成し、勝利した時期に対応している。グレゴリウス改革とは、改革の推進の象徴でもあった教皇グレゴリウス七世に因んだ名をもつ、カトリック教会による改革である。それは、四旬節的な禁欲の精神を代表する改革であった。グレゴリウス改革と歩調を合わせるように、謝肉祭が普及する。そうだとすれば、謝肉祭的なものが、キリスト教的な禁欲に外在的に対立していたという解釈は、単純に過ぎることがわかる。両者の間には、内在的な繋がりがあるのではないか。

第二に、そもそも、キリスト教がなぜ肉食に対して否定的な態度をとり、これを危険視したのかということに疑問をもたなくてはならない。ここには、明白な逆説があるからだ。キリスト教のすべての実践は、キリストの犠牲の上に成り立っている。キリストは、十字架上で死ぬ前の晩に何を言ったか。彼は、最後の晩餐の折に、弟子たちに何を言ったか。「これは私の肉で、これは私の血だ」と言って、パンとワインを弟子たちに供したではないか。ここで、キリストはまさに肉食を勧めている。カトリックの聖体の秘蹟は、このときの食事を象徴的に再現してきた。つまり、このときのキリストが勧めた食事は、そのまま継承されているのだ。それなのに、どうして、他方で、中世のキリスト教は肉食に対して否定的だったのだろうか？　むしろ、肉食という側面は、キリスト教が半ば罪悪視していた謝肉祭の方にこそ現われている。これは奇妙なことである。

このように見てくれば、四旬節と謝肉祭の喧嘩は、キリスト教とその外部にあった異教との葛藤と対応させて理解するだけでは不十分なことがわかる。両者の「喧嘩」は、キリスト教そのものに内在する葛藤でもあるのだ。キリスト教が、中世のキリスト教が、このような分裂を自らの内に抱え込んだのはどうしてだろうか？

＊

このような疑問から考察を再開した理由を、ここで説明しておこう。われわれは、前章で次のように問いを立てた。西洋中世においてのみ聖なる権威と俗なる権力が明白に二元的に分立しているのは、どうしてだろうか、と。つまり、キリストが二本の剣をもつのはなぜなのか、と。探究の中で、われわれは、アガンベンの説、西洋のキリスト教神学には二つのパラダイムがあったとする説を援用した。二つのパラダイムとは、神の存在を主題にする存在論的パラダイムと、神による世界統治の活動を主題にするオイコノミア的パラダイムである。前者が聖なる権威に、後者が俗なる権力に対応している。

だが、どうして、二種類のパラダイムが必要なのか？　恩寵の配分という問題を考えてみると、その理由を実感することができる。神が、世界の細々とした出来事や無数の平凡な諸個人のことを、一つひとつ気にしているというヴィジョンは、神の偉大さにはふさわしくないように見える。この不自然さを解消するためには、神は、恩寵の配分を規定する普遍的な法則だけを決めており、実際の恩寵の配分自体は、神の代務者（天使）がこれを行うと考えればよい。こうした二段階は、今日でもわれわれが自然現象を説明するときの原理と完全に類比的である。ある出来事Eの生起を説明するためには、われわれは、第一に、自然過程を制御する一般法則を知らなくてはならず、第二に、Eに先行する特殊な諸々の出来事の布置を把握していなくてはならない。後者が、前者に合致するような形で現実化して、最終的にEを帰結するのである。一般的な物理法則に対応しているのが神であり、出来事の布置を通じて現実化していく過程が代務者による恩寵の配分活動に対応している。神の存在・君臨に関係しているのが存在論的パラダイムであり、恩寵の配分の活動に直接関連しているのがオイコノミア的パラダイムだ。

だが、それでも疑問は残る。超越的な神が、諸個人にどのようにして恩寵を配分するのか、という主題は、すべての宗教に共通している問題のはずだ。どうしてキリスト教だけが（カトリックだけが）、二種類のパラダイムを有することになったのか？　言い換えれば、どうしてキリスト教の神は、代務者を媒介にして恩寵を諸個人に送り届けるのか？　神は、なぜ、恩寵を直接配分しないのか？

キリスト教にだけ、キリストがいるからである。キリストこそ、神の代務者の中の代務者、究極の代務者である。キリストは、自身の恣意や人間的な限界に従って、恩寵を与えた。キリストが入ることで、恩寵の配分には、偶然性が宿ることになる。キリストという形象を導入したがために、キリスト教は、神の存在についての論とは独立に、神の活動に関する論を必要としたのである。

してみれば、探究の課題は結局、キリストはなぜ必要だったのか、キリストはどうしてやってきたのか、という問いへと収斂する。新約聖書は、これに対して、次のように答える。キリストは法（律法）を終わらせるためにやってきた、と。だが、法を終わらせるとは、どういうことなのだろうか？　それは、法を侵犯するということではない。新約聖書には、法を終わらせることが同時に法の成就を意味するとも書かれているからである。すると、謎はますます深まってくる。法がまさに成就することにおいて否定されるとは、いったいどういうことなのだろうか、と。

この点を明らかにするための手掛かりとして、われわれは、中世の食についての規定に触れたのである。キリストが法を終わらせたはずだが、実際には――「キリストの精神に反して」と言ってよいかもしれない――、中世のキリスト教会は、食事に関して厳しい禁止の法を設定した。だが、同時に、すでに概観しておいたように、食事に対するキリスト教の態度は分裂的である。一方で、禁止を規定しながら、他方で、この禁止の規定との関係で罪とされるような行為が許容され、誘惑されさえしているからである。こうした矛盾を説明するのが、キリストという要素、法を終わらせるためのキリストの所作である。この点を明らかにするためには、もう少し説明を重ねなくてはならない。

2 正当な性交

食に関して見てきたが、視野を性行為や性欲にまで拡げてみよう。食の領域で見出したのとまったく同じことが、性に関しても言うことができる。というより、食は初めから性の問題であったと思えるほどに、両者は緊密に結びついている。断食は性の禁欲をともなっており、大食（食道楽）は邪淫の罪と一体であるかのように語られているからである。

非常に多くの研究が実証してきたことは、次のこと、すなわち、中世において、性欲や性的衝動は基本的には蔑視されており、抑圧されていたということである。婚外の性的交渉や姦通が禁止されていただけではない。結婚に内在する性交渉でさえも、厳しく規制され、できることならばない方がよいことであるかのように、必要悪であるかのように見なされた。聖職者たちは信者に繰り返し、「姦通する夫とは、その妻を愛しすぎる者のことでもある」と説いていた。つまり、妻との過剰な性交渉はすでに姦通だというのだ。それならば、どこからが「過剰」なのか。厳しく捉えれば、「すべて」である。一二世紀のパリの神学者、サン・ヴィクトールのユーグは、「妊娠は罪なしにはなされえない」とまで断じている。

ジョルジュ・デュビィによれば、キリスト教的な意味での結婚が、伝統的なモデル、つまり結婚の封建的モデルとでも言うべきものに勝利を収めるのは、一二世紀のことである。[*3]キリスト教的結婚とは、男女の合意に基づくこと、解消不能であること、そして何より一夫一婦制を条件とする、教会が推奨したモデルである。これに対して、封建的モデルは、しばしば政略に基づいており、解消可能であるような一夫多妻制の婚姻である。キリスト教的結婚が、正式に法律の中に書き込まれ、制度化されたのは、一三世紀の初頭、つまり一二一五年のラテラノ公会議においてである。このキリスト教的結婚自体が、性欲の過剰な発露を抑制するために導入されたものだった。

夫婦の間の性交渉についても――その頻度に関してのみならずやり方に関して――、教会は厳しい規制を課した。寝室においては常に、女性が受動的、男性が能動的でなくてはならないのだが、その男性にしても、あまりの熱中は許されなかった。避妊は、よく知られているように大罪である。アナル・セックスも、フェラチオも、重い罪のリストに入っている。そもそも、妻と「後ろから犬のように交わった」だけでも、あるいは安息日（日曜日）に妻と性交しただけでも、既婚男性には、「パンと水のみによる十日間の悔悛」の罰が科せられたのだ。アウグスティヌスは、キリスト教に「正当な戦争」という概念を導入したが――つまり特定の条件を満たす戦争だけが正当であるとの理論を確立したが――、ル＝ゴフは、同じことが性交にも言えると述べている。[*4] つまり「正当な性交」――特定の条件を満たしている結婚――という概念が（事実上）あったのだ。

付け加えておけば、同性愛に関しては、若干の紆余曲折があった。同性愛は、最初は非難の対象とされたが、一時期、寛容にも黙認された。ボズウェルは一二世紀の教会にはゲイ・カルチャーすら生まれたと述べている。[*5] しかし、一三世紀以降は、同性愛は食人に匹敵する倒錯として徹底した弾圧の対象となった。前節で言及したグレゴリウス改革（一二世紀）も、「性」を主要なターゲットとしていた。それは、聖職売買と並んで、司祭の内縁関係を一掃することを最大の目標とした、教会の大刷新運動だったからだ。

これらの規範や法は、西洋中世のキリスト教が、――今日のわれわれの観点からすると――性に関してたいへん否定的であったということを示している。ここで、しばしば問われてきた、二つの一般的な疑問を片づけておこう。なるほど、厳しい禁止が公式には定められていることはわかった。しかし、それらは遵守されていたのか？　無論、ここに記してきたような性道徳が文字通り守られていたわけではない。ル＝ゴフが述べているように、聖職者が妻や内縁関係をもつことは、兜や剣をもつことよりもはるかに多かっただろう。俗人たちは、もっと気楽に肉体の快楽に耽ったに違いない。貴族は、キリスト教的結婚に対して最も拒絶的だった階層で、長く一夫多妻制を採用し続けた。その上、貴族にあっては、姦通が結婚に彩りを与えるデザートのようなものだった。[*6] 誰も、性についての規範や法に、厳格に従うことはできなかった。しかし、ここから、中世の「性に関する煩い規範」は、まったくの有名無実だという結論にまで一足飛びに行ってしまうのは、明らかに間違いである。たとえば、かつては四旬節の性的節制は守られていたはずがないとするのが通説だったが、ジャン＝ルイ・フランドランは、俗人でさえもこの間の禁欲をかなり忠実に守っていたことを、否定しがたい仕方で証明した。禁欲期間の九ヵ月後の出産曲線は、明らかに低下しているのである。[*7]

だが、同時に、この文脈で、食に見出したのと同じ奇妙な経緯を、性行動についても見出しうる、ということを指摘しておこう。先に、謝肉祭が確立するのは、グレゴリウス改革の時期――四旬節的な精神が頂点に達したとき――だった、と述べた。同じことは性にも言える。ル＝ゴフによれば、一一世紀初頭から一二世紀末までの時期、つまりグレゴリウス改革へと向かう時期は、性と身体の管理の体系が発達した時代であると同時に、その相対的な衰退の始まるときでもある。聖職者の貞潔の虚偽を嘲弄する民衆劇の蔓延などから推測しても、まさにこの時期に、聖職者の内縁生活はますます普通のものになっていたと思われる。一四世紀には、ペストによる人口の激減も与って、性的なものへの寛容さはますます高まっていく。

したがって、公式化された性の禁止や抑圧についての法・規範の効力を額面通り取ることはできない。が、しかし、繰り返せば、それらをまったくの空文だったとするわけにはいかない。フランドランの研究が示しているように、数々の違反にもかかわらず、それらは相当程度に人々を捉えてはいたのである。

よく提起されるもう一つの疑問は、性に関する抑圧的な規定が中世にたくさんあるとしても、それらをキリスト教のせいにするのは正しいのか、ということである。性だけに限らず、身体そのものに対して、中世は、古代に比して否定的・禁圧的であった、とする主張には、さしあたって、あからさまな説得力がある。古代のギリシアやローマでは一般的であった、身体を――しばしば裸体において――公然と提示するさまざまな施設が、中世には、すべて消滅したからである。共同浴場、スポーツ競技場、劇場などが中世において消滅した施設である。「円形闘技場 amphitheatre」（ローマ）と言えば、中世では大学の階段教室のことである。古代の競技者は、彫刻等を通じて知られているように、衣服を脱いで競い合ったが[*8]、中世には、そのようなスポーツ自体がなくなった[*9]。また中世では、裸体の評価は低く、裸体は、しばしば、動物性（野蛮）や狂気の表現であった[*10]。このような諸事実は、中世が古代に比べて身体に対して抑圧的だったという印象を与える。

　しかし、ここから直ちに、その抑圧の責任をキリスト教に帰することには、実証的な歴史学が警鐘を鳴らす。たとえば、ポール・ヴェーヌは、キリスト教が普及する前の古代後期に、後のキリスト教が支持したような禁欲主義はすでに始まっていた、と主張している。[*11]ヴェーヌによると、禁欲主義の起源は、ストア主義の皇帝マルクス・アウレリウス・アントニヌスの時代、つまり二世紀末である。ローマ帝国がキリスト教を公認するのは、一世紀以上も後のことである。マルクス・アウレリウスは、性交のことを「腹を擦り合わせ、精子を含む粘液を放出する」行為に過ぎないとして、軽蔑した。ヴェーヌは、「キリスト教は何も抑圧しなかった、それはすでになされていたのである」とまで言う。ここまでは極論しないが、ミシェル・フーコーも、キリスト教以前の異教とキリスト教とが性の理論や実践に関して対極的だとする考え方は「正確とは言い難い」と述べている。[*12]性についての男性的な厳格禁欲主義は、ローマ帝国の初期にすでに始まっていたと見ることができる、というのだ。

　前節で述べたように、食に関しては、多くの歴史家は、非キリスト教的に見える放埒（謝肉祭）が異教に由来するのではないかと嫌疑をかけた（しかし、その嫌疑は必ずしもあたっていないとわれわれは論じた）。性に関しては逆である。一部の歴史家は、キリスト教に固有とされていた禁欲主義が異教に始まっているのではないかとの疑惑をもっているのだ。だが、中世の身体や性に対する否定的な評価が、すべて異教に由来しているとする説は——通説の行き過ぎにブレーキをかける効果はあるが——それ自体としては、通説以上の行き過ぎであろう。中世の性についての理論や実践は、古代末期には見られない拡がりがあり、民衆にまで浸透している。そうした推進力は、キリスト教に見るほかない。キリスト教の浸透とちょうど手を携えるようにして、性道徳は普及していったのだから。

3　原罪観念の変容と圧倒的な矛盾

異教ではなくキリスト教が、しかも中世のキリスト教が、性に関する規範の転換の決定的な担い手であったということを、これ以上ないほどに明白に示す事実は、原罪の概念にもたらされた新機軸である。原罪自体は、キリスト教にとって、絶対的な前提である。原罪がなければ、（キリストによる）贖罪もありえないのだから。中世のキリスト教は、ここに、それ以前にはまったくなかった新しい含意を付け加える。原罪を基本的に性的な罪と見なしたのだ。だが、旧約聖書をすみからすみまで読んでも、原罪が性的な罪だということを示す言葉は見つからない。素直に読めば、アダムとエヴァの罪は、傲慢の罪である。彼らは悪魔にそそのかされて知恵の木のりんごを食べた。つまり、知識への欲望に駆られたということである。それは、神の最も重要な属性である知恵を奪い取ろうとする傲慢を意味している。ところが、中世において、キリスト教は、原罪の中核に性的な侵犯という含意を組み込んだのである。りんごをかじることは、性的な行為の隠喩だと解釈された。その上で、性的な逸脱、正当ではない性行為は、すべて原罪の現われと見なされた。

しかし、あまりにもあからさまなせいか、これまでほとんど誰も指摘してこなかったことだが、キリスト教によって原罪概念がこのような変容を被っていたとするならば、これは心底から驚くべきこと、実に奇妙な逆説ではないか。どういうことか？　キリストの教えが何であったかを想い起こしてみればよい。それは、愛、隣人への愛である。キリストがやったことを圧縮してしまえば、それは、法（ユダヤ教の律法）を愛へと置き換えることにほかならない。ところで、愛する者たちが最も強く欲望すること、愛し合う者たちがまさにその愛を確証し合う最も直接的な方法、それこそが、性的な交わりではないか。ところが、それが、今や原罪を構成するとされているのだ！

無論、愛のすべてが性的な欲望を伴うわけではない。そのような欲望を伴わない愛もある。しかし、同時に、性的な衝動を伴う愛もあり、しかも、それは、とうてい愛のマイナーな形態とは見なせない。たとえば、献身、死をも恐れないほどの献身を愛の規準とすれば、そのような愛の多くは、性的な欲望や快楽と深く結びついている。また、「性的」という語を非常に広く解すれば、たとえば身体的な接触への欲望の一般にまで拡張すれば、ほとんどの愛が、緩やかな意味で性的である（逆に、誰かに「あなたを愛しているが、あなたの身体には触れたくはない」と言われたら、あなたはほんとうはその人に愛されていないと考えたほうがよい）。とすれば、キリストが唱えたこと、キリストが教えたこと、キリストがその存在と行為において示したこと、そのことこそが、原罪だということになってしまう。このあからさまな矛盾が無視されてきた。

この問題に対する、「公式見解」的な回答はあり、よく知られてもいる。現代であろうと、中世であろうと、神学者や聖職者にこの矛盾を問い質せば、次のように答えるだろう。キリストが説いた愛は、「愛欲（アモル、エロス）」ではなく、「慈愛（カリタス、アガペー）」である。性的動機を伴っている前者は、粗野で貪欲な感情であり、価値はない。後者は、もっとも高尚なものであり、そこにはいかなる性的動機も含まれてはいない。

矛盾に対して、こんな回答が返ってくることだろう。しかし、これで納得するほどお人好しであってはいけない。この回答はあからさまな詭弁である。それが、「慈愛」と呼ばれようが、何と呼ばれようが、キリストの説く愛であるならば、それは、広義の献身の領域に入り、多様な形態の（隣人への）情愛を含んでいるだろう。だが、今述べたように、最も深い献身は、しばしば、性的な交わりに最高の快楽を見出す感覚と不可分である。また、握手とか軽い接吻とか抱擁といった広義の身体的接触に快楽を覚える関係のすべてを「性的」と形容できるとすれば、それは、情愛のほとんどすべてに浸透している。他者への愛は、その本性上、その他者に近づくことを悦びとする感覚を必要条件としているからである。「愛欲／慈愛」という区別は、キリストの教えと（原）罪との一致という矛盾を隠蔽するために無理やり設定された偽の差異である。[*13]

さて、そうであるとすれば、キリストが肯定したこと、キリストがあらん限りの力をもって示し、導こうとしたこと、そのことが、中世のキリスト教世界において、同時に罪であると見なされていることになる。ところで、これは、先に、肉食（謝肉祭）との関係で見出したのと同じ逆説である。キリストは、間接的にではあるが肉食を勧めている。だが、中世のキリスト教会は、肉食を半ば罪悪視し、できることなら避けた方がよいことのように扱ったのである。

性に関しては、中世においても、よく知られた例外がひとつだけある。アベラールとエロイーズの恋愛である。われわれは、すでに一度、彼らの名に触れている。アベラールは、初期の優れた唯名論者だからである（第2章）。小貴族出身の中年の哲学教師アベラールは、自分の弟子でもあった十七歳の若い女エロイーズと互いに愛し合う仲になった。無論、彼らの間には性的な交わりがあり、エロイーズはアベラールの子を妊娠し、出産した。彼らの関係は、夫婦関係についての当時の習慣的規範からはまったく自由な恋愛である。つまり、それは、当時の教会が承認する一般的な法の立場から捉えれば、罪以外のなにものでもない。[*14] そのため、結局、アベラールは、エロイーズの後見人フュルベールの姦計によって、去勢の憂き目をみる。

この恋愛に関して重要なことは、彼らは、とりわけアベラールは、キリストの教えに反する行為として愛し合ったり、性的交わりをもったりしたわけではない、ということである。逆に、アベラールとエロイーズは、キリストが説いた愛の一つの形態として、互いに愛し合ったのである。実際、アベラールは、キリスト教神学者としても一流であった。さらに、男女の優劣関係に関して、アベラールは次のように断じていることを付け加えておこう。「〔男の支配は〕夫婦の行為の中にはもはや存在しない。夫婦の行為においては、男と女は互いの肉体に対して同等の力をもつ」、と。男の優位、男が女の所有者であることが自明であった中世において、これは異例中の異例の発言である。[*15]

だから、アベラールとエロイーズは例外である。このような例外が――キリスト教の信仰の名のもとで――可能だったのは、もともと、中世のキリスト教の根源に、とてつもなく大きな矛盾が孕まれていたからである。キリストが肯定的に指示していたその同じ営みが、最悪の罪と見なされるという矛盾が、である。アベラールたちの「例外」の方が、むしろ、矛盾を解消したケースにあたる。いずれにせよ、ここで、あからさまな矛盾を指摘して、中世のキリスト教を批判したいわけではない。なぜ、これほど明白な矛盾が無視されたのか？　このようなわかりやすい矛盾を、不可視化しつつ維持しえた社会的なメカニズムは何だったのか？　このことを探究したいのだ。その秘密を解くことは、そもそも、

「法を（成就することで）終わらせる」ということが何を意味していたかを、結果的に示すことになるだろう。

4　抑圧された体液の涙としての回帰

そのためには、しかし、この同じ「矛盾」の実相を、もう少し見ておく必要がある。キリスト教が中世にもたらした新秩序のもとでは、身体が生み出す液体に対する明白な嫌悪が見られる。とりわけ二つの液体が忌避された。二つの液体とは、精液と血液である。精液への嫌悪は、第2節で概観してきたような、性への蔑視と一体化している。

血液も嫌悪された。他の多くの社会や文化と同様に、女性が男性よりも低い地位に置かれた理由の一つは、まさに血に、つまり月経にある。西洋中世では、妻の生理期間中に性交することは厳しく禁止されていた。この禁を破ったときには、らい病（レプラ）の子の誕生という報いを受ける（と考えられていた）。「良き血の生まれ」という決まり文句は、中世のごく初期にすでにあったらしいが、しかし、貴族の親族関係を定義するときに「血」という隠喩が用いられるのは、中世の後期になってからのことである。たとえば、王の直系の子孫が「血縁の王子」と呼ばれるようになったのは、やっと一四世紀のことである。あるいは、「純血」という概念が現われるのは、一五世紀も終わろうとしているスペインにおいて、しかもユダヤ人に対抗するという特殊な状況の中で、である。「血」が嫌悪の対象であったがために、西洋中世では、同胞愛を「血」の隠喩の下で包括するということはありえなかったのだ。

だが、しかし、われわれは、ここでもう一度、同じ矛盾に遭遇する。肉食との関係で言及した、最後の晩餐の場面をここでも想い起こせばよい。イエスは、「これは私の血だ」と言いつつ、ワインを弟子たちに与えた。このイエスの血は、聖体の秘蹟の中で再現されてきた。ここには、神聖な血がある。ここでは、血こそ最も高い価値を帯びている。にもかかわらず、他方では、血が嫌悪の中心に置かれていたのである。

さらに、前章での考察（第3節）の中で提示した、キリストの脇腹の傷をめぐる、さまざまなイメージや表象をここであらためて呼び起こしておく必要がある。キリストの傷口（聖痕）は、そして同時に傷口から滴り出る血液は、中世の人々を魅了した。ここでは、血は、嫌悪の対象ではなく、まったく逆に、熱烈な愛着の対象である。最も強い嫌悪の対象が、同時に、強い愛情と欲望の対象でもあるという矛盾。だが、キリストが説いた「愛すること」が、同時に原罪でもあるのならば、そのとき対象は、嫌悪と愛着の両方を引き受けていなくてはならない。実際、中世において、血はそのような両義的な対象であった。

キリストの傷口が、大きな口唇のように、そして何より女性器のようにイメージされていたという事実も、あらためて確認しておく価値がある。女性器は、罪深い肉欲の対象である。そしてまた、先に地獄のイメージとの関連で指摘しておいたように、口もまた、否定的な価値が付与された身体部位である。ところが、キリストの身体の上に、しかもその最も重要な部分に、口＝女性器を暗示する穴が開いているのだ。

＊

中世は、身体の内側から出てくる液体を嫌悪していた、と述べてきた。だが、実は一つだけ例外がある。涙である。涙だけは恩寵の印と見なされた。たとえばカペー朝の聖王ルイは、涙を好んでいたが、泣くのが苦手で、そのことに悩んでいた。聖王の聴罪司祭のジョフロワ・ド・ボーリューは、次のように語っていたという。「優しき王は涙の恩寵を大変に欲しておられ、泣くことが出来ないと嘆いておられた」。「聖王はときおり個人的な話として、祈りの最中に主がいくらかの涙を与えてくださることがあるとも話しておられた。涙が頬を流れ口まで伝わってゆく心地よい感覚を感じながら、聖王は、心でだけでなくまた口でも、この涙の甘美な味を味わっておられたという」[*16]。

なぜ涙だけはよいのか？　しばしばなされてきた説明は、イエスが聖書の中で三回泣くからだ、という理由づけである。友人ラザロの死に際して、またエルサレムの破壊の予感を覚えたときに、そして最後に、磔（はりつけ）の前日にオリーブ山で祈っているときに、イエスは泣く。最初の涙は、身近な友人のため、二度目の涙は、市民一般のため、そして三度目の涙は、自分自身のために流される。このようにイエスが三回も泣くので、涙はよい印だというのだ。しかし、この説明は、あまり説得力がない。聖書の中でイエスの身体そのものと同一視されていた血や肉は、みな否定的に意味づけられているからである。聖書の中でイエスに関係づけられて登場したからといって、中世のキリスト教の文脈で肯定的な価値をもつとは限らない。どうして涙だけが許されているのかを、聖書の記述だけから説明することはできないのだ。

いずれにせよ、涙は、神から授かるものだとされた。涙によって、神が、人間の身体に降りてくるとされたのである。そうであるとすれば、涙は、液化したキリスト、キリストの代理物である。キリストこそ、神が地上に降りてきた姿なのだから。

涙に特別な意味を与え、信仰生活の中核的要素に据えた最初の集団は、シリアやエジプトの荒野の教父たちである。彼らもまた、身体から発する液体を、基本的には皆、悪いものと見なしていた。しかし、だからこそ涙はよい、と彼らは考えた。どうしてだろうか？涙として身体の外に出してしまえば、その液体が、悪いものに充当されることがないからだ。悪いものとは、たとえば、性的使用である。つまり、涙に回すことで、精液や血のような悪い液体を減らすことができるというわけである。

ここでは、涙と他の悪しき体液との間の繋がりが直観されている。ここから、次のように解釈してみたらどうであろうか。涙は、フロイトが言うところの「抑圧されたものの回帰」ではないか、と。抑圧されたものとは、この場合には、血液や精液である。それらが抑圧されたとき、変形を被って回帰してきて、表面に現われる。それが涙ではないか。ミシュレは、次のように言っている。涙の中に「中世の謎のすべてがある」と。さらに次のようにも書いている。「涙のたった一粒が礎石の上に落ちるだけで、ゴシック教会はよみがえる」「涙は清らかな伝説、驚異的な詩となって流れた。幾重にも湧き出して天にまで達し、主のもとにまでとどこうかという巨大な大聖堂へと結晶したのである」[*17]。

体液（血や精液）に関して見たような矛盾は、先に論じたように、キリストの身体そのものにおける矛盾、キリストの愛の教えそのものにおける矛盾である。それが、涙として回帰してきたとすれば、キリストもまた、特殊な変形を受けて回帰してくるだろう。その回帰の様式が、オイコノミア、神による世界統治の技法である。だが、そのことを証明するためには、根源に立ち返って説明を再開する必要がある。そもそもイエス・キリストがユダヤ教との関係でなしたことは何であったかを、再考する必要がある。愛が法を成就し、まさにそのことにおいて法を棄却するとは、いったいどのような意味なのか？

＊1　ジャック・ル゠ゴフ『中世の身体』池田健二・菅沼潤訳、藤原書店、二〇〇六年（原著二〇〇三年）、第I章。

*2 Jérôme Baschet, *Les Justices de l'au-delà, Les Représentations de l'enfer en France et en Italie (XIIe-XVe siècles)*, Rome: École française de Rome, 1993.

*3 ジョルジュ・デュビー『中世の結婚——騎士・女性・司祭』篠田勝英訳、新評論、一九九四年（原著一九八一年）。

*4 ル＝ゴフ、前掲書、五七頁。

*5 John Boswell, *Christianisme, tolérance sociale et homosexualité: Les homosexuels en Europe occidentale des débuts de l'ère chrétienne au XIVe siècle*, Paris: Gallimard, 1985.

*6 結婚への態度によって、中世の三身分を明確に分けることができる。祈る人は、公式には結婚しないが秘密の妻をもつ人であり、戦う人は、公然と多数の妻をもちかつ秘密の愛人をもつ人であり、働く人は、最も忠実な一夫一婦制の遵守者だった。

*7 Jean-Louis Flandrin, *Un Temps pour embrasser. Aux origines de la morale sexuelle occidentale (VIe-XIe siècle)*, Paris: Seuil, 1983.

*8 「gymnastique（体操）」という語は、裸を意味しているギリシア語「gymnos（ギュムノス）」に由来する。

*9 だから、一九世紀末にオリンピックを創設するとき、人は、その範を、中世を飛び越して古代に求めるほかなかった。

*10 一二世紀後半のトルベール（吟遊詩人）、クレティアン・ド・トロワの物語詩で、騎士イヴァンは、発

狂し、森の中に逃げ込み、獣のごとく生きる。そこで、イヴァンは、衣服をすべて脱ぎ捨てる。

＊11　Paul Veyne, "La famille et l'amour sous le Haut-Empire romain," *Annales E. S. C.*, 1978.

＊12　ミシェル・フーコー『性の歴史Ⅱ　快楽の活用』田村俶訳、新潮社、一九八六年（原著一九八四年）。

＊13　当然のことながら、イエスは旧約聖書を前提にして語っている。旧約聖書には、「雅歌」のようなあからさまにエロチックなテクストも含まれている。このようなテクストに関しても、しばしば、聖職者やキリスト教の専門家は、「それは隠喩的に解すべきであって、必ずしも性的な含意はない（たとえば、神との接吻は神が人間に律法を与える行為の隠喩である等）」と説くが、この主張の不自然さは明らかである。なぜ、わざわざ非性的なことを、エロチックな隠喩で表現しなくてはならなかったのか。隠喩など用いずに直接的に描写すればよいではないか。こうした不自然さを回避するのは簡単である。無理に隠喩として解釈せず、文字通り、エロチックな関係が記述されていると見なせばよいのだ。キリストは、こうしたテクストを念頭に置きながら、隣人愛について説いていたのだから、そこから性的な含意をすべて抜き取るのは、牽強付会と言うほかない。

＊14　中世においてだけではなく、現代でも――いや現代の Political Correctness に基づけばますます――、彼らの関係や行為は不適切であり、犯罪的であるとされるだろう。それは、セクシュアル・ハラスメントやアカデミック・ハラスメントと解釈される可能性があるし、少なくとも女性の年齢を考えれば未成年者への淫行だと判定されるに違いない。

＊15　ジョルジュ・デュビィは、前掲書で次のように述べている。中世では「夫は妻の身体の支配人であり、

その占有権をもっている」と。

＊16　ル＝ゴフ、前掲書、九七―九八頁。

＊17　同一〇四頁より再引用。また次をも参照。ロラン・バルト『ミシュレ』藤本治訳、みすず書房、新装版、二〇〇二年（原著一九五四年）。

第5章　罪から愛へ

1　笑いの両義性

西洋中世においては、一方では、肉食や大食は罪悪視された（四旬節的精神）。しかし他方では、肉食や大食は許容された（謝肉祭的精神）。それどころか、最後の晩餐におけるイエスの言葉――「これは私の肉だ」――を思えば、肉食は、最も聖なる行為のひとつでさえある。この二律背反をどのように説明したらよいのか。同じ二律背反は、性において、より先鋭化する。

この二律背反は、中世の身体、とりわけ体液をめぐる感受性の中で頂点に達する。中世において、体液、特に血液は忌避の対象であった。だが、最後の晩餐において、イエスは、自分自身の血液＝ワインを弟子たちに飲ませている。したがって、血は聖なる対象でもある。中世において、ただ一つだけ、問題なく厚遇された体液がある。涙である。涙は、抑圧された体液（血液）の回帰してきた形態と解釈することができる。

前章での考察において、われわれは以上のように論じてきた。同じような二律背反は、他にも見出すことができる。たとえば「笑い」を考えてみよう。中世において、基本的には、笑いは悪魔の側に属していた。たとえば、聖ベネディクトゥスに影響を与えた『師の戒律』（六世紀）は、はっきりと、笑いを下等なものとし、呪っている。聖コロンバヌス（六一五年没）の戒律には次のようにある。「会合の間に、すなわち聖務の際にひそかに笑う者は六度の鞭打ちにて罰せらるべし。高笑いする場合は、断食すべし」と。笑いを蔑視する者たちが、その理由の一つとして挙げていることは、福音書の中でイエスが笑ったとの記述がまったくないということである。実際、中世の絵画の中で、キリストの顔は、苦悶、悲嘆、厳粛等を表現しており、決して、哄笑（こうしょう）などしてはいない。

かつて（『古代篇』第6章）、ウンベルト・エーコの小説（映画化された）『薔薇の名前』に託して述べたように、中世の神学者や修道士を悩ませたことは、中世において聖書に次ぐ権威をもっていたアリストテレスが、笑いを必ずしも忌避してはいない――むしろ笑いに対して肯定的・好意的である――という事実である。一三世紀のパリ大学で開催された公開討論会の一つで、まさにこの点をめぐって議論が戦わされている。一方で、「かの大哲学者」の「笑いは人間に特有のものである」という命題を支持する者たちがいて、他方には、福音書が報告する「笑わないキリストの生涯」から導き出されることを支持する者たちがいた。

このように、中世では、基本的には笑いは危険なものと見なされ、また軽蔑された。だが、食事や性欲、あるいは体液に関して述べたのと同じ逆説が、笑いの周辺にも認められる。一二世紀頃になると——つまり食や性についての厳格な戒律が整えられてきたまさにちょうど同じ頃——、笑いについても、少しずつ復権の動きが出てくる。トマス・アクィナスの師であるアルベルトゥス・マグヌスは、地上の笑いは天上の幸福の予兆であるという考えだった。弟子のトマスも笑いに肯定的な神学上の地位を与えた。新約聖書にイエスの笑いの記述がないことが、笑いを貶める根拠とされていたが、聖書を用いて笑いを擁護することも十分に可能である。たとえばアブラハムの息子の名のイサク。「創世記」によれば、この名は、「サークハク（喜びの笑い）」に由来する。神がアブラハムとその妻サラに子を授けると予告したとき、すでに老女になっていたサラは、思わずふきだしてしまったからである。

さらに、われわれは、かつて（「古代篇」第7章）、福音書にあるイエスの物語は、一見すると悲劇だが、より本質的にはむしろ真の喜劇と解しうるということを確認した。福音書の中で一度もイエスが笑っていなかったとしても（このことはイエスが笑う人ではなかったことを必ずしも意味しない）、福音書の物語の構造が、むしろ喜劇を意味しているのだ。

そうであるとすれば、笑いの抑圧は、性欲や性行動に対する禁止と同様に、キリスト教の根幹的な思想の否定でもある。笑いに関してもまた、キリスト教の名のもとで、キリスト教の中核部分が罪悪視されているのである。

繰り返せば、中世キリスト教世界の中では、笑いは否定的に意味づけられた。が、しかし、笑いの中で一種類だけ、全面的に肯定された笑いがある。微笑みである。微笑みは善い笑い、賢者の笑いであった。ジャック・ル＝ゴフは「微笑みは中世の発明であると言ってよい」とさえ断定している。[*1]先に抑圧された血液は涙の形をとって回帰してくる、と述べた。笑いに関しても同様であろう。抑圧された笑いが微笑みとして回帰してきているのだ。

だから、笑いを抑圧していた中世の文化の中に、笑いが間欠泉のようにして噴出する場面がいくつか組み込まれている。修道院の生活の中にさえ、「修道士の戯れ言（ヨカ・モナコルム）」と呼ばれる笑い話の慣習があった。封建領主の間には、「ギャブ」と呼ばれるほら話の伝統があった。涙を欲した聖王ルイは、「快活な王（レクス・ファケトゥス）」と呼ばれるほどに笑いを好む王であった。だから、ミハイル・バフチンの主張は、半分正しく、半分間違っている。半分正しいというのは、ヨーロッパの都市に――たとえば公共の広場や祝祭の中に――笑いの文化が定着していたということは事実だからである。半分間違っているというのは、それは一六世紀のラブレーよりずっと前から始まっていたからである。[*2]

2　法の存在＝不在

西洋中世の見てきたような一連の二律背反は、すべて同じ構造をもっている。しかし、このような奇妙な現象は、なぜ生じたのか？　この謎を解くためには、あらためて、キリスト教をユダヤ教との関連において捉え直しておく必要がある。どうしてか？　ここに見てきたような逆説は、すべて、キリスト教が、その内部に――性・食等々についての――法を孕み、整備したことに由来する。もともと、キリスト教は、法（律法）をもたない。イエス・キリストは、ユダヤ教の法を終わらせるためにこそやってきたからである。逆に言えば、ユダヤ教の本体は法である。したがって、次のように考えることができる。キリスト教／ユダヤ教（法）の関係が、キリスト教そのものの中で反復されたとき、述べてきたような二律背反が出現したのではないか、と。そうであるとすれば、キリスト教がユダヤ教＝法に対してどのように関係していたかを振り返ることから、中世キリスト教世界に取りついた奇妙な現象を説明するための手掛かりが得られるはずだ。

ここで、「古代篇」でも繰り返し主題化してきた謎がまたしても頭をもたげているのである。キリスト教はどうしてユダヤ教に後続していなくてはならないのか？　どうしてキリスト教がいきなり登場してはならないのか？　たとえば、仏教は、輪廻やカーストを自明視する土俗的な宗教を脱構築するものとして現われたのだが、そうした土俗的な宗教に後続するものであることなど特段に強調されはせず、仏教として自立している。あるいは、キリスト教と同様に、イスラム教もまたユダヤ教に後続する同種の一神教だが、キリスト教のようにはユダヤ教との関係を強調されたりはしない。教義の内容からすれば、イスラム教の方がキリスト教よりもはるかに、ユダヤ教にすなおに順接しているように見えるにもかかわらず、である。ユダヤ教がキリスト教にとっていかに重要な前提であったかということは、——以前にも指摘したことをあらためて述べておけば——旧約聖書と新約聖書がまったく同等の重みをもつ正典として扱われていることによく現われている。「啓典の民」とされる三つの宗教の中で最も新しいイスラム教は、新旧の聖書の記述を踏まえてはいるが、クルアーン（コーラン）と同等の正典と見なすことなどまったくありえず、逆に、クルアーンにとって不都合な部分に関してはこれを否定している。

ユダヤ教とキリスト教の関係は、単純化してしまえば、法と愛の関係である。イエス・キリストは法を愛に置き換えたのだ。われわれの疑問は、それゆえ、次のように言い換えることもできる。なぜ、法とは無関係に愛を説いてはいけないのか、と。しかも、再三述べてきたように、新約聖書は、キリストが単純に法を否定した、とはしていない。そうではなく、法を成就した、としているのである。したがって、法は成就することで、同時に無効化されていることになる。

ユダヤ教を抜きにして、あるいはユダヤ教を回避して、直接キリスト教だけを理解することはできないという事実、この事実をもとにすれば、われわれは、ことがらを逆方向から捉え直すこともできるはずだ。逆方向とは、「ユダヤ教→キリスト教」という順路ではなく、「キリスト教→ユダヤ教」と遡行的に捉えるということである。キリスト教においてユダヤ教が成就するということは、言い換えるならば、ユダヤ教がほとんどキリスト教になっている、キリスト教の一歩手前まで来ていた、ということである。しかし、どの点において？

キリスト教信仰の中核には、神が人間として死んだという事実の自覚がある。そうであるとすれば、つまりキリスト教を極限とする直線の上にユダヤ教も乗っているのだとすれば、ユダヤ教がほぼキリスト教であるとするならば、ユダヤ教においても、神はすでに死んでいるのではないか。あるいは、少なくとも神は死につつあるのではないか。しかし、それは、奇異である。というのも、ユダヤ教の神以上に徹底して存在している神、この神ほどに「存在の濃度」とでも呼ぶべきものが高い神はほかにいないように思われているからである。現に、その名ヤハウェは、一説では「在る（存在する）」を意味する動詞ハーヤーに由来する。この説にしたがえば、ヤハウェとは、まさに「在る者」を意味している。

だが、他方で、ヤハウェは、その存在の痕跡を消し去る神でもある。ヤハウェは、信者に対して、人間に対して決して現前することはない。つまり、神は、見ることも、触れることもできない。神を見た者、神が己に対して具体的に現前したと見なす者は死ぬとされているのだ。言い換えれば、現前しているその限りにおいて、それは神ではない――偶像である。そうであるとすれば、その神は、存在しないに等しい――死んでいるに等しい――のではないか。

神ヤハウェは、結局、宇宙を創造し、人間（モーセ）に法を与えたあとは、事実上、死んでいるのである。この神は引きこもって、無為の内に君臨する、あの「足萎えの王」に似ている。言い換えれば、ユダヤ教の神が生き延びているとすれば、それは、自らが創造した世界という痕跡の内においてであり、そして何よりその声を刻んだ法の文字の中においてである。それらを離れて、この神の生（存在）はない。

このことは、神が残した法が人間による恣意的な解釈に対して、無防備に開かれていることを意味している。神の（人間に対する）現前が不可能である以上、神自身が人間の営みに介入して、法の特定の解釈を拒否したり、否定したりすることはできないからである。そうであるとすれば、ここにおいて、法の存在はその不在と完全に重なってしまうのではないか。いかようにも解釈しうるのだとすれば、その法は、あってもなくても同じだからである。

法のこうした在り方の表現として、カフカの「法の門」の寓話以上のものはない。『審判』第九章に入っているこの寓話はよく知られている。それは、法の法たるゆえんを、あらゆる夾雑物を削ぎ落して提示しようとした寓話である。――田舎から法の門の前に男がやってくる。そこには門番がいる。田舎から来た男は、入門を求めるが、門番からは、いつまでも入門の許可はおりない。とはいえ、実際には、門は大きく開いていて、男は、その気になりさえすれば、いくらでも門を通過できたはずだ。しかし、彼は、不可解なまでの従順さで、入門を切望しつつ、ただひたすら門番からの許可を待ち続けた。結局、最後まで、入門は許されず、男は「死んでいく」（とは明示されてはいないが、そのように見える）のだが、そのとき、ひとつの秘密が解き明かされる。男は、門番に、何年も門の前で待ち続けたのに、その間に自分以外の誰も門に入るべくやって来ることはなかった、それはいったいなぜなのか、と問うのだ。門番が、耳が遠くなっていた男の耳元で怒鳴った答えは、こうであった。「おまえ以外の誰もこの門には入れてもらえなかったのさ。なぜなら、この門はおまえだけの門だからだ」。

法の門はおまえだけの門だ、という結論が意味していることは、次のことである。法は、法に従属し、捕らえられていると感じている「おまえ」の欲望の相関物だ、と。法の内実は、「おまえ」の欲望が持ち込み、投影したものなのである。本当は、門の向こう側に、何か秘密があるわけではない。そこに神がいるわけではない。秘密＝神は事実上死んでいるのである。法に従っている状態――従順にも「おまえ」が門の前で待ち続けている状態――とは、門の向こう側に何か大事なものが存在しているかのように感じ、欲望がそこへと差し向けられている状況である。何かがあるから欲望しているのではなく、欲望が、自ら、自分の対象を門の向こう側に投射しているのだ。門は、ただ、欲望を惹起するためにのみ開かれていたのである。ほんとうは門の向こうには何もなくても、男が「何か」あると想定し、そこへと到達することを欲望している限りで、法への従属状態は実現するわけだ。

この「欲望」を「信仰」に置き換えれば、完全にユダヤ教的な状況を得ることができる。だが、もし法が――客観的に見れば――欲望や信仰がそこに持ち込んだものであるとするならば、つまり欲望や信仰によっていかようにも解釈しうるものだとすれば、法としては、すでに末期的だと言わざるをえない。だから、門番は、田舎から来た男に門のからくりを説明した後、こう言うのである。「さてと、門をしめるとしよう」と。つまり、法はこうして終結するのだ。

ユダヤ教においては、法は、トーラ（モーセ五書）の中で明文化されており、さらにタルムードのような補足もあるのだから、恣意的な解釈によって蹂躙されることはない、と思われるかもしれないが、そうではない。「死んだ文字」は、「法の門」の開かれた門のごときものであって、その向こう側にどのような欲望をも投射することができる。反ユダヤ主義者によってしばしば引用されている、タルムードの中のある有名な一節を紹介しよう。それは、一定の材料や手順によって作られた炉が、法にかなっているかどうかについての、ラビたちの争いを記述している。一方は、それは、完全に法を遵守していると主張し、他方は、法に反していると主張する。前者は、次々と証言者を召喚する。しかし、後者は、これらをことごとく斥ける。そして、何と、ついには、神自身が前者のために証言する（天からの声として）。しかし、後者は、それを「出エジプト記」の記述を根拠にして、斥けてしまうのだ！　最後に神は、「わが子が私を打ち負かした！」と驚きの声をあげる。[*3]このタルムードの話は、文字としての法が得られているとき、神が実質的には死んでいることを示していないか。しかし、このとき、法の内容を一義的に決定することができない。つまり、法は、その完成＝成就の頂点において、否定されているように見える。

3　愛と法の合致？

だが、成就された法が愛へと転換されるのはどうしてなのだろうか？　ありがちな理解は、次のような「弁証法」的な発展であろう。最初に、愛が、単純な好き嫌いがある。そこでは、不公平やひいきが野放しになっている。ついで、ここに、愛を否定するものとして法が導入される。これによって不公平は減少するが、しかし、法は人間の原初的な欲望にとっては抑圧的である。つまり、法は、人々にとって、外的で強圧的なものとして現われている。そこで、最後に、法の否定として──最初の愛から見ると否定の否定として──、愛と法の統合が図られる。すなわち、愛そのものが、法の形態で命令されるのである。もともと、法の精神は、愛の否定というよりは、愛の普遍化である。つまり、法は、人が特定の者を愛したことを問題にしているのではなく、特定の者以外の者を愛さなかったことを問題にしたのだ。愛そのものが法として普遍化されるならば、問題は解決する。実際、キリストの「神を愛せ」と「汝の隣人を愛せ」という言明は、このような意味で、すなわち、愛と法の統合（愛の否定の否定）として一般に解されている。

だが、このような「愛と法の合致」というアイデアは、法の真の乗り越えではありえない。言い換えれば、キリストの言明をこのような意味で解釈すべきではない。愛をそのまま法に合致させるというアイデアのどこに問題があるのか、まずはこの点を明らかにしておこう。愛を法化しようとしたときの論理的な帰結は、次の二つのうちのいずれかである。

第一に、愛がすでに法であるとすれば、結局、人は好き勝手にやればよい、ということになる。欲することを欲するがままに行うことが、そのまま法に合致し、倫理的規準を満たしていることになるだろう。人が何ごとかを、あるいは何ものかを愛しており、その愛や好悪の感情に基づいた欲望のままにふるまったとしよう。その愛が法と合致しているとの前提がある以上は、そのふるまいは正義に合致しているものとして承認されるだろう。しかし、この帰結のどこに問題があるかは明らかであろう。ここでは、実際には、法が失われているのである。これは、先の「弁証法」の第一段階への退行——法以前の愛の状態への退行——だ。これでは、キリスト教的な「隣人愛」に到達するまでに、どうしてユダヤ教（法）を経由しなくてはならなかったのかが、皆目、説明できない。この帰結の困難は、アウグスティヌスが早くから指摘していた。キリストの言う「愛」の教説が、このような意味での愛と法との統合ではないことは明らかである。

愛と法を合致させるもう一つの——すなわち第二の——論理的に可能な方法は、第一のやり方とは逆の極で、つまり「法」の側で合致を確保することである。第一の帰結が失敗に終わるのは、愛を与件としたうえで、それを法と——無理やり——解釈しているからである。そこで、「神を愛すること」「隣人（任意の他者）を愛すること」を法的な当為として設定するのだ。つまり、愛の方を法へと合致させるのである。しかし、この方法がまたしても自己否定的なのは明らかであろう。「あなたを愛することが法に規定されているからあなたを愛している」ということは、端的に、「あなたを愛していない」ということであろう。「誰であれ愛さなくてはならない」という法ほど、残酷な法はない。「私はあの人に身の毛がよだつほど嫌悪を覚えるけれども、（法だから）愛さなくてはならない」という状況を考えてみればよい。結局、法的に命令に従って実現されているのだとすれば、それは、もはや愛ではない。第一のケースとは逆に、今度は、愛が失われているのだ。

したがって、愛と法とを合致させようとすれば、どちらかをトータルに否定し尽くすことになる。前者の方法をとれば法が否定され、後者の方法をとれば愛が否定される。したがって愛と法の合致は不可能だ。しかし、「神である主を愛しなさい。隣人を自分のように愛しなさい」というイエスの言葉を、これら二つの方法のどちらかの意味で解する人は多い。とりわけ、後者の意味で受け取る者は多い。その場合、しばしば、とてつもなく不合理な倒錯が起きる。

この点を説明するために、ここで有名な「善きサマリア人」の喩え話を参照しておこう。これは、ある律法学者がイエスを試そうとして、「隣人を愛しなさいというが、隣人とは誰のことか」とイエスに質問したときに、イエスが与えた答えである。――ある人がエルサレムからエリコに下っていく途中で、盗賊に襲われた。彼は、服をはぎ取られ、半殺しの目にあった。たまたま通りかかった祭司は、その人を避けて道の反対側を歩いた。レビ人もやってきたが、やはり、その人を見ると、道の反対側を通った。ところが、旅の途中のサマリア人だけは、その人を憐れに思い、傷の手当てをして、宿屋にまで連れて行き、翌日、宿を去るときには、主人に銀貨を渡して、次のように言った。「この人を介抱してやってください。費用が足りなかったら、帰りがけにまた支払います」と。――そして、イエスは、律法学者に反問する。この三人の中で誰が、盗賊に襲われた人にとっての隣人か、と。言うまでもなく、答えはサマリア人である（ルカ一〇章二九―三七節）。

この喩えの真の意味を理解するためには、当時の社会の中での、サマリア人の階級的な位置を考慮に入れなくてはならない。レビ人は、ヤハウェの祭儀に関わる部族であり、ユダヤ人の中でも尊敬を受けていた。それに対してサマリア人は、ユダヤ人から蔑視されていた異邦人であり、サマリア人の方も、当然ながら、一般にはユダヤ人を憎むように教えられていたに違いない。そのサマリア人を隣人のモデルとして指定するこの喩え話は、明快で、心うつものがある。が、しかし、「隣人を愛しなさい」を、法的な規定、すべての法を規定する根本法のようなものとして受け取ったときには、このような喩え話は、奇妙に倒錯的な含意をもちうる。

より強い嫌悪をもよおす者、より疎遠な者を「隣人」として「愛する」ことが、倫理的に価値が高いと見なされることになるのだ。逆に言えば、身近な者、親密な者、容易に同情できる同朋等は、「隣人」には相応しくない者、倫理的・法的な価値を十分にもたない者として、「愛」の受け手の「候補」から外されてしまうのである。かくして、どこか遠くの紛争地域の被害者や、過去の迫害や戦争の被害者には「同情」するが、眼の前で困っている者には、たいして同情心も愛情もわいてこないという転倒が生ずるのである。これは決して笑いごとではなく、今日でも――今日において何より――、リベラルを自称する「左翼」にはしばしば見られる態度である。コスモポリタン的な「隣人愛」に気を取られて、身近で困っている人には配慮が行き届かないのだ。「アウシュヴィッツのユダヤ人のことが気になって、君のことを考えている余裕がないんだ」と。

4 罪と法の内在的な関係

したがって、繰り返せば、前述したような意味での「愛＝法」は、キリストが目指した「愛による法の乗り越え」ではありえない。実際、キリストもパウロも、一度も、愛と法とを統合せよとは語ってはいない。キリストは法を成就するためにこそやって来た、とは言われているのだが。

それならば、どのように考え直せばよいのか？　考慮に入れなくてはならないことがらを整理しておこう。法の必然的な随伴物は罪である。一般には、罪は法の反対物であると考えられている。（愛ではなく）罪こそが法を否定するものである、と。だが、罪は法を否定する契機ではない。むしろ、罪は、法に内在し、法を構成する契機として捉えておかなくてはならない。二つの意味において、そうである。

第一に、法や規範は、一般に、それに対する侵犯や罪へと人を誘惑する。わかり易く言えば、「やってはいけない」と禁止されれば、ますますやりたくなる、という心的な機制がある。「リンゴを食べてはいけない」と神が禁止したがために、アダムとエヴァは、それを食べたくなったのである。したがって、罪は、法そのものの必然的な結果である。

第二に、より一層重要なことは、法がまさに法として存立するための前提として、罪

（の意識）が必要になる。法が機能しているときには、それに従属する主体は必然的に分裂している。というのも、私に、法を侵犯しうる可能性、罪を犯す可能性が担保されていなくては、法は、私にとって拘束力をもったものとして作用することはないからである。私は、ただ罪を犯しうるその限りにおいて、法に従うことができるのである。つまり、私は、法に従う（現実的）主体であると同時に罪を犯す（可能的）主体であるという二重性を孕んでいることになる。私は、法に従う限り、自分が罪を犯すかもしれないという、疚（やま）しさの意識をもたなくてはならないのである。このような意味で、罪は法の反面であり、その構成的な契機である。

パウロは「ローマ人への手紙」の中で、罪と法との間の（以上の二つの意味での）表裏一体の関係を、完璧な正確さで捉えている。

> 律法によらなければ、私は罪を知らなかったでしょう。たとえば、律法が「むさぼるな」と言わなかったら、私はむさぼりを知らなかったでしょう。ところが、罪は掟によって機会を得、あらゆる種類のむさぼりを私の内に起こしました。律法がなければ罪は死んでいるのです。（「ローマ人への手紙」七章七―八節、第一の意味における罪と法の内在的関係）
>
> 私は、自分の内には、つまり私の肉には、善が住んでいないことを知っています。善

をなそうという意志はありますが、それを実行できないからです。私は自分の望む善は行わず、望まない悪を行っている。もし、私が望まないことをしているとすれば、それをしているのはもはや私ではなく、私の中に住んでいる罪なのです。それで、善をなそうと思う自分には、いつも悪が付きまとっているという法則に気づきます。「内なる人」としては神の法則を喜んでいますが、私の五体にはもう一つの法則があって心の法則と戦い、私を、五体の内なる罪の法則のとりこにしているのが分かります。(「ローマ人への手紙」七章一八—二三節、第二の意味における罪と法の内在的関係)

＊

法と罪との間のこうした関係は、若き日のベンヤミンが著した難解な論考『暴力批判論』[＊4]へとわれわれの目を向けさせる。一般には、法は暴力を排除するためにこそ存在すると考えられている。暴力は、法治の理想の対極にある。つまり、暴力は、罪と見なされるべき行為の最悪の形態であるとされている。しかし、ベンヤミンは、法はその構成(措定)に関しても、また維持に関しても、全面的に暴力に依存し、支えられていると考えたのである。つまり、ベンヤミンは、法と暴力(罪)とを不可分な一体と捉えているのだ。神話法と一体化されている限りでの暴力を、ベンヤミンは「神話的暴力」と呼んでいる。神話的暴力は、さらに、法を措定する暴力と法を維持する暴力に二分される。法を措定する暴力は、たとえば革命において、新たな体制と政府が樹立され、新憲法を構成するまでの間に発動していた暴力だと考えればよいだろう。法を維持する暴力は、警察や軍隊が行使する暴力だと解することができる。

だが、『暴力批判論』は、その神話的暴力の対立項として「神的暴力」を置いている。神的暴力は、法を否定し破壊する暴力であると定義される。神的暴力が、神話的暴力、とりわけ法措定的な暴力との間に相互に否定的な関係をもっていることは明らかである。がしかし、それが具体的に何を指しているのかは必ずしも明快ではなく、ベンヤミンの研究者の間でも論争が続いてきた。ここでは、この点に深入りするつもりはない。

ただ、市野川容孝（いちのかわやすたか）が指摘している次の事実は、われわれにとっては興味深い。ベンヤミンは、神的暴力を「Entsetzung des Rechts」と特徴づけている。これは、無論、神話的暴力の一方の「法を措定する rechtsetzend 暴力」を念頭においた形容であることは間違いない。「Entsetzung（des Rechts）」は、それゆえ「（法の）脱措定」ということになるのだが、市野川が注目したのは、このドイツ語の単語には「解放」「救出」という意味もあるということである。[*5] したがって、神的暴力は、法を完全に救出させることにおいて法の効力を停止させる暴力だということになる。

そうであるとすれば、神的暴力は、キリストの「愛」と同じ働きをしていることになるのではないか。愛もまた、法を成就することにおいて、法を解除するからである。だが、暴力と愛とでは、まったく反対を向いているのではないか。そうではない。キリストは、次のように言っている。

私が来たのは地上に平和をもたらすためだ、と思ってはならない。平和ではなく、剣をもたらすために来たのだ。私は敵対させるために来たからである。(マタイ一〇章三四―三五節)

ここでキリストが述べていることは、愛自体が、ときに敵対や暴力の形態で現象しうる、ということである。だとすれば、キリストの愛とベンヤミンの神的暴力が厳密に同じものであったと考えることも不可能ではない。[*6]

5　罪=愛

さて、それならばあらためて問おう。新約聖書の想定するところによれば、法はまさに成就されることにおいて愛へと転換する。これは、どういうことなのか?

ここでもう一度、西洋中世に出現したあの二律背反を振り返ってみよう。われわれを驚かせるのは、要約してしまえば、次の事実である。キリストの教えの中心には「愛」がある。それだけが、キリスト教において目指されている唯一の目的である。だが、同時に、中世においては、まさにその「愛」の現実形態であると見なされる行為が、たとえば性的な交わりが、最悪の罪であるとも見なされたのである。しかも、(異教ではなく)キリスト教の名において。これはまことに奇妙ではないか。パウロが「ローマ人への手紙」の中で次のように述べていることが、謎を解く鍵を与えてくれる。

それとも、兄弟たち、私は律法を知っている人々に話しているのですが、律法とは、人を生きている間だけ支配するものであることを知らないのですか。結婚した女は、夫の生存中は律法によって夫に結ばれているが、夫が死ねば、自分を夫に結び付けていた律法からは解放されるのです。従って、夫の生存中、他の男と一緒になれば、姦通の女と言われますが、夫が死ねば、この律法から自由なので、他の男と一緒になっても姦通の女とはなりません。ところで、兄弟たち、あなたがたも、キリストの体に結ばれて、律法に対しては死んだ者となっています。それは、あなたがたが、他の方、つまり、死者の中から復活させられた方のものとなり、こうして、私たちが

神に対して実を結ぶようになるためなのです。(「ローマ人への手紙」七章一―四節)

ここから、われわれがはっきりと理解すべきことは、結局、罪(姦通)と愛(性的な交わり)は、それ自体として、その内容だけを見れば、まったく同じものなのだということ、これである。それならば、両者は何が違うのか? それぞれが置かれている形式的な構造が異なっているのである。あること(姦通)は、法との媒介関係に置かれているときには、罪として現われる。だが、法的な媒介関係から分離されてしまえば、同じことは、まさに愛である。

前節で述べたように、罪は、外観上は法と対立しているように見えるが、決して、法を転覆するものではなく、法の内在的な構成素であり、法を補完する機能をもっている。つまり、罪と法は、外観上の対立とは逆に、相互に依存しあう統一的循環を作っているのである(法が機能するためには罪の意識が必要であり、また罪として現われるような侵犯は、法によって触発される)。愛と法との関係は、これとはまったく対照的である。第3節の考察の中で示唆したように、外観上は、愛と法は似ていなくもない。つまり、両者は同じものを目指していると見なせないこともない(たとえば普遍的な連帯のような)。だからこそ、愛そのものを法的な命令に置き換えることができるかのような錯覚も生ずるのである。だが、実際には、愛と法とはまったく重なるところがない。愛と法とを統一しようとすれば、たちどころにどちらかが抹殺されなくてはならない。愛と法の関係は、それゆえ、純粋な区別、純粋な差異である。

しかし、愛は、法からは完全に切り離されたことによってこそ、法が目指していたこと――しかし到達しえなかったこと――を実現する、と（イエス・キリストによって）考えられているのである。愛において法が成就され、同時に廃棄されるというのは、このような意味である。

繰り返せば、罪と愛とは、それ自体として見れば同じものである。異なるのは法との媒介関係である。パウロの「ローマ人への手紙」からの引用がすでに述べているように、生は、法への従属の様相にあるときには、全体として罪である。罪を犯しうる可能性として生きている限りでのみ、人は法に従うことができるからである。逆に、法の支配から分離されてしまえば、生は愛そのものであると見なすことができる。

イエス・キリスト（の到来）がどうして不可欠だったのか、ということもこうした論脈で明らかにすることができる。イエス・キリストが、つまり人となった神がどうしても必要なのは、罪と法との間の相互媒介的な関係を断ち切るためなのである。第3章の末尾で述べたことを思い起こしてほしい。われわれは、そこでユダヤ教の律法主義を超克するということは、法（律法）の効力を一旦停止した後で、その同じ法を――法が規定しているのと同じ命題を――イエス・キリストの意志に帰属するものとして受け取り直すことだと論じておいた。なぜ、こんな回りくどいことが必要なのか？　こうしない限りは、罪＝生と法の間の媒介関係を消し去ることはできないからである。法は、天上の超越的な神、抽象的な神に帰せられている限りにおいて、まさに法として妥当する。この法の妥当性を保証する神（第三者の審級）との関係を、まったき人間（イエス）との特異的な関係――それは愛の関係であるほかない――に置き換えたとき、罪＝生は、法の領域から完全に引き離されるのだ。もはや、法の妥当性を担保する審級（神）を超越的な外部にもたないのだから。

少しばかり細かいことだが、イエスの「アーメン」という語の特殊な用法は、ここに述べてきたことと関係がある。「アーメン」とは、応答的反復の機能を有する語、すなわち前の言葉を受けて「確かに」とか「その通り」といったことを含意する語である。従って、先行する発話がなくては「アーメン」は意味をなさない。だからこそ、「アーメン」は、一般的には祈りの最後に付けられるのである。さらに言えば、本来は、先行する言葉を発話する人物と、「アーメン」を発する人物とは別でなくてはならない、とされていた。「アーメン」は、先行する発話に対して肯定的・反復的に応答することで、先行する発話（を発した人物）に是認や喝采を送っているのである。是認や喝采の受け手は、言うまでもなく、究極的には神、天上にいる神である。「アーメン（はいその通りです）」は、命令を法的に妥当なものとして受け取りつつ、その反作用としてその命令の発し手である神を崇めていることになるのだ。

ところが、福音書のイエスは、まったく破格の用法で「アーメン」を発する。それは、旧約聖書にもラビ文献にもまったく見当たらない完全に独自の用法である。イエスは、応答としてではなく、自分自身の断言の冒頭に「アーメン」を置くのだ。たとえば、「アーメン、アーメン、私はおまえたちに言う……」といった具合に。今述べたように、「アーメン」は応答的反復の機能を有する語だから、何かをいきなり断言するような発話の劈頭に置くことは、ほんとうはできない。「アーメン」は、本来であれば、この語がそれに対する是認的な応答であるような他者を超越的な水準に措定するのだが、イエスは、この語を発話の頭に置いて、失効させてしまうことで、応答の相手の超越性を拒否しているのである。要するに、イエスに対して超越的なものとして君臨するような他者はいないことになる。しかも、イエスはただの人間だ。そうであれば、法的な命令はイエスの意志に再帰属されたところで、法であることをやめるほかない。[*7] もはや、それは、神の超越性によって妥当性を担保された当為命題ではないからだ。

もう一度、先ほどの結論に立ち返ろう。罪と愛とは同じものである。従って、罪の中の罪、原罪もまた、それ自体としては愛と同じものでなくてはならない。罪を、法との媒介関係から解放したとき、それが愛へと変容するのだ。だが、ここにはまだ解かれていない課題がある。法と罪とは相互依存的な循環関係の中で統一態をなしており、逆に、法と愛とはいささかも重なるところをもたない純粋な区別の内にある、と先に述べた。こうした区別を通じて、愛において法が成就されると言うためには、法が指向していながら到達しえなかったことを愛が実現しうるということを示さなくてはならない。

法が実現しえなかった目的とは何か？　普遍性、普遍的な妥当性である。法は普遍的であろうとするが、しかし、必然的にそれは挫折する。ここに論じてきたように、法自体が、自らに対する侵犯（罪）を誘発し、また侵犯（罪）を前提にしてのみ機能するからである。それならば、愛は普遍性を実現するのか？　むしろ逆であるように思える。愛は、法以上に特定の他者への、特定の対象への特異的な執着を特徴としているからである。この問いを究めるには、さらに「聖霊」のことを考察の範囲に含めなくてはならない。そのことで、われわれは、もう一度、中世の具体的な社会の中に、降り立つことになるだろう。聖霊の問題は共同性の問題だからである。

＊1　ル゠ゴフ『中世の身体』（第4章注1参照）。

＊2　ミハイール・バフチーン『フランソワ・ラブレーの作品と中世・ルネッサンスの民衆文化』川端香男里訳、せりか書房、一九七四年（原著一九七〇年）。

＊3　Bava Metzia, fol.59, col.1.

＊4　ヴァルター・ベンヤミン『暴力批判論　他十篇』野村修編訳、岩波文庫、一九九四年（Walter

Benjamin, "Zur Kritik der Gewalt", 1920/1921)。

＊5　市野川容孝「法／権利の救出――ベンヤミン再読」『現代思想』二〇〇六年六月、一二三―一二四頁。／「『暴力批判論』をめぐるフーガ」『KAWADE道の手帖　ベンヤミン』河出書房新社、二〇〇六年。

＊6　とはいえ、愛がなぜ剣や敵対、つまり暴力でもありうるのかは、やはり問われなくてはならない。それは、次章以降の考察の中で明らかにされていく。

＊7　これを、たとえばモーセがもたらした命令と比べるとよい。モーセもただの人間だが、彼に対して君臨し、彼がそれに対して応答したような神が存在している。その神の意志に帰せられることで、モーセが持ってきた命令群は、法として機能するのである。

第6章　聖霊と都市共同体

1　三かつ一

隣人とは誰のことであろうか？　キリストは、隣人への愛を説いた。だが、隣人とは誰のことか？　イエスの「善きサマリア人」の喩え話は、隣人とは何かという律法学者の問いに対する答えであった。サマリア人は、北王国（イスラエル王国）がアッシリアによって滅ぼされた後で、[*1]その跡地に、つまりサマリアの地に入植してきた異民族で、ユダヤ教に改宗した者たちを指している。彼らは、ユダヤ人の主流派からは蔑視されていた。イエスは、サマリア人によって「隣人」を代表させたのだ。他方で、次の言明は、イエスが語ったことの中でも、最も衝撃的な言葉のひとつとして、よく知られている。「誰であれ、私に付いて来ながら、父、母、妻、子、兄弟、姉妹、さらには自分の命までをも憎まないとするならば、その人は私の弟子ではありえない」（ルカ一四章二六節）。ここで、イエスは、父、母等の身近な者たちを、愛すべき隣人から、あえて排除している。

隣人とは、したがって、縁遠い者であり、端的に言えば、「嫌な奴」のことである。「仲間」や「身内」とは見なしえない、異邦人や異教徒が隣人である。無論、こうしたイエスの語りは、一種のレトリックである。厳密には、隣人は、任意の他者である。イエスは、他者の他者性（差異性）が際立っているケースを典型とすることで、つまり最も愛しにくい他者を隣人の代表として指定することで、隣人愛が任意の他者に及びうることを印象づけているのである。隣人愛とは、したがって、普遍的な愛のことであって、そこから排除される他者はいない。[*2]

それゆえ、隣人愛は、論理的には、普遍的な共同体――無制限の包摂力を有する共同体――を可能なものとする紐帯である。その普遍的な共同体にキリスト教が与えた名前が、「聖霊」である。われわれの観点からは、聖霊をそのように解釈することができるように思える。

聖霊は、さしあたっては、神と人間（信者）とを繋ぐ媒体のようなものとされている。たとえば、「使徒行伝」によれば、イエスが復活し、昇天した後に――復活から数えて五十日目にあたる日（ペンテコステの日）に――、聖霊が原初の教会に注がれた。あるいは、イエス自身、聖霊によって処女マリアの身中に宿ったとされている。聖霊は、このように神と人間とを繋ぐネットワークのようなものだ。神の子であるイエス・キリストの死後には、聖霊以外には、人間が神との繋がりを確認しうる手段はないので、その重要性は圧倒的である。

このように見ると、聖霊は、特定の信仰、特定の非合理的な前提を受け入れたものにしか納得できない超自然的な作用素（エージェント）のように思えるかもしれない。だが、そうではない。聖霊は、十分に合理的に概念化することができる。神を媒介にした人間のコミュニケーションの拡がりが、隣人愛に基づく普遍的な共同体であることを考えれば、聖霊とは、そのような共同体に与えられた宗教的な名前であると解することができるのだ。たとえば、「ヨハネの手紙一」には、次のようにある。

いまだかつて神を見た者はいません。わたしたちが互いに愛し合うならば、神はわたしたちの内にとどまってくださり、神の愛がわたしたちの内で全うされているのです。神はわたしたちに、御自分の霊を分け与えてくださいました。このことから、わたしたちが神の内にとどまり、神もわたしたちの内にとどまってくださることが分かります。（「ヨハネの手紙一」四章一二―一三節）

つまり、人が互いに愛し合っている状態が、神がそこにいることを意味しており、さらに彼らが聖霊を分有していることとも同一視されているのだ。したがって、われわれは、聖霊を神秘的な実体と見なす必要はない。それは、キリスト教が志向する理想の共同体である。ただ、その共同体の同一性（アイデンティティ）は、神の内に対象化されているがゆえに、神からの聖霊として表象されているのである。

＊

新約聖書には、このように、神と神の子（イエス・キリスト）と聖霊が登場する。しかし、これら三つはどのような関係にあるのだろうか？　新約聖書は、この点について積極的には何ごとも語ってはいない。イエスはもちろんのこと、パウロもまた、三者の関係についてどのような定式も与えなかった。

これら三つは、それぞれ固有の価値をもち、独立して機能している。しかし、三つを対等の超越的な実体と見なしてしまえば、三個の神がいることになり、一神教の原則が破れてしまう。だが、いずれか一つの内に他の二つの契機を還元してしまえば、それぞれが独立して働くことによって際立つことになる、キリスト教の独自性は——とりわけユダヤ教からの距離は——失われてしまう。この難問に対する回答が、本書の中ですでに何度か言及してきた三位一体論である。

「父なる神／子なるキリスト／聖霊」の関係は、いわゆる公会議によって討議された。公会議とは、キリスト教の最高意思決定機関であり、主だった指導者たちが集まるサミットのようなものである。信徒たちの集まりである教会のリーダーのことを「司教（主教）」と呼ぶ。公会議とは、司教たちによる会議である。初期のキリスト教はローマ帝国の中で弾圧されたが、しかし、信者の数は、帝国内で着実に増加した。キリスト教は、四世紀初頭には、ローマ帝国内で公認され（三一三年ミラノ勅令）、四世紀末には、国教化される（三八〇年）。三位一体論が正統教義として確立してくるのは、この時期、つまり四世紀に招集された最も初期の公会議を通じてである。[*3]

さて、神とキリストと聖霊はどのような関係にあるのか？　これは、難問である。このような難問に、容易に合意が得られるはずがない。特に争点になったのは、神とキリストとの関係である。ギリシア哲学的な合理性に忠実であろうとする者——たとえばアリウス派と呼ばれたグループ——は、神の本性は単一不可分性にあるとして、キリストの神性を否定した。つまり、キリストは神聖であっても、神性はもちえない、としたのだ。ということは、キリストもまた、被造物、つまりはただの人間だということになる。この説は整合性は高いが、しかし、このように考えた場合には、キリストは、預言者だということになる。とすれば、キリスト教とユダヤ教の間の断絶は消えてしまう。第一ニケーア公会議（三二五年）で、アリウス派は異端を宣告された。

したがって、どうしても、キリストは真正なる神性をもち、神自身とまったく同一の実体であるとしないわけにはいかない。[*4]これは、アタナシウス派の説であり、原始キリスト教の信仰に忠実な考え方である。結局、この説が採用され、第一コンスタンティノープル公会議（三八一年）で、三位一体論が正統教義として承認された。三位一体とは、あらためて確認しておけば、父なる神と子なるキリストと聖霊とは、同一のousiaであり、かつ三つの異なるhypostasisである、とする説である。ousiaは、「存在essence」や「実体substance」を意味するギリシア語である。そして、hypostasisは、ラテン語ではpersonaと訳され、この語の含みが、今日の「人格」という意味に継承されている。神は、実体（ウシア）としては単一だが、位格（ヒュポスタシス）に関しては三つである。

この説が正統教義となるにあたっては、単に論理の力だけが与（あずか）っていたわけではなかっただろう。教義は、政治的な力学の産物でもあったに違いない。実際、三位一体は、まったく混乱した説であると言わざるをえない。父と子と聖霊は、結局、同じなのか違うのか、さっぱりわからない。単一の超越的実体しかないのか、それとも、三つの超越的実体があるのか、どちらなのか。しかし、いかにこの説が混乱し、矛盾を抱えていようが、そして公会議における合意への過程に論理と言論以外の力が関わっていたとしても、なお、三位一体は、キリスト教がまさにキリスト教としての純粋性を維持しようとすれば、唯一の可能な教義であったと考えるほかないだろう。神は絶対的に単一でなくてはならず――多神教に譲歩するわけにはいかず――、しかも三つの契機はまったくの独立性をもたなくてはならないからである。

第1章で、東／西のキリスト教会、すなわち東方正教会とローマ・カトリック教会との分岐は、三位一体の理解の相違に最も重要な原因がある、と述べておいた。教義の要約とも言うべき信経において、カトリック側は、聖霊は父と子から発出する、と謳った。それに対して、正教会は、聖霊は父（のみ）から発出するとしたのであった。つまり、正教会は、三つの位格の中で、父に優越的な地位を配分したのだ。言い換えれば、正教会は、三位一体のあまりの混乱に耐えられず、この説を、事実上は放棄しているのである。父が優越的で、他の二つがそこから派生しているのだとすれば、「三であり、かつ一である」という矛盾は解消される。要するに、正教会にとっては、それは「（三ではなく）一」なのだ。それに対して、カトリックは、三かつ一の矛盾をそのまま継承していることになる。

2　謎の核心──子なるキリスト

しかし、三位一体の教義に「矛盾」があるとして、その「矛盾」は一体奈辺にあるのか？　それを厳密に確定しておく必要がある。三つの位格が形成する諸関係の、どこに困難があるのか？　一つの実体に対して、複数の位格があることが問題なのではない。率直に言えば、神と聖霊だけであったならば、謎はなかったのだ。神と聖霊との間の二位一体であったとすれば、理解することはさして難しくはない。事態を複雑にしているもの、状況に謎の深みを与えている契機、それは、子なるキリストである。子なるキリストさえなければ、解けない困難はない。正教会が、聖霊の発出源として子を回避し、それを父なる神に限定したのは、つまり父と聖霊との関係に絞ったのは、そのためである。

まずは、神と聖霊との間の二位一体性は、容易に理解できる、ということの意味をはっきりさせておく必要がある。第1節で、聖霊とは何か、われわれの観点から聖霊をどのように定義しうるか、を述べておいた。このことを踏まえれば、神と聖霊との関係は、マルクス主義華やかなりし頃の理論、つまり疎外論、あるいはその発展的な形態としての物象化論の論法によって説明することができる。

フォイエルバッハは、神とは人間の類的本質の疎外された形象であると述べた。つまり、この論によれば、類的本質と神とは、同一の実体だということになる。だが、類的本質とは何か？　類的本質が人間の内面に予めあって、それが「神」として外化＝疎外されると考えるとすると、フォイエルバッハの宗教批判は、宗教の神秘や非合理性を、ただ類的本質に移行させただけだということになる。だから、マルクスは、フォイエルバッハのこの論を批判して、「類的本質」を、「社会的諸関係の総体」に置き換えたのであった。したがって、マルクスによれば、社会的関係性の特定形態が物象化されて、対象性を帯びたものが「神」だということになる。ここで、「社会的関係性の特定形態」を「聖霊」と見なせば、聖霊と神との三位一体が導かれることになる。

両者の関係については、次のように考えればよい。たとえば、ベネディクト・アンダーソンは、ネーションを「想像の共同体」と呼んだ。彼がネーションをそのように特徴づけたのは、ネーションは、想像の中でのみ現実性を有する、言ってみればヴァーチャルな共同体だからである。「想像する」とは、結局、人が、行動においてネーションの存在を、参照すべき前提としているということ、ネーションを、行動を意味づける前提的な地平としているということである。たとえば、「日本人」としての誇りをもって行動したり、「日本の利益」のために行動したり、といった具合に。「聖霊」は、このような想像の共同体、ヴァーチャルな共同体のようなものである。ネーションという想像の共同体は、やがて、それ自体、単一の実体であるかのように感じられる。それゆえ、われわれは、「国民の意志」に言及したりできるのだ。同じように、「聖霊」という共同体は、意志を有する単一の実体のようにも捉えられる。このとき、「聖霊」は「神」として現われる。つまりは、「聖霊」と「神」は、同じものである。

このように聖霊と神のみの関係であれば、理解は困難ではない。物象化論（あるいはその前史としての疎外論）の枠組みによって、それを理論的に説明することができる。だが、不思議なのはキリストである。なぜ、子なるキリストも必要なのだろうか？　キリストはどのような役割を果たしているのだろうか？

キリストという要素が入るということは、次のことを意味している。神のもとにある普遍的な共同体としての聖霊が実現するにあたって、いったん、そのまったき反対物を、つまり血と肉をもった——それゆえ死ぬことにもなる——単一の（一介の）個人を媒介にしなくてはならなかった、ということをである。どうして、歴史の中にたまたま現われた、偶発的な個人を媒介にしなくては、神と聖霊（人間）をつなぐことができないのだろうか？

この疑問は、実は、ヘーゲルによってすでに提起されている。だから、ヘーゲル哲学の用語を用いて、疑問を言い換えることもできる。神は、ヘーゲル的に言えば「即自 an sich/in itself」である。神は、それ自体として、人間や宇宙の歴史を越えて存在しているように見えている。それに対して、聖霊は、「対自 für sich/for itself」である。「神」として感じられているものは、反省的に捉え返してみれば、聖霊の——つまり信者たちの不断の活動を通じて賦活される想像の共同体の——一つの姿であることがわかるのだ。こうした「即自／対自」という対を用いるならば、三位一体が意味していることは、即自から対自へと直接的に移行することができない、ということである。間に、可死的な個人が入らなくてはならない。即自と対自の間に、どうしてそのような媒介が必要なのだろうか？三位一体の謎はここにある。即自と対自を繋ぐのは、（歴史を超越して存在する）神の必然性と対立する（運命に翻弄される）偶然的な人間であり、聖霊の普遍的共同性と対立する特異的個人である。そのような媒介がどうして導入されるのか？

＊

三位一体の謎を、「神の観点」から言い換えることもできる。ユダヤ教からキリスト教への転換は、契約の更改として観念されている。ユダヤ教が導入した革新的な発想は、「神との契約」というアイデアであった（「古代篇」第3章）。キリスト教は、イエス・キリストを境にして、契約が更改されたと考える。契約の更改に伴って大きく変化しているのは、救済の単位である。

ユダヤ教においては、救済は、民族単位でなされる。神は、ユダヤ人に対して、救済を約束したのだ。しかし、この場合、普遍宗教でありながら、神が、ユダヤ人だけを優遇するという不自然さが残る。神はどうして、何の変哲もないユダヤ人だけをひいきするのだろうか。契約更改後は、救済の単位は個人（の霊魂）になる。個人ごとに、神の国に入ることができるかできないかが、判定されるのである。個人に関して、ユダヤ人でなくてはならないとか、ギリシア人でなくてはならないとか、あるいは男でなくてはならないとかといったいかなる資格の限定もない。キリスト教に至って、普遍宗教としての整合性が確立する。救済が予定されている信者たちの普遍的な共同体が、聖霊である。救済される個人は、神に愛されたのだと考えれば、特定の民族が、理由も示されずに神に選ばれるという不自然さは解消されるだろう。

だが、ここで疑問が生ずる。神は、人間との間の契約を更改したいのであれば、なぜ、もっと直裁にそうしなかったのだろうか？　どうして、神は、契約更改にあたって、わが子（自分の分身）を被造物の真っただ中に送りだし、世にも不思議なスペクタクルを上演したのであろうか？　どうしてあのように凄惨な出来事（神の子が冤罪によって死刑になる）がなければ、契約更改が実現できなかったのか？　そんなスペクタクルなしで、契約だけを更改したらよかったのではないか？　イエス・キリストが登場する必要性が、こうした観点からも問われる。

実際、イエス・キリストはまったく余分な要素であるように見える。つまり、普遍宗教としての整合性を確保するために、イエス・キリストを派遣する必要はなかったように見えるのだ。二つの点から、そのように言うことができる。

第一に、ユダヤ教自身が、すでに、十分に完成した普遍宗教に到達していた、と解釈することもできる。「ユダヤ人」は、通常の民族的カテゴリーとは異なっている。ユダヤ教に改宗すれば、ユダヤ人になることができたからだ。とすれば、「ユダヤ人」は、「キリスト教徒」と同じように、ユダヤ教の信者を指しているのである。[*5] ユダヤ教は、死後の生についてはいささかも語らず、きちんと規定された共同のルールをもち、信者たちの共同生活の中でまさに神は生きている、と見なしうる状態であった。「ユダヤ人」という名の共同体は、一体、「聖霊」の共同体とどこが違うというのか？　イエス・キリストがやって来なくても、「聖霊」にほぼ匹敵する共同体は実現されていたのではないか？　こう考えると、イエス・キリストは必要がないように見えてくるのだ。

第二に、——それでもなおユダヤ教の「普遍性」は民族的な特殊性に汚染されていると しても——実際に、イエス・キリストを介することなく、整合的で純粋な普遍性を実現した宗教もあるように見えるのだ。イスラム教が、それである。イスラム教については、いずれ詳しく論ずることになるが、ここでは、キリスト教（の三位一体論）と対照させる上で必須なことだけに言及しておこう。ムハンマドへの神の啓示によって始まるイスラム教は、三つの一神教の中で最も後に成立した。イスラム教でも、救済は個人単位であり、しかも、その個人には、予め指定されたいかなる資格要件もなく、まったくの平等である。しかも、イスラム教には、「イエス・キリスト」などはいない。その代わりに、使徒ムハンマドがいるではないか、と反論する向きもあるかもしれないが、ムハンマドは、キリストのような「神の子」ではない。ムハンマドは、いかに偉大であっても、預言者の一人でしかない[*6]。つまりムハンマドは、被造物[*7]（人間）であり、実際、イスラム教は、ムハンマドへの個人崇拝を厳しく禁止している。

ムハンマドは、ユダヤ教やキリスト教にも精通していたと思われる。その証拠に、クルアーン（コーラン）の中で、両宗教の欠点が実に忌憚なく批判されている。イスラム教の教義をあえて一語に集約させるならば、「タウヒード」つまり「神の唯一性」という言葉になろう。これが唱えられるとき、対抗として意識されているのは、間違いなく、キリスト教の三位一体である。イスラムは、三位一体に、多神教への堕落を感知したのだ。イスラム教と対比させると、普遍的な共同体としての聖霊の実現のために、キリスト教がイエス・キリストを導入した理由が、ますますわからなくなる。神は余計なことをしたのではないか。そのために無実の青年が犠牲になったのではないか。だが、逆に言えば、この「余計」と思えることにこそ、西洋の本質が集約されているのである。

どうして、イエス・キリストが必要だったのか？　その男は、ただの人間であるからして死んでいったのである。死んで遺体を残したのである（さらに、復活によって、その遺体は消滅したのだが）。なぜ、可死的な人間が必要だったのか？　どうして、死んだ身体が必要だったのか？　このことを考えるのに、西洋中世ほど適切な実験場はない。

3　中世都市

ここで、西洋の中世都市に目を向けてみたい。すぐ後で述べるように、中世都市は、ここで三位一体に即して提起してきた哲学的な問いを探究するのに、非常に優れた素材になっている。と、同時に、中世都市を存立せしめた社会的・精神的な機制を解明することが、(本書の)ここまでの懸案事項に解決の手掛かりを与えてくれる。まずは、この点から、中世都市に関心を向ける意味を明らかにしておこう。

人口のほとんどが農村にあったという意味では、中世は、農村的な社会である。だが、マルク・ボーネは、一一世紀後半以降のヨーロッパに関して、「一九世紀以前に経験した最も急速な都市化の進展」があった、と述べている。あるいは、ジャック・ル゠ゴフは、初期中世の社会的文脈の中からのみ生み出されるような「都市的事実」がある、と述べている。これらの研究者が一致して認めていることは、次の諸点である。中世の中世たる所以が、都市において集約的に現われているということ。中世都市は、古代都市の単純な発展や継承ではなく、それ独自の固有性をもっているということ。

ここで、われわれが中世都市に注目する理由は——三位一体についての疑問を離れた場合には——次の二点である。第一に、われわれは、西洋中世における、聖なる権威と俗なる権力との間の顕著な二元性に関心を向けてきた。つまり、西洋中世には、聖なる権威に強く裏打ちされた中央集権的な権力、帝国のような支配形態が存在しなかったのだ。権力は、明確に多元化することになる。それが、いわゆる封建制あるいは領主制に帰結する。小領主たちが、互いに相当程度の独立性を保ちながら、自分に奉仕する有力者たちに報酬として土地(封土)を与える。封土(フィエフ)とは、もともと、紛争解決のために双方で交換される

「贈与」のことである。つまり封建制・領主制は、敵対的な関係へと転化する危険性を内包した互酬的な贈与の関係に基づいているのだ。[*8] どうして、西洋では、ビザンツ帝国やイスラムのような一元的な権力＝権威が成立しなかったのだろうか？　これがわれわれの問い（のひとつ）であった。

西洋中世に特徴的なこうした権力の多元性を、典型的に表現しているのが、ほかならぬ中世都市である。都市自体が、最も重要な権力（領主権）の担い手だったからである。無論、都市が、他の諸権力、つまり王権や諸侯や大司教といった諸権力から、完全に独立することは稀であったが、これら諸権力――とりわけ王権――から特権の保証を受けていた。イタリア諸都市の権力はとりわけ強く、神聖ローマ帝国か教皇庁のいずれかと、場合によってはその両方と対立していた。マックス・ヴェーバーは、自治的な性格の強い、中世諸都市から、西洋の市民意識が生まれた、と論じている。いずれにせよ、中世都市を成り立たせていた社会的な仕組みを解明することは、西洋中世に固有の権威と権力の分離をもたらした原因を探究することにもつながるだろう。

第二に、中世都市に注目するのは、それと資本主義との特別な関係の故である。資本主義こそは、普遍性と極端な特殊性との短絡という、われわれが当初から注目している現象が、最も大規模な社会現象として現われる場である。資本主義的な近代世界システム、すなわち世界＝経済は、近年の研究に従えば、一二世紀の都市（国家）間のネットワークを

「中心」とするような形態で誕生した。世界＝経済は、ウォーラーステインの言う「長い一六世紀」よりも前に、一二世紀において、その産声を上げている、というのである。*9 われわれは、こうした説を、すでに概観しておいた（第1章）。

この説によれば、西洋の中世都市（ネットワーク）とビザンツ帝国との間の交易は、資本主義的な世界システムに特有の中心と従属的な周辺との関係を形成している。中心は、ヨーロッパの南（イタリア）と北（ドイツ、バルト海沿岸）にあったが、どちらにとっても、交易・通商の鍵を握ったのは「海」である。ここに、やがてポルトガル人やスペイン人がもたらすことになる飛躍の原点があったことは間違いあるまい。資本主義の起原を探る上でも、われわれは、中世後期の都市に注目しなくてはならない。資本主義的なシステムを領導するような内的な連帯を、中世都市はいかにして獲得することができたのだろうか？

4　死体が結ぶ都市

重要な中世都市の中心には、死体があり、その死体こそが、人々を惹き付け、人口を密集させ、派生的にその都市に繁栄をもたらしていた。死体とは、一般に、聖人と呼ばれた人物の遺体、もしくはそれに関連した遺物である。聖人の氾濫、これは中世の特徴である。都市の発展の鍵を握るのは、重要な聖人の遺体や遺物を所有しえたかどうかにかかっている、と言っても過言ではない。それがあれば、人は自然と集まってくる。聖人詣や巡礼のためである。その結果として、都市の一層の発展が可能になった。

繁栄の鍵は、聖人の死体にある。だから、修道院や司教座聖堂は、聖遺物を入手しようと画策し、ときに高値でそれを購入し、さらには、盗掠（とうりゃく）さえ辞さなかったのである。たとえば、九世紀に、コンクの修道士が、アジャンに埋葬されていた聖女フォワの遺骨をもちだし、コンクの教会に移送したため、以来、コンクが聖女フォワにまつわる聖地として多数の巡礼者を招き寄せることとなった、と言われている。もっと有名で劇的な例は、ヴェネチアである。やはり九世紀に、あるヴェネチア商人が、イスラム支配下のアレクサンドリアから聖マルコの遺骸を盗み出したとされている。この商人は、敵であるイスラム教徒の眼から逃れるために遺骸を豚肉の下に隠し、船に乗せて持ち帰った。聖マルコとは、福音書記者のあのマルコである。以来、マルコは、ヴェネチアの守護聖人となった。現在でも、聖マルコ広場は、ヴェネチア最大の観光スポットである。

聖人の死体は、都市の外部にいる巡礼者を惹き寄せただけではない。それ以上に興味深い事実は、それが、都市の内的な凝集力の中心、都市の連帯の原理となっていたということである。都市民の間に内的な連帯をもたらしていた団体としては、職業団体であるギルド（同業組合）がよく知られている。だが、ギルドとともに、あるいはギルド以上に重要だったのは、宗教団体としての兄弟団（信心会）である。[*10] 兄弟団は、共通の守護聖人への信仰を媒介にして連帯している、都市の俗人たちの自発的な結社である。一二世紀に都市の内部に生まれ、普及していった。兄弟団は、ギルドと部分的には重なりあいながら、ギルドと相互補完的な関係にあった。同一職種であることにも、血縁や地縁にも、さらに身分関係にもこだわらず、ただ共通の守護聖人への忠誠と規約の遵守のみに基づいて結ばれていたという意味で、兄弟団は、内的に平等で、少なくとも原理として、普遍的な開放性や連帯へのポテンシャルをもっていた、と見ることができる。

兄弟団は何のために結成されたのか？　救済のため、キリスト教的な意味での救済こそが、究極の目的である。帰依の対象となった聖人（聖遺物）は、救済において「とりなし人」の役割を果たすと考えられていた。帰依者が神の国に行けるようにと、神にとりなしてくれるのが聖人だ、というわけである。人気があった聖人は、キリストの十二使徒や、聖セバスチャン（災難からの守護者）、聖ロカ（疫病からの守護者）、聖マルタン（貧困からの守護者）等である。中でも、圧倒的にポピュラーだったのは、聖母マリアである。

兄弟団は、具体的には何をやっていたのか？　兄弟団の第一義的な目的が、死者の魂の来世における救済にあるのだから、関連する宗教活動があることは言うまでもない。守護聖人の祝祭日を中心とするミサと祈りの実践は、その中心である。教会の典礼に従ってプロセッション（宗教行列）への参加や宗教劇の上演、メンバーが死んだときの葬儀や追悼ミサの開催とそれらへの参加が、兄弟団のメンバーには課せられた。追悼ミサのような行事が、煉獄に送られた故人の魂を救済する有力な手段になると考えられていたのだ。煉獄は、中世の発明品であり、天国行きも地獄行きも決まっていない故人が一時的に滞在する「拘置所」あるいは「待合室」のようなものである。兄弟団のミサによって、容疑者に有利な判決が下されることになる、というわけである。

兄弟団は、直接に宗教的ではない、世俗の活動においても重要な役割を果たしていた。まず、メンバーの相互扶助である。この側面で捉えた兄弟団は、しばしば、ギルドと区別がつかないほどに重なっていた。橋の建設のような公共事業に関わることもあった。兄弟団の社会活動として最も注目に値するもの、今日の観点から非常に有意義だと評価されうるものは、慈善活動である。メンバーの中に、病気や災害などで労働が困難になる者が出てきたときに、彼らを助けるのは当然だが、それだけではなく、兄弟団の外部の他者たち、外部の弱者たちへの慈善活動も、兄弟団として関与したのである。巡礼中に行き倒れた者、寡婦、孤児、病者、身障者等の社会的弱者に対して、喜捨がなされ、世話が行われた。[*11]共通の聖人への崇敬によって結ばれる兄弟団は、都市の内的な連帯を創り出す最も重要な作用素だったのである。

このように、中世都市においては、外部から人を惹き寄せる力の源泉としても、また内的な凝集力の源泉としても、聖人の死んだ身体が機能していた。死者にこのような大きな働きが宿ったのは、どうしてだろうか？　答えは明白である。聖人の遺体は、キリストの死んだ身体の（疑似）等価的な代理物として、西洋中世の諸都市に散種されたのであろう。中世都市において聖人崇拝がかくも普及し、絶大な働きを担ったのは、もともと、キリストの身体への深いコミットメントがあったからである。聖遺物は、おそらく、キリストの聖体の代理物である。

このように論を進めてくれば、三位一体論についての謎を、中世都市についての観察に接続した理由も、おのずと明らかになるだろう。三位一体の教義においては、聖霊の普遍的な共同性への媒介として、可死的で偶発的な個人としてのキリストを必要としていた。キリストという個人なしには、神と聖霊とは繫がらない。ところで、今、中世都市で崇拝された聖遺物や聖人が、キリストの身体の代理であるとするならば、三位一体の教義の中で観念的に説かれていたことが、中世都市では、現実の社会過程として出現していることになるのではないか。聖霊の代わりに中世の都市共同体や、都市の間を移動する人々の連帯を置いてみれば、ここでは、まさしく、キリストの身体（の代理物）が、普遍性を指向するそれらの共同性の紐帯として機能しているのである。そうであるとすれば、中世都市において、どうして聖人の遺体がかくも大きな機能を担い得たかを社会学的に説明することと、三位一体の教義において、どうして子なるキリストが必要であったのかを哲学的に説明することとが、同じことへと帰するだろう。

こうした問題設定の妥当性を再確認するために、アルプス以北の諸都市で盛大に挙行されていたというプロセッションの様子を概観しておこう。[*12]アルプス以北の諸都市（ネーデルランド、イングランド、ドイツ、フランス）では、都市の守護聖人のプロセッションだけではなく、「キリストの聖体Corpus Christi」の祝祭のプロセッションが大々的に演じられた。キリストの聖体は、聖体顕示台に置かれ、聖職者たちを筆頭に、それぞれの制服をまとったギルドのメンバーたちが行列をつくって、市内の全域を行進したのである。一五世紀のコヴェントリやストラスブールでは、祝祭に都市の全住民が参加し、プロセッションは、ギルド間の経済格差や党派的対立を乗り越え、都市共同体の一体性を確認する手段となったとされている。

キリストの聖体と並んで、キリストの聖血がまったく同じ機能を担っていた。われわれも、すでに、キリストの死んだ身体から滴る血の決定的な意義について、確認してきた。フランドルの都市ブルッヘ（ブリュージュ）では、一三世紀半ば以降毎年、決まった日に、「聖血の行列」が執り行われた。行列は、都市の中心の広場から出発して、市門を出て、市壁に沿って歩き、別の市門から都市に入り、さらに別の市門から外に出て、壁に沿って移動し……を繰り返して、最後に広場に戻って来る。要するに、行列は、市壁の内と外とを一周しているのである。河原温（かわはらあつし）は、キリストの聖なる血によって、都市共同体と都市空間の全体を浄化するためである、と説明している。都市共同体の全体としての連帯が、まさにキリストの血に懸けられているのである。これこそ、三位一体の教義の実践的で可視的な表現でなくて、何であろうか。

5　托鉢修道士と商人

本章の最後に、中世後期に現われた新しいタイプの修道士と都市との関係について述べておこう。新しいタイプの修道士とは、アッシジのフランチェスコに代表される托鉢修道士のことである。フランチェスコが活動したのは、ちょうど一二〇〇年頃、つまり一三世紀の初頭である。かつて、修道士と言えば、田舎で暮らす孤高の宗教家であった。しかし、施しや自由な寄付によって生きる托鉢修道士は、都市に出て行った。

よく知られているように、聖フランチェスコは、キリストとその弟子たちの生活を模倣し、貧しい衣服のまま、なにも持たずに、徒歩で移動し、キリストの教えを庶民に広めた。どこを移動したのか。言うまでもない、都市と都市の間をである。それは、まるで都市間の経済的なネットワークを徒歩で辿り直すようなものだったに違いない。中世の都市を形成した重要な要因は、巡礼者の移動である。巡礼者が集まるところ、巡礼者が目指していたところが、都市となる。托鉢修道士こそ、巡礼者の中の巡礼者、巡礼者の至高の形象である。

やがて、一部の托鉢修道士は、拠点をもつようになる。拠点は、古典的な修道会とは違って、都市部に置かれた。フランシスコ会もまた、聖フランチェスコの赤貧のイメージとは逆に、いくつもの拠点をもつ、裕福な大修道会に発展する。托鉢修道会は、都市的な現象である。修道院が建てられたということは、そこが都市として発達していることの指標となる。実際、ル＝ゴフは、修道院がどのように分布していたかを調査することで、中世の都市の拡がりを再現しようと試みている。[*13] だとすれば、次のように考えてもよいかもしれない。修道士（＝巡礼者）が、その移動へのポテンシャル（潜在的可能性）を封じ込めて定住している場所、それが都市なのだ、と。

宗教的な動機を有する巡礼者と世俗的な動機に駆られた商人とは、まったく別物であると思われるかもしれない。しかし、両者は截然（せつぜん）と分けられるものではない。というより、両者は緊密に連動し、連続していた。たとえば、巡礼者が、巡礼の旅をしつつ、商業活動を営むような例も少なくなかった。[*14] こうした事実を考慮したとき興味深い事実は、托鉢修道士の見解と資本主義的な経済活動との関係である。聖フランチェスコが無所有を、つまり貧困を理想としていたので、托鉢修道士は、富を蓄積する活動に対して否定的であった、と考えたくなる。ところが、驚くべきことに、実際にはまったく逆なのである。カトリック教会は、貨幣経済や営利活動に対して、否定的であった。それに対して、托鉢修道士たちは、都市民の経済的諸活動を肯定的に評価し、商業や工業がもたらす利潤を正当な対価として承認したのである。要するに、托鉢修道士は、萌芽的な資本主義を肯定したのだ。所有を否定した托鉢修道士が、逆に、私的所有に基づく利潤を容認し、肯定するというのは、実に逆説的である。

アッシジのフランチェスコは、キリストを模倣した。やがて、フランチェスコは、「第二のキリスト」ではないか、という解釈までが広まるようになる。すると、われわれは次のような構図を得ることができるかもしれない。聖人や聖遺物は、死んだキリストの聖なる身体の再現であった。聖フランチェスコを初めとする移動する修道士は、生けるキリストの身体の再現ではないか。

まるで三位一体の教義を具現するように、中世においては、人々を移動させ、そして連帯へと凝集させる引力の中心には、偶発的な個人としてのキリストの身体（の等価物）が置かれていた。たとえば、人々は、聖人の死体に惹かれるように巡礼の旅に出る。そうであるとすれば、中世最大の人口移動、中世最大の事件である、あの十字軍も、同じタイプの人口移動の大規模な展開であったと解釈することができるのではないか。聖地エルサレムの奪回とは、キリストが死んだ場所の回復、キリストの身体の取り戻しなのだから。

＊1　ユダヤ人は、一時、統一王国を建設するが、ソロモン王が没した後で、王国は南北に分裂した。北王国

は、アッシリアによって、南のユダ王国より先に滅亡した。「古代篇」第3章参照。

＊2　「すべての人を愛しなさい」という一般的命令よりも、「サマリア人〔あの嫌な奴〕を愛しなさい」という命令の方が、はるかに迫力がある。前者は後者を含意し、より包括的であるように思える。それなのに、後者の方が前者よりも効果的だ。どうしてであろうか？　すべての人を愛そうとする人は、きっと誰も愛さないだろう。しかし、サマリア人（という特殊性）を愛そうとする人は、隣人一般を愛するだろう。ここに逆説がある。

＊3　本文に書いたように、教会のリーダーが司教である。やがて、司教たちを統括する上位のリーダーとして大司教が現われる。さらに、その上に、総司教が出てくる。四世紀当時、総司教は、エルサレム、アレクサンドリア、アンティオキア、ビザンチン（コンスタンティノープル）、ローマの五大都市に置かれていた。前三者は、やがて消えてしまう。残ったのは、ビザンチンとローマの総司教のみだ。ローマ教会の総司教が、いわゆる（カトリックの）教皇である。整理すると、キリスト教会の組織は、「総司教―大司教―司教―平信徒」というヒエラルキーをなしている。

＊4　よもや誤解はないと思うが、念のために書いておく。キリストは、「神の子」であると言われるが、神に、人間と同じ意味において、息子や娘や孫がいるわけではない。たとえば、ギリシア神話では、ゼウスはクロノスとレアーの息子であるとされているが、あるいは、古事記や日本書紀によれば、天照大神は、イザナキから生まれたことになっているが、キリストは、これらと同じような意味で、神の息子であるわけではない。ギリシア神話や日本神話では、神の息子や娘は、親である神自身とは別の神々である。つまり、そこには神は

たくさんいるのだ。しかし、父なる神と子なるキリストは別の神ではない。つまり、二人の神がいるわけではない。一神教の原則は、絶対に崩すわけにはいかない。「神の子」とは、要するに、神の分身であることの、あるいは神自身であることの寓意的な表現である。

＊5　ユダヤ人の解放は死後にやってくるわけではない。救済は、キリスト教徒の神の国のように、死んだ後にあるわけではない。

＊6　イスラム教は、イエス・キリストも預言者の一人として数えている。無論、ムハンマドよりは格下の。

＊7　第三者の眼には、（神（アッラー）だけではなく）ムハンマドも崇拝されているように見えるが、公式には、それは偶像崇拝の一種として禁止されている。ムハンマドへの尊敬と神への崇拝は明確に区別されているのだ。それに対して、キリスト教では、キリストは、神として崇められる。

＊8　マルク・ブロック、ジョルジュ・デュビィ、ドミニク・バルテルミー等は、中世を、封建制時代と領主制時代に区分している。封建制時代においては、農村社会の上層部でのみ、封建的な主従関係が結ばれる。しかし、一一世紀以降は、領地の全住民を組み込むような組織化がなされる。領主の権力は、バン（締め出し）の権利に基づいていた。それは、軍事・経済・法律の諸分野における総指揮権である、といえる。中世都市と特に繋がりがあるのは、この後半の領主制の時代である。

＊9　Eric H. Mielants, *The Origins of Capitalism and the "Rise of the West"*, Philadelphia: Temple University Press, 2007.

＊10　兄弟団については、以下を参照。河原温『都市の創造力（ヨーロッパの中世2）』岩波書店、二〇〇九

年、第四章。

＊11　中世には「キリストの貧者」というカテゴリーがあった。聖書の記述によって承認された弱者が、そう呼ばれた。

＊12　河原、前掲書、一五四—一五七頁。

＊13　ジャック・ル゠ゴフは、都市の分布や規模を推定するための指標として、修道院の分布を用いた。各托鉢修道会は、修道院の立地にあたって、定住地の人口規模や経済的環境を検討していたからである。ル゠ゴフのこのやり方には批判もあるが、中世の都市の分布を第一次近似的に捉えるには有効である。以下を参照。「中世フランスにおける托鉢修道会と都市化」江川溫訳、二宮宏之ほか編『都市空間の解剖（アナール論文選4）』新評論、一九八五年。

＊14　中世中期の人物、聖ゴドリクは、まさに商人であり、かつ巡礼者である。一二世紀後半の聖人伝によれば、聖ゴドリクは、一一世紀末にイングランドの貧農の家に生まれたが、商業の世界に魅力を感じるようになる。最初は、近隣の諸都市や村落を巡る行商人になるが、やがてデンマークやフランドル地方との遠隔地商業にも携わるような大商人にまでのし上がった。多額の財産を築いた後、彼は、商業から身を引き、巡礼者となる。最後は、ゴドリクは、隠修士として余生を送ったという。この例は、商人と巡礼者、さらに修道士が、その精神において連続していたことを示唆している。関哲行『旅する人びと（ヨーロッパの中世4）』岩波書店、二〇〇九年。

第7章 〈死の舞踏〉を誘発する個体

1 死の舞踏

どうして子なるキリストが必要だったのか？ 即自的には神として現われている実体を、対自的に捉え返してみると、「想像の共同体」としての聖霊を得る。つまり、神（即自）と聖霊（対自）は同じものである。これをキリスト教徒の目からみると、聖霊と神の関係についての一般的な構図が、すなわち、人間たちと神とが聖霊において通じ合っているという構図が得られるだろう。しかし、こうした構図が得られるのだとすれば、なぜ子なるキリストが必要なのか？ なぜ神と聖霊だけでは不十分で、子なるキリストがさらに加わらなくてはならなかったのか？ どうして二つの位格でなくて、三つの位格が同一実体とされたのか？ これが、前章で提起した疑問であった。

われわれは、問題を神学的な水準から社会学的な水準へと解放するために、西洋中世の都市へと目を転じた。三位一体の教説の中に、キリスト（神の子）が不可欠の位格として含まれているということは、キリストの死、あるいはもっとはっきりと言ってしまえば、キリストの死体が必要だったということである。ところで、中世の都市は、しばしば、聖人の遺体、あるいはそれに関連する聖遺物を中心にして形成されている。あたかも聖人の死体が引力を有していて、人々を都市へと集めているかのようである。都市の外部から引き寄せられた人間のカテゴリーには、巡礼者を真ん中において、世俗性の極には商人が、逆の宗教性の極には托鉢修道士がいた。聖人の遺体は、都市の内的な連帯の凝集力の源泉にもなっていた。都市内に生まれた多様な兄弟団が、その凝集力を証明している。ここで、聖霊というキリスト教の信者の共同体を都市共同体に、キリストの遺体を聖人の遺体に置き換えれば、三位一体の構図が、縮小されたかたちで再現されていることがわかる。共同体（聖霊・都市）の形成にあたって、遺体（キリスト・聖人）が必要になる、という関係が、現実の社会において反復されているのである。

さて、こうした社会学的なフィルターを通したあとに、もう一度、キリスト教へと振り返ってみると、われわれが、そこに見るのは、カトリックの聖餐の儀式である。聖餐は、イエスと弟子たちの最後の晩餐を再現する儀式である。参加者は、そこで、キリストの弟子たちと同様に、キリストの肉（パン）と血（ワイン）を食す。テリー・イーグルトンは、聖餐について次のように論じている。

聖餐のキリスト教的実践、この愛の饗宴ないしは犠牲的な食事に参列した者は、一つの切断された身体を通じて、互いの間に連帯を確立する。こうすることで、参加者たちは、微または秘蹟のレベルで、キリスト自身の、弱さから力への、死から変形された生への血の移行をともにすることになる。[*1]

キリストは、十字架上で死んだ。その死んだ身体が、聖餐において、繰り返し呼び戻され、まだ生きているかのように機能するのである。殺しても殺しても死なない実体であるかのように、である。ここで、信者たちは、「食」という、これ以上ないほどの直接性において、キリストと身体的に同一化する。そして、その同一化を通じて、信者たちの連帯(聖霊的な共同性)が構成されている。だが、キリストの身体にこのような機能が宿るのはどうしてなのか? 謎はそのまま残されている。

＊

中世後期に、西ヨーロッパ中に「Dance Macabre(ダンス・マカーブル)」と呼ばれる絵図が流布した。後には、この絵図は、「死の舞踏 Danse des Morts, Dance of Death」とも呼ばれるようになった。死の舞踏とは、生者たちが死者に連れられて墓所へと向かう様子を表現した図像である。こうした図像が、一五世紀から一六世紀にかけて、ヨーロッパ全土に広がったと考えられる。死の舞踏には、死者に連れられていく生者としてあらゆる階層の者が描きこまれているので、この図像を、——誰もが必ず死ぬという意味で——死を前にした人々の完全な平等性の寓話的な表現と解釈するのが一般的である。

記録によって確認できる限り、最も古い死の舞踏は、一五世紀初頭（一四二四年）に、パリのサン・ジノサン墓地の回廊に描かれた絵図である。ちなみに、「サン・ジノサン Saints Innocents（罪なき聖なる幼児）」とは、イエス・キリストの身代わりに、ヘロデ王によってベツレヘムで殺された幼児たちのことである。彼らは、キリストに先だって、キリストの代理として死んだと解することもできる。ともあれ、確認できる限りでは、この死の舞踏が最古だが、記録には残っていないかたちで、より遡った過去から、たとえば一四世紀頃にはすでに、死の舞踏の先駆とも言えるような絵図があったのかもしれない。死の舞踏には、このパリとは別に、もう一つ、系列の違う起源がある。それは、バーゼルのドミニコ会修道院に付属していた墓地回廊に描かれた図像である。

ともあれ、死の舞踏という図像は、ヨーロッパのいくつかの場所で独立して誕生し、短期間にヨーロッパ全土に波及したようだ。どうして、中世後期にこのような図像が普及したのか？　中世後期の三つの危機がもたらす、死への過敏さを挙げるのが通説である。第一に、宗教的には、カトリック教会の分裂があった。ローマ教皇がアヴィニヨンに幽閉されたことがきっかけとなって、やがて、ローマとアヴィニヨンに二人の教皇が立つまでに至る。第二に、世俗的には、イギリスとフランスの百年戦争があった。これらに加えて、第三に、黒死病（ペスト）の流行である。三つの危機が重なったことからくる不安が、死に対して、人々を敏感にしたというのだ。無論、図像の急速な拡がりには、版画という普及率の高いメディアが与って（あずか）いる。

「ダンス・マカーブル」の「マカーブル」という語の由来に関しては、諸説があって、はっきりしないらしい。アラビア語の「maqabir（墓場）」が語源だとする説、ヘブライ語の「meqaber（墓掘人）」から来るとする説等がある。これらいかにも有力そうな説を越えて、最も可能性が高いと専門家が認めているのは、旧約外典の「マカベア二書」の二つの物語に由来するとする説である。マカベア書によれば、古代シリア王アンティオコス四世によってパレスチナのヘレニズム化政策が強引に進められている中、マカベア七兄弟（とその母）は、律法に禁止されている豚を食べることを拒否して殉教した。またユダ・マカベアは、強いられて、心ならずも偶像を抱いたまま戦死していった同胞の魂の復活を願い、祈ることの有効性を人々に説いた、とされている。こうした二つのエピソードによって、中世の人々には、「マカベア」の名は、死を連想させるものだった。「マカベアのダンス」「ダンス・マカーブル」は、ここから来るとする説が最も有力である。

ともあれ、「死の舞踏」が流行した細かな歴史的事情やその名の語源的な由来は、今は、さして重要ではない。ここで注目したいのは、この図像に端的に表現されている、死の力、死者の身体が現前していることからくる不思議な力のようなものである。一五世紀の末期に出版された、サン・ジノサン墓地の壁画をアレンジした木版画本『死の舞踏』には、説教師の語りとして、次のような言葉を記している。

……男女を問わず自明なるは／死は大なる者も小なる者も情け容赦はせぬということ／この鏡のなかをごらんあれ／かく踊ることこそ相応しかれと／そこにしっかと己を見定めるは賢き者／死者は生者を進ませる／お前はもっとも高慢な者たちから始まるのを知るだろう／死ほど尊大なものはないのだから／……[*2]

「死者は生者を進ませる」とあるように、ここには、死体の有無を言わせぬ引力が語られている。貴賤に関わりなく、生者の身体は死者へと引き込まれていく。あたかも、死に強い感染力があるかのように見える。

「ダンス・マカーブル」の"Dance"[*3]は、今日の「舞踏」よりも広い意味である。それは、軍隊での縦列行進、典礼的な行列（procession）、そして輪舞などをすべて意味していた。「ダンス」の典型は、ゆっくりとしたステップで進行する行列だったようだ。ここで、前章で言及した事実を想起してもらいたい。中世の都市では、守護聖人（都市はその聖遺物をもっていた）やキリストの聖体のためのプロセッションが、きわめて重要な行事だったことを、である。中世において、図像に描かれていたような死の舞踏が実際に演じられたかどうかに関しては、論者によって見解が分かれるようだが、いずれにせよ、それは、聖人のために執り行われたものとよく似た行列が、突発的で非公式なかたちで生じたかのごとくであった。逆に言えば、守護聖人のプロセッションは、統制のとれた、公式の「死の舞踏」のごときものである。典礼的なプロセッションでキリストの死体、聖人の死体において発揮される力が、死の舞踏では死者一般の中に拡散されて現われているかのように見える。その力とは何であろうか？　それは何に由来するのだろうか？

2　清貧に生きる者の富

前章で述べたように、キリスト教の観点からすると、聖霊が分有されている状態とは、結局、人が互いに愛し合っている状態である。つまり、愛、隣人愛がそこで働いているならば、それが聖霊である。こうした観点から聖霊について考えることで、考察の手掛かりを得てみよう。

イエスは、「善きサマリア人」の喩えによって、隣人愛を例示したのであった。その喩え話の中で、サマリア人は、盗賊に襲われて、瀕死の状態にあった人を助け、彼に着物やお金などを与える。ここで、ベタで率直な疑問を出してみよう。こういう場合、どのくらい与えれば、どのくらい自分のものを放棄すれば、ほんとうの隣人愛を実現したことになるのだろうか、と。ごく常識的な、しかし、実践的にはそれなりに厳しい含意を有しているのは、すべて、持っているものすべて、という回答であろう。何も与えないよりは、何かを与えた方がよいに決まっているが、しかし、自分の欲しい分をしっかりと確保しておいた上で、残りを与えるのであれば、誰でもできることであり、たいしたことはない。だから、隣人愛は、持っているすべてを相手のために放棄することだ、と理解したくなる。が、しかし、実は、これも間違っているのである。持っているすべて以上を与えないと、究極の隣人愛を実現したことにはならないのだ。だが、持っているすべて以上を与えるとはどういうことか？　そんなことは、論理的に矛盾しているではないか？　人は持っている物しか与えられないのではないか？　当然にも、こうした疑問が出てくる。だが、「善きサマリア人の喩え」の中に、すでに、「すべて以上」を与えないとならない、ということが暗示されている。サマリア人は、盗賊に襲われた人を宿の主人に託した後、さらに、帰りにその宿に寄って、（その襲われた人のために）宿の主人に支払う用意があることを示唆する。つまり、与えられるだけすべて与えてもなお足りない、ということが示唆されているのだ。

持っているすべて以上を放棄しなければ、隣人愛を実現したことにならない、という逆説を理解するには、清貧を理想とした、フランシスコ会を初めとする托鉢修道会が、どうして実際には裕福になるのか、を考えてみるのがよい。アッシジの聖フランチェスコは、イエスとその弟子に倣って、すべてを放棄した。彼は、すっ裸にさえなったのだ。しかし、――聖フランチェスコ当人はおくとして――その精神のもとで築かれたフランシスコ会は、巨額な富を蓄積し、多数の大修道院をもつほどになった。こうしたアイロニーは、修道会が創始者の精神をよく理解しなかったからだとか、裏切ったからだと説明したくなるが、そうではない。逆に、創始者の精神に忠実であろうとした結果として、こうした逆説が生じ得るのだ。

逆説の究極の原因は、人が「持っているhaving」すべてを放棄してもなお必然的に残るものがある、ということにある。何が残るのか？　その人が「何であるかbeing」ということである。所有の水準ですべてを放棄してもなお、存在の水準が残ってしまうのだ。「何であるかbeing」は、所有havingの観点からは、すべてを放棄した後なのだから、徹底して「貧しい」。つまり、それは、所有的には「無」である。ほんものの隣人愛の表現であるような、完全なる放棄があるとすれば、それは、所有の水準だけではなく、存在の水準をも放棄するものでなくてはならない。つまり、持っているものすべてだけではなく、「無」そのものを与えなくては、ほんものの隣人愛とは言えない。だが、それが、絶望的なほどに困難なことなのである。[*4]

こうした主張は、ただの論理の遊びであると思われるかもしれない。しかし、この論理には、経験に即した具体的な内実がある。その内実のことを考えると、托鉢修道会の富をめぐる逆説がどうして生ずるのか、納得がいく説明を与えることができる。「持っている」ものを放棄しても残ってしまう「存在 being」の水準とは、具体的には、自尊心とか自己満足にかかわる領域である。持っているよき物を放棄することは、当然、所有者にとって苦しみや痛みを伴うことである。だが、その苦しみや痛みの反面として、あらぬところで、悦びや満足が蓄積されることがある。たとえば、サマリア人が、盗賊に襲われた人を助けたとき、自分のことを「善人である being good」と感じて、満足や悦びを得るとしよう。それこそ、存在の水準に関わる現象である。こうしたことを、われわれは日常的に体験している。電車でお年寄りに席を譲ったり、大惨事の被災者のために寄付したりするとき、「私っていい人なんだな」と感じて少し満足する場合、あるいは何かの抗議集会やデモンストレーションに参加したとき、正義や善のために活動している自分が英雄的なものに感じられ、陶酔的な気分を味わう場合。

このとき、「善人である」とか「英雄である」といった存在の水準の規定は、誰に対して現われているのか。それは、誰に帰属する判断としてあるのか。要するに、誰が、サマリア人を「善人だ」と見なしているのか。神、すなわち第三者の審級である。私が、路傍で倒れている人を助けたとき、神の目に、私が「善人」と見えていることを感じて、私は満足を覚えるのだ。このとき、もともとの自己放棄が目指していた、直接の他者——サマリア人の喩えでは盗賊に襲われた人——は、そっちのけになっている。直接の他者を回避して、人は、超越的な他者（神）と取り引きしているのである。神に善人と見なしてもらうために——したがって神の国への入国許可を得るために——、誰かに何かを与えたとしたら、それは、この「誰か」への隣人愛と言えるか？　もちろん言えない。真の隣人愛であるためには、持っているものの水準だけではなく、「何であるか」の水準の自己放棄も含まれていなくてはならないのは、このためである。

托鉢修道会の蓄財の逆説は、次のように説明できる。托鉢修道士が、すべて持っている物を放棄して、清貧に生きるということは、他者たちの彼に対する贈与・施しによって生きる、ということである。他者たちは、托鉢修道士に対して与えることで、存在の水準での利得を得るので——つまり神から善人として承認される（と自ら見なすことができる）ので——、喜んで施しをするだろう。また、修道会は、持っているすべてを放棄したことで——所有の水準で貧困であることで——、自らは善であるとの自己確信に至っているので——存在の水準では裕福であると自ら確信しているので——、自らを、他者たちからの大量の寄付や施しを受けるに「値する」と見なすだろう。つまり、修道会は、自らへの喜捨を当然のこととして受け取り、そこに何らの良心の呵責も矛盾も感じることはない。こうして、所有物を放棄すればするほど、裕福になるという逆説に帰結することになる。

3 『悪童日記』

それならば、どうしたらよいのか？　西洋中世史という文脈からは外れた、思いも寄らないところに、ヒントがある。アゴタ・クリストフの三部作の一つ、その中の第一の作品にあたる『悪童日記』がそれである。[*5] そこに、まさに隣人愛とはこうすることなのだ、と解すべき実例があるのだ。[*6]

これは、幼い双子についての物語である。第二次世界大戦の末期から戦後（共産主義体制の始まりの頃）にかけての数年間、双子の「ぼくら」は、ハンガリーの小さな田舎町で祖母とともに暮らしている。彼らは、恐ろしく非道徳的、反道徳的である。こんな悪い子がいるはずがない、と思わせる反道徳性である。彼らは、嘘をつき、他人を脅迫し、ついに殺人すら犯すのだ。だから、一見、彼らの行為ほど隣人愛というものからかけ離れたものはほかにない、と思える。実際、彼らが、自身の「悪」にほんの少しでも陶酔しているのであれば、彼らの行為は、自己の「存在の水準」を放棄できなかった前節の事例と変わらない。「ぼくらは悪人だ」という自意識は、「ぼくらは善人だ」という自己認定に満足を覚える欺瞞を、アイロニカルに拒否している自分にやはり英雄的に陶酔しているだけであり、一段レベルの高い自己欺瞞――自己反省的な自己欺瞞――以外の何ものでもないからだ。この場合、「ぼくらは悪人だ」という自己同定は、「ぼくらは普通の善を越えた善人だ」という自己同定と同じことである。しかし、『悪童日記』の双子の悪は、ただ、単純に、彼らが隣人愛の原理に素直に従ったことの結果に過ぎず、いささかも目的化していない。

いくつかの具体例によって、このことを示すことができる。あるとき、双子は、森で脱走兵が倒れているのを見つける。脱走兵は、人を殺すのが嫌で、軍隊を抜け出し、故郷に戻ろうとしているのだが、力尽きて倒れていたのだ。見つかれば死刑が確実な犯罪者である。双子は、この脱走兵に、彼が求めている食糧や毛布などを運んでくる。「親切だね」と感謝する脱走兵に対して、双子は、こう答える。「別に親切にしたかったわけじゃないよ。ぼくらがこういうものを運んできたのはね、あなたがこういうものを絶対に必要としていたからなんだ。それだけのことさ」[*7]と。これこそ、イエスの「善きサマリア人」の正確な――いかなる自己陶酔とも無縁な――再現ではないだろうか。

双子は、司祭の邸の女中と仲がよい。女中は官能的な若い娘で、双子は、女中と少しばかりエロチックな遊びをしたりしている。あるとき、その女中の前を、強制収容所へと連行されていくユダヤ人たちの列が通った。飢えたユダヤ人の一人が、「パンを」と言って、女中に食物を乞うた。女中は、与えるふりをして、パンを差し出し、ユダヤ人がもう少しでそれをつかみかけたところで、そのパンをさっと引き、自分の口に放り込んだのだ。「あたしだって腹ぺこなの！」と言って。[*8] これを目撃していた双子は、女中を罰することに決めた。暖炉用の薪の中に火薬を混ぜておいたのだ。女中が暖炉に火を付けたとたんに、それが爆発して、女中の顔は、火傷でひどく醜いものになってしまった。これに対して、双子が言ったことは、「彼女が死ななかったのは幸運です」という言葉であった。双子が女中を罰したのは、彼女が、「善きサマリア人」と正反対のことをしたからである。

あるとき、双子は、奇妙な遊びを思いついた。「乞食の練習」である。ボロ服をまとい、裸足になり、顔と手をわざと汚す。その上で、彼らは、街中で立ち止まり、ただひたすら待つ。すると、彼らの前を素通りする者もいれば、ビスケットや硬貨や林檎やらをくれる者もいる。頭を撫でてくれる人もいる。ある婦人は、自分の家に来ないか、と提案したのだ。これに対して、双子は、働く気はないし、お腹も空いていないと答えた。婦人は、当然、「だったらどうして、乞食なんかしているの」と質問した。双子の答えは、こうである。「乞食をするとどんな気がするかを知るためと、人びとの反応を観察するためなんです」。[*9] 婦人はカンカンに怒って、行ってしまった。その後、双子は、帰路について、もらったビスケットや硬貨等を投げ捨てた。

今度は、双子は、言わば、アッシジのフランチェスコを模倣している。あるいは、次のように言ってもよい。双子は、「善きサマリア人」によって救われる側に回ったとき、何を感じるか、人がどう反応するかを試しているのだ、と。盗賊に襲われた者にとってサマリア人が隣人であったのと同様に、後者にとって前者は隣人だったからである。つまり、隣人は、相互に反射的な関係の中にある。双子の冷徹な自己観察は、こうした反射的な関係を前提にしたものである。

もし隣人愛というものがあるのだとすれば、この双子の行動が示している、ある種の単純さの中にこそそれはあると言うべきではないか。他者が必要としているものを、いかなる思い入れもなく、ただ与えるという単純さの中に、である。このとき、「持っているhaving」の水準の放棄が、「存在being」の水準での利得のためになされる、といった転倒が生ずる余地がなくなる。

ところで、『悪童日記』は、ある問いを誘発せざるをえない。どうして主人公は双子なのか、と。彼らが双子であることに、どのような必然性があるのか？　読み進めていく内に、読者は疑問を抱く。「ぼくら」と一人称複数形で指示されている主人公は、ほんとうにふたりなのだろうか？　「ぼくら」はあまりにも一体で、別々に行動することがないのだ。彼らは、ほんとうはひとりなのかもしれない。ひとりの人物が、パートナーを、自分の相棒となるような他者を、幻覚のように見ているだけなのかもしれない。彼らが、ふたりなのかひとりなのかは決定不能である。「ぼくら」はひとりであるとも断定できず、ふたりであるとも言えない。この不確定な双子性と、彼（ら）が発揮した隣人愛の単純性との間には、どのような繋がりがあるのだろうか？　このような問いを立てることで、われわれは、西洋中世に回帰することができる。

4　個体の本源的不確定性

中世後期の哲学のステレオタイプ的な解説では、スコトゥスの哲学はオッカムの哲学と対照させられるのが一般的である。スコトゥスもオッカムも、一三―一四世紀の哲学者で、トマス・アクィナスよりも後の世代に属している。オッカムの方が、スコトゥスよりいくぶんか若い。彼らの哲学は、いわゆる普遍論争の文脈で対照的な位置にあったと解釈されている。教科書的な通説にしたがえば、普遍論争とは、「実在論（レアリスムス）」と「唯名論（ノミナリスムス）」との

「双子」とされていた「ぼくら」は、単一の個体なのか、そうではなかったのか。こう考えたとき、われわれは、中世後期の哲学の「個体」の概念に導かれる。とりわけ、ドゥンス・スコトゥスの個体（性）をめぐる思索にである。

間の対立である。実在論とは、「普遍的なものども universalia」が実在するという立場を指す。「普遍的なもの」とは、「動物一般」とか「人間一般」といった「類」や「種」のことであり、これらが、プラトンのイデアがそうであったように実在すると考えれば、実在論だというわけだ。それに対して、唯名論とは、類や種はただの名前であって、ほんとうに実在しているのは、個々の人間や個々の犬といった個体のみだ、とする説である。こうした対立において、スコトゥス派（旧派）を実在論の側に、オッカム派（新派）を唯名論の側に配するのが、一般的な解釈である。

こうしたステレオタイプの対立の中で考えれば、近代人の目には、唯名論（オッカム派）の方に圧倒的に分があるように見える。一人ひとりの個人や一つひとつの個体はあっても、「人間一般」とか「犬一般」などというものが、個人・個体と同じ権利で存在しているはずがないではないか。実際、オッカムの唯名論は、中世の哲学と近代の哲学とを繋ぐ媒介的な位置にあると考えられてきた。それに比べて、スコトゥスの哲学は、未だ、中世的な「迷信」の中にある、と。

だが、スコトゥスの哲学が蒙昧なものに見えるのは、論争を捉える枠組み自体が間違っているからである。対立のポイントは、普遍者と個物との間でどちらが真に実在しているのか、ということにあったわけではないのだ。チャールズ・S・パースは、次のように述べている。坂部恵（さかべめぐみ）の著書から引用する。[*10]

近代の思考は、度を過ぎてオッカム的であった。それは、学芸の復興に際して、蒙昧主義者や、時代後れなひとたちがドゥンス〔スコトゥス〕の陣営に属し、一方政略にたけたオッカムが敵手を代表していた、という偶然の事情に由来することである。しかし、こんな結果になったのは、たとえ浅薄に流れることはあるにしても、正確な思考が行われていたあのかつての時代に、スコトゥスの教説は、あらゆるスコラ的討論の試練に耐え抜いて浮上してきたのだが、一方、学芸の改革者たちは、こうした討論について、およそこれっぽちも理解することがなかった、ということのためなのである。

ここで「学芸の復興」「学芸の改革者たち」と呼ばれているのは、一四世紀における哲学の飛躍的な発展を指している。この時期、論理学や言語論の領域において顕著な進展が見られたのだ。その中心的な担い手こそ、オッカム派に属する論者たちであり、彼らは、当時、「moderni（近代派）」と呼ばれた。

スコラ的討論（普遍論争）が、こうした「近代派」によって誤って伝えられたとして、それならば、討論の重心はどこにあったのか。それは、個体と普遍をめぐるものではなく、個体そのものの本性、個体の本来的な性格に関するものだったのである。再び、パースの言葉を引こう。

考え深い読者よ、政治的党派心のバイアスのかかったオッカム的な先入観——思考においても、存在においても、発達過程においても、「確定されないもの」(the indefinite) は、完全な確定性という最初の状態からの退化に由来する、という先入観を取り払いなさい。真実は、むしろ、スコラ的実在論者——「定まらないもの」(the unsettled) が最初の状態なのであり、「定まったもの」の両極としての、「確定性」と「決定性」は、概していえば、発達過程から見ても、認識論的にも、形而上学的にも、近似的なものを出ない、と考えるスコラ的実在論者の側にあるのである。[*11]

つまり、パースによれば、実在論とは、「確定されないもの」を、事実的にも論理的にもより原初的で優先的なものと見なす立場であり、逆に、「確定されたもの」を、事実的・論理的に第一義とするのが唯名論だということになる。実在論は——少なくともスコトゥスに結び付けられている実在論は——、「人間一般」とか「動物一般」が、どこかに実在しているという説ではない。そうではなくて、個体、個的なものが、本来的に非確定的であり、規定し尽くしえないのであって、それゆえに普遍性へと通じている(普遍性を分有している)と考えるのが、実在論である。これに対して、オッカム流の唯名論では、個体とは、いわゆる直接与件であり、それが何であるかを一義的に確定することができる。世界は、そうした一義的に確定された個体をアトム的な構成要素とした集合として描くことができる、とするのが唯名論である。

*

スコトゥスの個体についてのこうした論理を、今日のわれわれとしては、固有名についての言語哲学の議論を援用しながら再解釈することができる。スコトゥスは、個体性のことを、「単独性 singularitas」、あるいは「このもの性 haecitas」等と言い換えているからである。固有名とは、個体を単独性において指示するものである。また固有名は、「このもの」「これ」といった直示語と切り離すことができない。というのも、命名するとき、そして固有名を他者へと伝達するとき、人は直示語を用いるほかないからである。「このものをNと名づける」とか、「あれがMである」といったかたちでである。つまり、固有名とは、直示語において、「まさにこれ」「このもの」として指定されるような単独性をいわば凍結させ、その内部に保存している言葉なのである。

個体は原理的には規定可能だと考える、オッカムの唯名論は、固有名についての記述説と整合性が高い。固有名は、言うまでもなく、個体に対応しているのだが、唯名論が考えているように、その個体が何であるかを確定できるのだとすれば、固有名は、個体についての記述に置き換えることができるはずだ。「記述」とは、その個体について「Pである」「Qである」等と述定することである。「P」「Q」の位置には、その個体の性質に対応しているような、何らかの「普遍概念」が入る。そうしたものを十分に重ねていけば、一義的に特定の個体を確定することができる。そうした記述のことを確定記述という。たとえば、「日本人である」「小説家である」「明治時代を生きた人物である」「東京帝大の講師である」等々を重ねていけば、「夏目漱石」という固有名の代理物になるというわけだ。これが固有名の記述説である。

このように、オッカムの唯名論は、固有名の記述性と親和的である。ここまでの議論との関連で留意しておいてよいことは、個体を記述する際に用いられる「Pである」「Qである」等の述語こそ、隣人愛の自己放棄の関連で主題化した、あの「being」の水準に対応している、ということである。それは、個体が「何であるか」を意味しているのだから。

しかし、ソール・クリプキは、固有名の記述説には根本的な誤りがあるということを、緻密な議論によって論証した。[*12] 記述説が間違っているということは、次のように考えるとよくわかる。述べたように、記述説は、固有名と、その個体を特定しうる確定的な記述は互換性がある（つまり、両者は同じものである）とした。しかし、確定記述に用いられたどの述語に関しても、われわれは、反実仮想をすることができ、そこには、何の矛盾も不合理もない。たとえば、「夏目漱石が小説家にならなかったら……」といった可能性を想定することができるのだ。もし、「夏目漱石」という固有名が、「小説家である」等の普遍概念による同定を含む確定記述と同じものであるならば、このような可能世界を想定すること自体がナンセンスなはずだ。逆に言えば、こうした可能性をいくらでも想定できるということは、固有名は（確定）記述とはまったく異なったものであることを意味している。[*13]

固有名は単独的な個体を指しているが、これを確定記述と置き換えることはできない。どうしてだろうか？　個体が、結局、どのような規定からも逃れてしまうからである。「講師である」とか「小説家である」といった何らかの普遍概念を用いることで、個体の同一性（アイデンティティ）を規定しようとしても、個体は、「それ以上の何か」「それ以外の何か」と見なすほかない。

つまり、個体は本来的に不確定である。スコトゥスが「個体性」という概念で説明しようとしたのは、こうした事情ではないだろうか。ジル・ドゥルーズは、スコトゥスの「このもの性」は差異の犇（ひし）めき合いである、といった趣旨のことを述べているが、こうした解釈も決して牽強付会とは言い切れないことがわかる。ここまでの論が含意しているように、個体についてどのように規定してみたとしても、結局、それとは異なった規定を排除するものではない。その意味で、個体性（このもの性）は、どのような差異をも受け付ける基体のようなものになっている。それは差異が犇めき合う場なのである。

したがって、スコトゥスのように考えた場合には、個体を何ものかとして特殊化して限定することはできない。限定しようとしても、個体は、その特殊性の枠をはみ出してしまうのだ。その意味で、個体は普遍性へと開かれている。スコトゥスが、「普遍的なもの」の存在を積極的に支持する「実在論」に分類されるのは、このためである。

5　至高の個体としてのキリスト

このような意味での「個体」の原点、「個体の中の個体」と言うべき至高のケースとは、イエス・キリストであろう。イエス・キリストは、まぎれもなく個体である。彼は、歴史の中で特定の場所をもつ個人である。だが、同時に、イエス・キリストは神である。言うまでもなく、存在そのものであるような神こそは、究極の「普遍的なもの」である。それゆえ、普遍性へと開かれている個体の原型は、イエス・キリストにある。イエス・キリストについての信仰を継承する宗教の伝統の中になかったならば、スコトゥスの個体性の理説は出てこなかっただろう。

かつてスコトゥスの「存在の一義性」についての議論を概観したことがあった（第2章）。そのとき述べたことをもう一度確認する必要がある。神の圧倒的な超越性を否定神学的に理解した場合には、神を規定する述語として、人間を初めとする被造物を記述する述語を用いることはできない。人間について「知恵ある者」というのと同じようにして、「神」の知恵について語ることはできない。神の知の卓越性について述べる述語は、人間に関して「知恵がある」と記述するときの述語と同じ意味ではありえないのだ。同じことは、「存在」についても敷衍しうるのではないか。つまり、被造物について「存在している」と言うのと、神について「存在している」と言う場合では、同じ発音でも、まったく意味が違っているのではないか。しかし、このように考えた場合には、「神が存在する」という命題は何を意味しているのかさっぱりわからない、ということになってしまう。この困難に対して、トマス・アクィナスが提起した妥協案が、「存在の類比」という考え方であった。

これに対して、スコトゥスは、存在概念は、神に関しても被造物に関しても完全に一義的に用いることができる、と大胆にも断定したのである。「神が存在する」と述べるときと「この犬が存在する」と述べるときでは、まったく同じ意味で「存在する」という語が使われている、というわけである。スコトゥスによれば、「存在」は、被造物と神といった宇宙の諸レベルを横断して同一の意味を保つ超越概念である。

どうして、スコトゥスはこのように考えたのか。イエス・キリストが、実際、「この犬」や「あの人」と同じように存在したからである。イエス・キリストは、決して、プラトンのイデアのように、特殊な仕方で存在したわけではない。

存在の一義性を謳ったところで、ほんとうは、謎が解けるわけではない。謎とは、神(普遍性)が人間(個体性)であるという謎だ。とはいえ、個体の本来的な不確定性に注目したスコトゥスの哲学は、その謎に迫ろうとする執念の産物ではないだろうか。

なぜか? キリストと呼ばれたイエスは、個体のこのような不確定性の極大値だからである。繰り返し述べてきたように、イエス・キリストは、歴史の中に出現した特異的な個人である。まさに「この人を見よ」と指示できるような個人である。しかし、同時に、イエス・キリストの死は、人類全体の、あるいは被造物すべての罪の贖いという意味をもっているとすれば、彼は特異的な個人以上のものでなくてはならない。つまり、イエス・キリストは任意の誰でもある、とも言えなくてはならない。彼は、特定の個人でありつつ、同時に任意の個人でもあるのだ。

ここで、『悪童日記』の双子に立ち戻ることができる。「ぼくがこのぼくでありつつ、ぼく以上である」。こうした事情を反映すべく導かれたのが、ひとりなのかふたり(ひとり以上)なのか決定できない「双子」という設定ではないか。イエス・キリストに見られる両義性を率直に表現すれば、「双子性」の形態をとる。おそらく、スコトゥスの個体性とアゴタ・クリストフの双子性とは同じものである。

聖霊という普遍的な共同体に至るのに、どうしてイエス・キリストの身体(死体)が必要なのか？　これが出発点に置かれた問いであった。われわれは、答えを得たわけではないが、問いを追いつめてはいる。イエス・キリストが個でありつつ、任意の他者でもあるという二重性に焦点が絞られているからである。

＊1　Terry Eagleton, *Trouble with Strangers: A Study of Ethics*, Wiley-Blackwell, 2008, p.272.

＊2　小池寿子『「死の舞踏」への旅――踊る骸骨たちをたずねて』中央公論新社、二〇一〇年、七頁。

＊3　「ダンス・マカーブル」はフランス語で、現在の綴りでは“danse”だが、一五世紀には“dance”の方が一般的だった。

＊4　一四世紀に、教皇（ヨハネス二二世）は、「至上の清貧」を要求するフランシスコ会に対して、ある批判を加えている。争点は、「使用から切り離された財産があるか（使用しても消耗されない財産はあるか）」にあった。ジョルジョ・アガンベンが、『瀆神』（二〇〇五年）の中で、この論争を検討している。私の考えでは、この論争は、「having/being」の区別と関係がある。「being」は、人が自分の「持っている物」を他人に譲渡し、使わせたとしても、いささかもすり減らずに残るからである。

＊5　三部作とは、『悪童日記』『ふたりの証拠』『第三の嘘』の三作である。

＊6　この点に気づかせてくれたのは、ジジェクのこの小説に対する論評である。以下を参照。Slavoj Žižek and John Milbank, *The Monstrosity of Christ: paradox or Dialectic?*, Cambridge: The MIT Press, 2009, pp.301-303.

＊7　アゴタ・クリストフ『悪童日記』堀茂樹訳、ハヤカワepi文庫、二〇〇一年、六二頁。

＊8　同一六一頁。

＊9　同五〇頁。

＊10　坂部恵『ヨーロッパ精神史入門――カロリング・ルネサンスの残光』岩波書店、一九九七年、四八頁。パースの『形而上学ノート』からの再引用。

＊11　同四五頁。

＊12　Saul A. Kripke, *Naming and Necessity*, Harvard University Press, 1980.

＊13　たとえば「三角形が四本の直線で囲まれていたとしたら」といった仮定をすることはナンセンスである。「三角形」という概念の中に、「（四本ではなく）三本の直線で囲まれている」ということが含まれているからである。

第8章　聖餐のカニバリズム

1　死なない死体

一八世紀の中頃、ヨーロッパと北米で、突然のように、あることへの恐怖が自覚され、急速に拡がっていった。恐怖の対象となったのは、「早すぎる埋葬」である。[*1] つまり、未だ死んでいないうちに死んだと誤認されて埋葬されてしまうこと、つまり生者を死者と誤認して埋葬してしまうことを、人々は、急に、恐れはじめたのである。間違って埋葬された者が、息を吹き返して墓場から自力で出てきたというような、早すぎた埋葬の事例がいくつも報告され、人々を恐怖に陥れた。早すぎる埋葬を防止するために、各国に、溺れた者、窒息した者等に対する蘇生措置――現代風に言えば救急医療――を任務とする団体が作られた。オーストリアの啓蒙専制君主ヨーゼフ二世の下で、医療ポリツァイの理論を整備したヨハン・ペーター・フランクは、次のように主張しているという。「ポリツァイの真剣な施行によって、この残忍な運命（……）が、最期にはあらゆる場所から放逐されるように、という願いを」理性ある人々の内に喚起したい、と。

早すぎる埋葬は、現代のわれわれから見ても、非常に恐ろしい。少し気絶している間に、自分が埋葬されてしまうことを想像すると、ぞっとせざるをえない。だが、なぜ、一八世紀も終わりに近くなって、突然、早すぎる埋葬が問題化されたのだろうか。その頃、突然、埋葬を急ぐようになったとは思えない。それ以前にも、――後の視点から振り返れば――早すぎたと見なしうる埋葬は、たくさんあったに違いない。

もちろん、その通りである。変化したのは埋葬のタイミングではない。死（と生）に対する感性の方が、つまり「死体」を見る視線の方が、変化したのだ。われわれの目下の関心の中心にある中世に、目を転じてみよう。そこには、一八世紀末の感性には早すぎる埋葬と映るような例があふれていたはずだ。

というより、中世においては、聖人の死体に関して言えば、むしろ、「早すぎる埋葬」に類する仕方で埋葬されていることが、誇らしげに、聖人の聖人たる所以として、語り継がれていたのである。早すぎる埋葬とは、埋葬した身体が未だ生きているということである。少なくとも、一八世紀後半においては、これは、おぞましいスキャンダルであった。だが、中世の聖人の遺体に関しては、逆である。それが、まだ生きているかのようであるということ、死の兆候を見せないということ、いつまでも生きているかもしれないということ、そのことが、人々にポジティヴな驚きを与えた。最も頻繁に言われたのは、聖人の遺体は、いつまでも腐敗しないということ、芳香を発し続けているということ、ときにその芳香が病を癒す絶大な効果を発揮したということ、こうしたことであった。

中世と見なすには、時代をいくぶん下りすぎてはいるが、一五八二年十月に、アルバ・デ・トルメスで没し、埋葬された聖女テレサの例を見ておこう。死後九ヵ月も経たときに、棺桶の蓋を開けてみても、その遺骸は、「前日に埋葬されたかのごとく、無傷で完全なものであった」。それどころか、六年後でさえも、遺骸を見た神父は、こう述べている。「腰に片手を添えるだけで充分に支えることができました。体がまるで生きているかのように、衣服の着脱が可能でした。（……）顔のほくろからは、まだ体毛が生えていました」[*2]。要するに、テレサは、まだ死んではいないのだ。一八世紀末だったら、極端に早すぎた埋葬として、非難されてしかるべき状況である。

グリム童話には、「わがままな子ども」と題されているよく知られた物語がある。それは、次のような話である。――昔、わがままで、母親の言うことをちっともきかない子どもがいた。そのため神様は不愉快に感じ、その子を重い病にした。どの医者も、この子を助けることはできなかった。ほどなくして、子どもは死んでしまった。その子を墓の下に沈め、その上に土をかぶせたのだが、その子の小さな腕が、地面からとび出してきた。腕をもとの位置にもどして、また新たに土をかぶせたのだが、何度繰り返しても、腕は出てくる。そこで、母親自身が墓に行き、笞でその腕をたたいた。母親がそうするや、腕は引っ込み、ついに子どもは地面の下で永遠に安らいだ。

周知のように、ヤーコプとヴィルヘルムのグリム兄弟は、一九世紀のごく初頭のドイツ語圏の田舎で、民話を収集した。おそらく、この「わがままな子ども」という物語は、過渡期の感覚を代表している。この子は、まさしくあまりにも早く埋葬されているのである。しかも、この子は、地面の中から救い出されることはなく、逆に、繰り返し埋葬されている。最後には、母親まで出てきて、地面の下に追い返しているのだ（この部分は、この物語が、近代的な「母性」の神話に先立つ層に属していることを、よく示している）。この子は、神に喜ばれなかった悪い子として描かれるが、「悪い子は神の怒りをかって死にました」という単純な筋ではなく、神の意志に反するようなかたちで、埋葬された身体が何度となく腕を地面に突き出すという部分——この物語に個性を与えている最も重要な部分——がわざわざ中間に入るのは、この子の生の執拗性、死までも越える頑固さが畏怖の対象にもなっていたからであろう。[*3] 無論、この子は、聖人とはほど遠く、むしろその対極にある身体だが、しかし、同時に、この民話にはまだ、生ける死体を尊敬する感覚が残っている。

ともあれ、目下の文脈でわれわれが確認しておきたいことは、次のことである。中世には、言ってみれば、生ける死体への感覚があったということ、聖人の遺骸はそのような生ける死体に近いものとして受け取られていたということ、これらの点だ。さらに、生ける死体を、その原点にまで遡れば、われわれとしては、当然、そこにイエス・キリストの十字架上の身体を見出さざるをえない。

聖人の遺体が死なないことを示す、最も頻繁に言及された特徴は、遺体からの出血である。たとえば、聖ニコラ・ダ・トレンティーノは、死後四十年を経てから、二本の腕を切除されたのだが、そのとき、大量の血が流れ出た、とされている。「あたかも聖人がまだ生きているかのようであった」[*4]。しかし、四十年で驚いてはならない。死後三百四十一年経過した一六四六年においてさえ、トレンティーノは、三オンスもの鮮血を流したとされている。聖人は、どうやら、異教徒（特にトルコ人）の抵抗やキリスト教徒同士の争い（三十年戦争）を憂慮したらしい。「血」は、聖人とキリストの身体との間の繋がりや等価性を、強く印象づける。キリストの身体の傷とそこから滴り出る血が、中世において、いかに強烈な欲望の対象であったかを、われわれは、すでに確認しているからである（第3章）。

2　「目」から「手」を経て「口」へ

「これは私の身体である」。キリストはそのように言って、弟子たちに、パンとワインを供した。すでに何度も述べたように、いわゆる聖餐は、このときの弟子たちの食事（最後の晩餐）の反復である。信者は、キリストの肉（パン）を食し、血（ワイン）を飲む。これは、一種のカニバリズム、擬態されたカニバリズムである。

この行為の意味を考えるために、ここでまったく基本的な問いに立ち返っておきたい。つまり人間にとって食とは何か？　いや、そもそも、人間にとって何かを享受するとは、どういうことなのか？　こうした問いの方から、キリスト教圏で広く流通している「カニバリズム」の意味を考えてみよう。食とは何かということを基底において、キリストの身体を食べるということの意味を考えてみたいのである。

人間と世界との関係が人間自身にとってどのようであるか、そのことを人間自身の経験の具体相に即して探究したのは、現象学であった。とはいえ、現象学、フッサールの現象学は、「食べること」にはほとんど関心をもってはいない。とすれば、われわれの目下の主題にとって、現象学はあまり役に立たないのだろうか？　そんなことはない。もし現象学が人間と世界の関係を、最も基礎的な水準において、しかも具体的に記述することを目指すものであったとするならば、現象学の問題設定と「食（享受）」とがどのように接続するかを確認することで、「食」の本来的な意味を描くことができるはずだからである。結論的なことを先取りして述べておこう。食は、現象学の「応用」として位置づけられるわけではない。逆に、現象学を駆動させた問いをつきつめれば、むしろ、食に行きあたるはずである。つまり、食は、現象学に、真の基礎を与えるのだ。極論すれば、現象学こそが、食（享受）の哲学の派生態である。

現象学は、人間にとって、世界がどのように現われるか、ということから出発する。ここで、世界との関係の範型になっているのは、認識、とりわけ知覚である。人に世界がどのように見えているのかということの記述から、現象学は始まる。つまり、現象学においては、人間と世界との関係を規定している器官は、まずは「目」である。

無論、経験の具体性にこそ執着する現象学は、人間の世界への実践的志向性をも考慮に入れている。実践的志向性をもって世界に対しているとき、世界は価値を帯びている。つまり、それが真か偽かが問題になる（認識の水準）だけではなく、自分にとって善であるか悪であるかといった評価が問題になる（実践の水準）。実践を代表する器官は、「手」であろう。しかし、フッサールにとっては、目が手に対して、つまり認識が実践に対して優先していることは、否みがたい。確かに、手の関心によって、見え方が変わってくることもあるということを考えれば、ときに手が優越するが、しかし、手でとらえ、手を使うためには、それ以前に、目が、対象を認識し、同定していなくてはならない。つまり、知覚されている世界がまずあって、その上に、実践的な関心に基づく価値が貼り付いているのである。これが、フッサールの前提である。

これはほんとうだろうか。われわれは、実践的な関心をもって世界に向かう前に、いかなる価値からも自由に、虚心に世界を眺めているだろうか。そんなことはあるまい。人は、最初から、実践的関心をもって世界の中にいるはずだ。つまり、世界の中の対象、存在者は、「目」よりも前に「手 Hand」を規準にして意味づけられるべきである。このように考え、フッサールを批判的に乗り越えようとしたのが、ハイデガーである。存在者を「目」で傍観する対象として捉えるならば、それは、「手」の前にあるもの、「手」を離れてあるもの(Vorhandenes)である。しかし、それ以前に、存在者は、まずもって、手に関わっているもの、手に対してあるもの(Zuhandenes)である。たとえば、石は「ただの石」として現われる前に、クルミを割るのに手頃な道具として現前するのではないか。「手」を規準にしたときには、存在者は、さまざまな道具である。道具は、孤立しているわけではない。どのような道具も、他の道具との関係において、その道具である。たとえば、包丁はまな板との関係で道具としての有意義性をもつ。それゆえ、「手」にとっては、世界は道具の連関、道具の相互に参照しあうネットワークである。ハイデガーの世界内存在にとっての世界とは、このようなものだ。

道具が連関のネットワークを形成するのは、道具は、常に何かのためにあるからである。つまり、道具は、目的と手段の連鎖の中にあるのだ。それならば、究極の目的、最終的な目的、それ以上の上位の目的をもたないような、つまり何かの手段に転ずることがないような目的は何であろうか？　それは生きることである。すべての道具は、生きるためにあると言うほかない。とりわけ、それらは食べるためにこそある。したがって、存在者はすべて、最終的には、「口」に対してある。「口」に対してあるということ、究極の目的がまさに生きることそのものであるということ、このことを前提にして世界を捉えるならば、存在者は道具であるより前に、まずは「糧」である。衣服や食料、とくに後者は道具ではなく、糧である。たとえば、リンゴは生きるための道具ではない。そうではなく、リンゴを食べることが、そのまま生きることなのである。

こうして、われわれは、「食」に辿りついた。あるいは、より広く、呼吸したり、味わったり、嗅いだりといったことを含む「享受」に到達した、と言うべきかもしれない。以上の現象学への批判からの過程、すなわち、「目」→「手」→「口」への展開は、実は、エマニュエル・レヴィナスの思考を辿ったものである。[*5]レヴィナスは、「具体的に思考する方法」としての現象学から出発した。以上の理路は、現象学を単純に斥けるものではない。むしろ、現象学を徹底させるもの、それを内側から突き破るものである。現象学の内在的な問題関心を延長させていくと、食の主題へと自然と到達する。レヴィナスの議論は、そのことを教えてくれる。そこで、われわれとしては、レヴィナスの食や享受をめぐる考察に少しばかり寄り添いながら、さらに議論を前に進めてみよう。そうすると、自然と、キリストの身体を食すという主題へと、つまり一種のカニバリズムの主題へと戻って来ることができるのだ。

3 享受と可傷性

最初の哲学者タレスは、世界の始原は「水」だとした。アナクシメネスは、始原は「空気」だと見なした。「水」にせよ、「空気」にせよ、「無限定なもの」である（アナクシマンドロス）。このように、ミレトスの哲学者たちは、世界の始原に拘った。少しばかり時代をくだった頃、ギリシアを中心にして、ミレトスとちょうど対称的な位置にあるアクラガス（シチリア島）を拠点としていた哲学者エンペドクレスは、水と空気、それらに火と土を加えた四つの元素より世界は成り立つと考えた。ふりかえってみると、これらは、すべてまさに、われわれにとっての糧である。つまり、認識（真理）との関係で、古代のギリシア哲学者たちが始原と見なしたものを評価するならば、現在のわれわれから見ると、誤りであり、無意味であるというほかないが、享受との関係でみるならば、それらはやはり始原的ではないか。われわれは、水を飲み、空気を吸い、火で暖まり、さらに大地の上を歩いたり、大地の産物を食べたりしているのだから。レヴィナスは、初期の哲学者たちの問題意識を継承するかのように、糧となるもののことを、「元素（始原的なもの）élément」と呼ぶ。世界は、糧としての元素の総体から成り立っている。

ここで、現象学、意識の現象学のことをもう一度、思い返してみよう。意識は、ここに対して、この身体に対して、つまり〈私〉に求心化している相で、世界を表象する。確かに、世界は、〈私〉に外在するものとして現われてはいる。しかし、世界は、〈私〉というこの身体との相関でしか意味をもたないような形で現象している。意識にあっては、世界は、常に、〈私〉の世界という形式で、〈私〉に所属してのみ現象するのだ。このような意味で、意識は、世界を〈私〉へと同化する作用であると見なすことができるだろう。次のように、言ってもよいかもしれない。世界は、「〈私〉とは、結局この私である」という自同律の変異型（ヴァリエーション）として、たち現われているのだ、と。

　ここから、もう一度、食べること、享受することを見直したら、どうだろうか。享受においては、〈私〉であるところの身体に対して、他なるものを同化する作用は、よりいっそう直接的で強力であるように感じられるだろう。享受とは、結局、消費することだからである。たとえば、〈私〉は、食物を咀嚼し、消化し、吸収することで、自分の身体の一部にしてしまう。飲んだ水も吸い込んだ空気も、〈私〉であるところの身体の中に取り込まれていく。無論、〈私〉は排泄もするし、空気を吐き出しもする。が、そのようにして〈私〉から異化されるもの、他化されるものは、〈私〉が、それらを端的に不要としたからである。糧としての糧は、やはり、〈私〉に同化されている。不要なものの排除（排泄）は、むしろ、同化の純粋化の陰画であり、それによって同化はより完璧なものになる。

　このように、享受は、意識的な認識の基本性格になっている同化を、より徹底して出現させているように思える。意識においては、それでも、世界内の存在者は、外部性をもってはいる。つまり、存在者は〈私〉である身体との距離を有している。が、その距離が、〈私〉である身体との関係づけのためのものであるその限りで、やはり、世界は、〈私〉へと同化されているのである。意識は、世界内の諸対象を、〈私〉である身体のまわりに、とりまとめているのである。〈私〉へと向かうとりまとめをさらに強めて、ついに、〈私〉という身体に内化してしまえば、享受＝消費になる。そうなったときには、もはや、対象との間に、関係を保つための距離すらなくなっている。この場合、享受＝消費は、対象を同化する暴力でさえある。

意識との関係で享受を理解した場合には、おおよそ、以上のような構図を得ることができるのではないか。レヴィナスも、このように考えているように見える。少なくとも、前期のレヴィナスは。つまり、『全体性と無限』（一九六一年）[*6]までのレヴィナスは。

＊

だが、後期のレヴィナス、つまり『存在するとは別の仕方で あるいは存在することの彼方へ』（一九七四年）[*7]のレヴィナスの享受についての考察の中には、こうした構図の中に絶対に回収されない論点が含まれている。たとえば、呼吸という最も原初的な享受との関係で説かれる、次のような主張の中に、すでに、そうした論点が見えている。

空間の空虚が見えない大気によって――この大気は、風がそよぐときや嵐が迫ってくるときでなければ、知覚には隠されているのであるが――充たされているということが、知覚されるのではなく、内面性の襞にいたるまで私をつらぬくということ、この不可視性あるいはこの空虚は吸いこまれうるものであり、恐るべきものであるということ、無関心なものではありえない、この不可視性は、いっさいの主題化に先だって私を強迫するものであるということ、たんなる四囲が気圧として押しつけられ、この気圧に主体は屈服し、意図も狙いもなく肺までこの気圧に曝されているということ、主体はその実質の基底にあって肺でありうるということ――これらのことが意味するのは、存在に足をつけるに先だって苦しみ、みずからを提供する主体性である。この主体性は受動性であって、まったくもって耐えることなのである。[*8]

ここで言われているのは、次のようなことである。われわれは、通常、空気を知覚することもなく呼吸している。だが、呼吸するということは、肺の奥の襞まで空気によってさしつらぬかれることではないか。呼吸するだけでも、人は、たとえわずかであったとしても、痛めつけられ、傷ついている。このとき、人は、空気からの攻撃に耐えるほかない受動性である。こうした側面は、享受を消費と同一視するような解釈の中からは出てこない。厳密には、こうした側面への傾きは、『全体性と無限』の中にも見出されるのだが、しかし、それが明示的に議論の俎上に載るのは、『存在するとは別の仕方で』においてである。

つまり、何が問題になっているのか？　享受するということは、傷を受けるということなのである。たとえば、食べるということは、圧倒的な暴力性をもって対象となっている食物を身体に同化させるということ、そのことに尽きるわけではないのだ。同化は、〈私〉の胃、〈私〉の消化器官にとっては負担である。同化する度に、胃もまた傷を負っている。食べることにどれほどの快楽を覚えていたとしても、この事情は変わらない。というより、美味しいと感じて貪り食うとき、より一層、胃腸は食物から攻撃を受け、傷ついていることになる。享受に不可避に随伴しているもの、それは「傷」という契機である。人間は、傷つきやすいということ、傷つきうるということ、可傷性 vulnérabilité を逃れえないということ、このことが後期のレヴィナスにおいて初めて真に主題化されたことである。

享受を同化＝消費としてとらえた場合と、可傷性を享受の必然的な随伴契機として捉えた場合とでは、〈私〉と「他なるもの」との関係について、まったく異なる展望を得ることになる。前者においては、まず、「他なるもの」の同化（消費・消化）があり、その後で、異化・他化（排泄）がある。後者においては、そうではない。同化しているその最中に、「同（私の身体）」に還元・解消できない「異・他なるもの」との関係が、すでに始まっているのだ。〈私〉が、一見、同化する暴力的な主体性を発揮しているそのときに、受動的なるものとして意味づけられるのは、このためである。

4　愛撫

ここまでは、レヴィナスが、食や享受について明示的に語っていることである。われわれとしては、しかし、もう少し先まで進まなければならない。レヴィナスが、はっきりと語っていないことまで言わなくてはならない。しかも、レヴィナスを拒否したり、否定したりするのではなく、レヴィナスの主張の潜在的な含意を引き出すような形で、である。

ここまで述べてきたことだけであれば、人は、納得もしようが、同時に当たり前であるとも思うのではないだろうか。確かに、食べたり、呼吸したりすることによって、人は傷を負う。だが、これは、人間に限ったことではない。他の生物もまた、外部との物質代謝を通じて、傷を負ったり、衰えたりする。それどころか、これは、生体の特徴でさえない。つまり、これは生体だけを区別するような特徴ではない。道具や機械もまた、使ったり、働いたりすれば、消耗していくのだ。それらも、作動によって、劣化したり、壊れたりするだろう。レヴィナスの可傷性の概念は、こんな当然のことを記述しているのだろうか。こう問うてみてもよい。享受するとか、味わうという体験の中核的な特徴を捉えるのに、機械や他の動物にも共通しているこのような契機を主題化したとしても意味がないのではないか。何かが、まだ、概念的に把握されていないのだ。〈私〉が可傷的であるということ、つまり傷つけられるということは、〈私〉の外に、〈私〉が届かず、〈私〉が同化できないところに、〈私〉を傷つける主体がいるということである。〈私〉が受動性であるということは、〈私〉の身体を受動的なものとして定位する能動性が、〈私〉の外にあるということである。〈私〉が味わい、愉しんでいるとき、〈私〉は、いったい何を享受しているのか？　何に快楽を覚えているのか？　それは、〈私〉が傷つき、壊れていくことそのものではなく、〈私〉の外部にある、もうひとつの能動性ではないのか。

ここで、もう一度、レヴィナスを参照してみよう。レヴィナスにとって、享受のモデルになっているのは、味覚（食）とともに、触覚である。言い換えれば、味覚と触覚は、根本的な特性を共有していると見なされているのだ。触覚の方から味覚に迫ることができるはずだ。さらに、レヴィナスにあっては、触覚の中の触覚、享受としての触覚は愛撫である。愛撫とは何であろうか？　それは、愛撫ではないもの、愛撫と対照させられているもの、享受とは見なしえない触覚との差異を通じて明らかにすることができる。レヴィナスは、愛撫と触診とを比較している。触診は、触覚だが享受ではない。両者は、どう違うのか。

一見、両者は酷似している。というより、同じものにも見える。どちらの場合も、外からみれば、〈私〉はまったく同じことをやっている。〈私〉の指は、他者の皮膚に触れ、何かを探索するのだから。レヴィナス自身、気が付いてみると触診になってしまっている愛撫がありうる、と述べているのだから、両者は隣接している。しかし、何か肝心なことが違う。

『存在するとは別の仕方で』で、レヴィナスは、愛撫を謎めいた言葉によって規定している。それは、「それ以上ではありえないというほどにそこにあるものを、不在として求めつづける焦燥」だというのだ。あるものをないものとして、現前を不在として追い求めるとは、どういうことなのか？

これは、次のように考えればよい。〈私〉が、〈他者の〉皮膚に触れる。愛撫する。そのとき、〈私〉は、〈私〉の指は、同時に触れられているのを、触れ返されているのを感じる。触れられているということは、向こうに、彼方に、〈私〉に触れている作用、能動的な主体があるということである。それこそ、〈他者〉、他者としての他者である。この向こう側にある作用、向こう側にある能動性との関係において、〈私〉は受動的・受苦的である。この受動的な様相を、あえて、可傷的であると言ってもよいかもしれない。ここで、

〈私〉の指は、ただちに、〈私〉の指の方に触れ返してくる、向こう側の能動性を、まさにそのものとして捉えようと追い求める。だが、それは、かなわない。なぜなら、〈私〉がそれにしっかりと触れ、それを捉えてしまえば、それは、もはや、〈私〉の方に帰属する「触れる」という能動的な作用の受動的な対象でしかないからだ。つまり、それは、もはや、〈私〉の身体の方をこそ受動性として規定するような、〈他者〉の能動性そのものではありえないからだ。それゆえ、〈私〉の方に触れ返してくる、向こう側の――〈他者〉の――能動性は、〈私〉の追い求める焦りに対して、ただ逃げ去ったものとして、つまりはもはや不在であるものとしてしか現われようがない。こうして、レヴィナスの書いていることがはっきりとわかるだろう。〈他者〉は、向こう側の能動性は、まぎれもなくある。それ以上ありえないほどに自明にある。が、しかし、〈私〉の指は、不在として、もはや去ったものとしてしかそれを求めようがない。

　われわれは、こうした状況の全体を、身体の〈求心化〉と〈遠心化〉の作用として概念化してきた。先に、現象学が捉えている意識的な認識との関連で述べたように、世界は、〈私〉のこの身体に求心化された相で現われる。だが、愛撫においてみたように、〈私〉に求心化されたこの世界から逃れていく、という形式で現われる何かがある。「逃れていく」というこの運動は、〈遠心化〉と呼ばれるにふさわしい。逃れていく「何か」こそは、〈他者〉である。触診と愛撫の違いは、この概念によって説明できる。触診は、求心化のみを作動させている触覚である。このとき、〈私〉の指は、他人の皮膚を、対象としてのみ認識する。それに対して、愛撫においては、求心化と同時に遠心化が作用している。触診と愛撫では、積極的に捉え、知覚している対象は同じものである。しかし、愛撫は、これに加えて、〈不在〉を捉えている。つまり、愛撫は、今自分が捉えている対象が「すべてではない」ということを知っている。が、しかし、愛撫といえども、その対象を越えた何か、「すべてではない」を主張するところの何かを積極的に同定することはできないのだ。

さらに、付け加えておけば、こうした観点から〈近さ〉についてのレヴィナスの謎めいた議論も、理解可能なものとなる。レヴィナスは、〈近さ〉は物語りえないものだ、と述べている。つまり、〈近さ〉は、これを生きることはできても、認識し、同定することはできない、というのだ。〈近さ〉は、愛撫に託してここに論じてきた、〈他者〉との関係、〈他者〉との距離において典型的に現われている、と考えてみたらどうだろうか。〈他者〉の肌を愛撫しているとき、〈他者〉は近い。単に物理的に近いということではなく、〈他者〉がまさにここにいるということの限りない自明性のゆえに近いのだ。しかし、述べてきたように、その〈他者〉を、もう一つの能動性として追い求めると、逃げ去ってしまう。つまり、限りなく近いのに、逃げて行ってしまうのだ。これこそが、〈他者〉との〈近さ〉、認識し、物語ることができない〈近さ〉である。

5　カニバリズム――食の原型としての

享受としての触覚をめぐるここまでの洞察を、今度は、味覚に、食に投げ返してみると、どのようなことが言えるだろうか？　愛撫しているように、味わっているのだとすれば、どうであろうか？

愛撫において、人は、〈不在〉（去ってしまったもの）として〈他者〉を感じているのであった。同じように、食べることにおいて傷を受けているとき――ちょうど触れることにおいて触れられる受動性を感じるときと同じように――、人は、〈他者〉を、つまり食物に〈他者〉を感じているのではないか。つまり、食物は、〈私〉によって内化されてしまう対象であると同時に、たとえどんなにかすかなものだとしても、味わっている〈私〉の方を対象化していく能動的な主体性を宿しているのである。触診と愛撫が違うように、摂食することと味わうこととは違う。摂食の対象は、栄養を含んだ物質である。だが、味わっているとき、食物は、最小限ではあっても、〈他者〉性を帯びているのではないか。ということは、何を含意しているのか。享受されている食物は、〈私〉にとっては、この〈私〉と同じように生きている（かのように感受されている）のだ。つまり、カニバリズムだ！　カニバリズムなど、ほとんどありえない、例外中の例外であるような食の形態であると、一般には考えられている。まして、生きている人肉を食べるなどということは、ありえない、と。だが、レヴィナスを経由してここで導いてきた結論は、これとはまったく逆になる。カニバリズムこそが、食の原型、享受としての食の本来の姿だ、と。

とんでもない！　人はそう反発するに違いない。ほとんどの人、まったく文字通りの意味でほとんどの人は、一生、カニバリズムなど経験することはない。まして、その肉が、生きているとしたら、あまりにもおぞましく、気持ち悪くて、とうてい食べることはできないだろう。「人を殺したら死刑になるが、その殺した人を食べれば無罪になる」というジョークがある。人肉を食べるなど、理性的な人間のなしうることではなく、もしそんなことをほんとうにやったとすれば、その人物は、責任能力をまったく欠いた狂気に陥っていると見なされるからである。

だが、考えてみよう。たとえば、濃厚な性的なプレイ、激しい性交もまた、それをまざまざと見せつけられ、精密に記述されれば、やはり、おぞましく、嫌悪感をもよおすものではないだろうか。このとき、極度の嫌悪感と最高の快楽は一致する。むしろ、両者は相互に高め合うような相乗的な関係にある。そもそも、性器は、それ自体として直視するならば、やはり、とてつもなくおぞましい。一般には最も嫌悪感を惹起（じゃっき）するようなことやものが、愛し合う恋人同士の間では、最も強く欲望されていることでもあるのだ。この性的なものに対して覚える嫌悪感は、カニバリズムを想像したときにわきおこってくる嫌悪感と似ていないだろうか。「性器」の例が示しているように、最高度の嫌悪感から出てくる斥力と最高度の欲望を誘発する引力は、両立しうるのだ。

しかし、いずれにせよ、カニバリズムなど実際には、まったくないではないか。現実には、誰も、生きた人肉を食べたりしないではないか。それなのに、食の享受の原型に、カニバリズム的な志向を見ることができるのか。だが、現実にはカニバリズムがないという事実と、食べ味わうことの中にカニバリズム的な要素が含まれているということとは、矛盾しない。それどころか、現実にはカニバリズムが見られないということ、そのことこそが、逆に、ここで述べてきたことを裏づけている、とすら解釈できるのである。

この点を理解するためには、性的なものとの類比をもう少し前に進めてみるとよい。たとえば、ロマンチックなラブストーリーにおいては、恋人同士のラブシーンが、詳しく描かれたり、映されたりはしない。小説でも、映画でも、「肝心なこと」は、暗示的にしか示されない。映画であれば、恋人同士が二人で部屋に入っていくシーンだけが撮られたり、性交後の乱れたベッドだけが映されたりするのだ。だからといって、読者や観客が興ざめするわけではない。むしろ、「それ」をはっきりと映してしまうポルノグラフィの方が、観客をはるかに失望させる。いきなり性器を大写しにしてしまうようなハードコアなポルノを観たときの、暗澹たる気分を想い起こせばよい。

一般のラブストーリーの暗示的な表現手法は、レヴィナスが愛撫について述べたことの律儀な現実化と見なすことができる。つまり、〈他者〉は、不在（はっきりと現われることのないもの）としてのみ追い求められているのだ。食についても同じではないか。ラブストーリーにおいて、性行為は到達することができない不在の対象である。同様に、カニバリズムは、通常の食事においては、不在であり、到達できないもの、禁じられたものである。だが、ラブストーリーにおける暗示の技術に対応するものが、食の場合にもある。それこそ、料理という技術ではないか。人間は、必ず、料理してから食物を味わう。料理こそは、食の領域において、「それ以上ではありえないというほどにそこにあるもの」を不在として浮上させる技術ではないだろうか。

＊

さて、長い回り道を通ってきた。カニバリズムは、食において、到達できない虚の焦点のようなものになっていると論じてきたが、聖餐においては、カニバリズムがそのまま擬態される。そこで演じられているのは、食の隠された本質である。

聖餐において、人々は、キリストの身体を断片化して口に入れる。ちぎられたキリストの肉を食し、搾られたキリストの血を飲むのだ。このとき、細分化されたキリストの肉や血は、あのグリム童話のわがままな子どものように、未だ生きているのである。つまり、それらは、生ける死者である。身体の有機的な全体性から切り離され、断片化された、キリストの肉と血は、かつて、ドゥルーズ＝ガタリがアルトーから借用してきたあの概念、「器官なき身体 corps sans organes」という概念を想起させる。

中世の聖遺物や聖人の遺骸に関して、驚かされることのひとつは、それらがいくらでも細かくバラバラにされるということである。聖人の全身が残っているかどうか、ということはほとんど問題にされない。むしろ、聖人の身体は、多数の細かい欠片（かけら）にまで分解され、各地にばらまかれていく。この分割された聖人の身体は、聖餐のカニバリズムにおいて、無限に断片化されて、信者たちの口に入れられている、キリストの身体を連想させる。

このキリストの死体、キリストの生ける死体は、聖霊の共同性とどのように関係しているのか。本章の考察は、すでにヒントを与えている。食ということが、〈他者〉の感受ということといかに深く直結しているのかが、示されたからである。

＊1　「早すぎる埋葬」が惹き起こした恐怖やそれへの対応に関しては、次の文献を参照している。市野川容孝『身体／生命』岩波書店、二〇〇〇年。

＊2　ジャック・ジェリス「身体、教会、聖なるもの」玉田敦子訳、『身体の歴史Ⅰ』藤原書店、二〇一〇年、一一三―一一五頁（Jacques Gélis, "Le corps, l'Église et le sacré," *Histoire du Corps I*, Paris: Seuil, 2005.）。

＊3　この民話に与えられているドイツ語のタイトルは、"Das eigensinnige Kind"である。eigensinnig と

いう形容詞は、日本語の「わがままな」というより、「頑固に自分を通す」といった含みが強い。「わがままな子ども」と訳してしまうと、この子が、生前、母親の言うことをきかなかったということに重心があるという印象を与えるが、実際には、この話の中心は、いくら地中に埋めても埋めても腕を出してくる子どもの驚異的な執拗性の方にある。

＊4　ジェリス、前掲論文、一一六頁。

＊5　何よりも、われわれは、熊野純彦による、究極の明快さをもったレヴィナス論を参考にしている。これなくして、ここまでシンプルにレヴィナスの思考を整理することはできない。以下を参照。熊野純彦『レヴィナス入門』ちくま新書、一九九九年。同『レヴィナス　移ろいゆくものへの視線』岩波書店、一九九九年。

＊6　Emmanuel Levinas, *Totalité et infini*, 1961.（『全体性と無限』熊野純彦訳、岩波文庫、二〇〇五、〇六年）。

＊7　Emmanuel Levinas, *Autrement qu'être ou au-delà de l'essence*, 1974.（『存在するとは別の仕方で　あるいは存在することの彼方へ』合田正人訳、朝日出版社、一九九〇年）。

＊8　『存在するとは別の仕方で』からの一節だが、熊野純彦の訳によっている。『レヴィナス入門』一六七―一六八頁。

第9章　教会を出産する傷口

1　「キリスト・イエスに結ばれている限り」

三位一体において、どうして「子なるキリスト」が必要なのか？　ヘーゲルに導かれながら、このような疑問を提起しておいた（第6章）。三位一体とは、「父なる神」と「子なるキリスト」と「聖霊」とが神の三つの位格であると同時に同一実体であるとする説であった。三位一体はキリスト教神学の最大の争点であり、謎である。キリスト教が、他の宗教から、たとえばユダヤ教やイスラム教から批判されたり、嘲笑されたりする原因も、この奇妙な説にある。三位一体だとすると、キリスト教は一神教なのか多神教なのか？まったく不可解であると言うほかない。

とはいえ、位格が三つではなく、二つであったとすれば、謎は一挙に氷解する。すなわち、父なる神と聖霊とが同一実体の二つの位格である、とする命題であれば、容易に合理的な解釈を与えることができるのである。聖霊は、信者たちの共同体に対する宗教的な言い換えであると考えればよい。そうすれば、神と聖霊との関係は、マルクス主義者がいうところの物象化の論理によって説明することができる。あるいは、ベネディクト・アンダーソンの「想像の共同体」の論理によっても、捉えることができる。たとえば、「日本人」とか「日本」が想像された実体――つまり一種のヴァーチャルな実体――であるというのは、諸個人が、その存在を前提にして生きているということである。日本の国益のために行動したり、日本人としての責任や誇りを感じたり、といった形式で。だが、その実体は、マス・メディアのような技術や経済的現実、政治的制度等によって媒介された社会的協働連関の特定のあり方が物象化されたものにほかならない。このように関係のあり方が、単一の実体として物象化され、また外化（疎外）されて現われることがある。神と聖霊の関係も、このように解釈すればよい。神とは信者の共同性（聖霊）の物象化された姿である、と。ヘーゲル哲学の用語と関係づければ、神は即自に聖霊は対自に対応する。

したがって、神と聖霊の二位一体であれば、困難はどこにもない。つまり、二かつ一であることには、単純な合理性がある。事態を解き難いものにしているのは、子なるキリストという項である。実際、東方正教会では、この困難に耐えられず、妥協が図られる。聖霊は、父（なる神）からのみ発出する、として、聖霊の源泉から「子」を排除したのである。無論、これは、キリストの神性を否定し、厳密な意味での三位一体を放棄するに等しい。

しかし、西方キリスト教では、つまりカトリックでは、子なるキリストと父なる神との同格性は保持された。キリスト教のキリスト教たる所以は、子なるキリスト（の神性）にある。実際、イエス・キリストが普通の人間であった——つまり立派な預言者であった——という解釈であれば、ユダヤ教徒やイスラム教徒でも十分に承認しうるアイデアであった。

パウロは、キリスト教の「普遍性」について、次のように述べている。「ユダヤ人もギリシア人もない。奴隷も自由人もない。男も女もない」、と。つまりは、「われわれは皆おなじ人間だ」ということであろうか。だが、パウロは、一足飛びでそのような結論に至るわけではない。ここにあるような民族的帰属や性の差異の中断に際しては、ある限定が付いているからだ。「キリスト・イエスに結ばれている限り」という限定が、である。このような条件があると、イエスを救世主として承認する人とそうではない人との間に新たな差異が設定されてしまう——そのことで普遍性が阻まれる——ように思えるのだが、パウロは、このような限定を入れる。

この事実は、子なるキリストの必要性はどこにあるのか、という問題を考えるヒントになる。聖霊が普遍的な共同性に至るためには、父なる神だけでは不十分で、どうしても子なるキリストが必要だと考えられているのである。実際、こうした思想には、西洋中世に定位した社会的現実が対応している。われわれはすでにこの点を確認している。中世の都市共同体は、しばしば、キリストの死体に対する等価的な代理物を核として形成されてきたのだ。代理物とは、聖遺物、聖人の死体のことである（第6章）。西洋中世における聖人崇拝の氾濫は、子なるキリストへの信仰を基底におかなくては説明できない。

さて、そうすると、問題はこうである。聖霊が普遍的な共同性に達するのに、どうして子なるキリストが、イエス・キリストの死体が必要だったのか、と。今や、この懸案の問いに答えられるときがきた。

2　死者の現前──日本戦後史の例から

だが、理論的な説明に入る前に、日本の標準的な読者にも容易にイメージがわく例を提供しておこう。それは、次節以降に展開する論理が、キリスト教の教義に内在するものではないこと、つまりキリスト教を離れた一般的な妥当性を有するものであることを理解する助けになるからである。

一九六〇年六月十五日は、日本で市民運動・左翼運動に関与してきた者にとっては、忘れようにも忘れられない日になった。この日は、六〇年安保闘争の中で、当時東大生だった樺美智子（かんばみちこ）が死亡した日だからである。一九六〇年当時、新たに締結される予定の日米安全保障条約は、日米共同防衛や在日米軍の配備を規定する等、日本を戦争に巻き込む恐れがあるとして、労働者、学生、一般市民を巻き込む、文字通り国民的規模の反政府運動が起きた。これが、いわゆる安保闘争である。樺美智子の死は、この闘争の渦中で起きた。彼女は、いわゆるブント（共産主義者同盟）——反スターリン主義を明示的にかかげて、共産党から独立して形成された左翼グループ——の一員だった。六月十五日に、樺は、全学連主流派とともに国会議事堂に突入し、警官隊と衝突し、死亡した。運動への過酷な弾圧に問題があったとして、警察と政府は厳しく批判された。

樺美智子の死が、当時の——さらにその後の——日本の市民・左翼運動家たちにいかに深く悼まれ、彼らを勇気づけたか、また彼らの間の団結の深さや拡がりを生みだしたのか、こうしたことを、少なくとも六〇年安保以前に生まれた日本人であれば、たいてい知っている。日本だけではない。[*1]当時、毛沢東（もうたくとう）も、人民日報紙上で、「樺美智子は全世界にその名を知られる日本の民族的英雄になった」と語っている。

同じような、闘争に殉じた死は、その後の日本の左翼運動では、何回か繰り返されている。たとえば、「10・8（ジュッパチ）ショック」と呼ばれた、一九六七年十月八日の、京大生・山崎博昭（やまざきひろあき）の死をその中に加えてもよいだろう。この日は、佐藤栄作（さとうえいさく）首相が、南ベトナムを含む東南アジア諸国を訪問するために、日本を発つ日にあたっていた。日本のベトナム戦争への加担に反対していた新左翼系の諸セクトのメンバーは、佐藤栄作の訪問を阻むために、羽田空港に集結し、機動隊と衝突した。この衝突で、中核派の山崎博昭が死亡した。この紛争は、後に「第一次羽田闘争」と呼ばれた。[*2]

この闘争は、当時の大学生にたいへんな衝撃を与えた。そのとき、東大法学部の四年生だった川本三郎（かわもとさぶろう）は、次のように語っている。

「彼〔山崎博昭〕は死んだのにお前はそのとき何をしていたのか？」という問いに誰もが悩まされた。いわゆる〝10・8（ジュッパチ）ショック〟である。全共闘世代といわれる世代の人間にとっては、この一九六七年十月八日は、忘れられない〝メモリアル・デー〟になった。[*3]

原武史（はらたけし）の解釈では、川本三郎の思想の根底にあるのは、死に対するこだわりである。この事件から約十年後に『展望』に寄せた論文「同時代を生きる『気分』」で、川本は、「無数の死者のうめきに似た言葉」を聞き取ろうとしている、と書いている。[*4] その「無数の死者」の、おそらく先頭に置かれているのが、山崎博昭である。

もう一例だけ挙げておこう。川本三郎と同じように全共闘世代に属する村上春樹（むらかみはるき）は、一般には、六〇年代末期から七〇年代初頭の左翼運動から身を引き離したところから出発した作家であると解釈されている。村上の「デタッチメント」の手法は、彼がデビューした七〇年代最末期の気分とよく適合した。しかし、加藤典洋（かとうのりひろ）によれば、このような解釈は皮相である。[*5]

たとえば、村上の初期の短編の一つに「ニューヨーク炭鉱の悲劇」（一九八一年）という、小説がある。七つの断章からなるこの短編は、あまり関係がなさそうな三つの話から成り立っている。「僕」で指示されている話者は、二十八歳の青年である。第一の話は、台風や集中豪雨のたびに動物園を訪れるという友人との交流を描く。その年は「おそろしく葬式の多い年」で、「僕」は、葬式のたびにこの友人から喪服を借りる。第二の話は、同じ年の大晦日のパーティの話である。そこで「僕」は、四歳くらい年上の女性に出会う。彼女は、五年前に、「僕」とよく似た若者を殺したことがある、と語る。第三が、「ニューヨーク炭鉱の悲劇」というタイトルに直接つながる話である。炭鉱での落盤事故で生き埋めになり、助けを待っている炭鉱内の坑夫たちのやり取りを描いている。実は、「ニューヨーク炭鉱の悲劇」は、ビージーズのヒット・ナンバーのタイトルである。ビージーズの曲は、ベトナム反戦の主張を込めた作品で、炭鉱で生き埋めになった坑夫は、ベトナムに派遣された兵士の隠喩である。

この村上の作品を読んだ者は、たいてい、「何を言いたいのかさっぱりわからない」と思うことだろう。だが、加藤典洋によれば——ここでは詳しく根拠を挙げないが——、この作品には、六〇年代末期以来の、日本の左翼運動の死者、とりわけ「内ゲバ」（セクト間の抗争）による死者への思いが込められている。たとえば、地下に生き埋めになった坑夫は、日本社会から見はなされてしまった、内ゲバの死者たちである。第一の挿話に出てくる、豪雨の日の動物園の動物も、同じように、閉ざされたところで見はなされている者たちであろう。第二の挿話で、女性がかつて「僕」そっくりの若者を殺した年は、加藤の計算では一九七二年になるはずだ。一九七二年と言えば、浅間山荘事件があった年であり、連合赤軍はその事件の直前に、リンチによって多数の仲間を殺している。[*6] つまり、村上も、川本と同様に——そしておそらく同世代の加藤典洋も加えて——死者たちのうめき声を聞き取ろうとしているのである。

さて、これらの事例は、何のためにここで引かれているのか。これらすべての例において、死者（樺美智子、山崎博昭、内ゲバの犠牲者）が人を動かしているからである。死者が、人を思索に駆り立て、小説の創作を促し、さらには、継続的な運動の必要を実感させ、運動のための組織の団結を生みだしている。実際に考えたり、小説を執筆したり、運動を組織したりするのは生きている者なのだから、死者がいなくても状況は本質的には変わらない、と考えたら大間違いである。これら死者たちがいなかったら、批評的な思索も小説の創作も、そして運動組織の深い団結もありえなかっただろう。当事者たちの現象学的な意識に定位すれば、これらすべての例において、真の主体は死者である。たとえば、詩人や芸術家は、語っている／創造しているのは「私」ではない、誰とも特定できない非人称の「何か」である、と感じる。シュルレアリストが言う「自動書記」はその典型である。ここでわれわれが日本の戦後の左翼運動史から引いてきた諸ケースでは、その非人称の主体の位置に死者がいるのだ。死者が運動を継続させ、人々を組織しているのだ、と。

これらの左翼運動が継続したり、集団的な拡がりをもったり、あるいは生き残った者たちの思いの中で持続したりするためには、死者の現前が、あるいは死者のありありとしたイメージがどうしても必要になる。ここで提起したい仮説は、キリストの死体もまた、これらと同じように機能していたのではないか、ということである。死者としてのキリストの現前が、聖霊という共同性を組織し、その拡がりを可能にしていたのではないか。キリストはこう言ったと理解されている。「あなた方〔弟子たち〕の間に愛があるとき、私はいつもそこにいる」と。本節で見てきた事例においても、生き残った者たちが、死者の声を聞き取りながら、団結しようとしているとき、まさに死者はそこに生きて、いたのではないか。

このように考えれば、聖霊の共同性が普遍的な拡がりをもつために、「子なるキリスト」が不可欠であったとするここでのテーゼに対して、直感的な理解をもつことができるだろう。これを、さらに概念的な理解にまで高めていかなくてはならない。

3　ペルソナという概念

三位一体の教説における「位格」は、ギリシア語の「ヒュポスタシス」である（そして実体が「ウシア」であった）。この語「ヒュポスタシス」は、ラテン語では「ペルソナ persona」と訳された。ペルソナは、言うまでもなく、今日の「人格 person」の語源である。「ペルソナ」というラテン語に直接に対応関係をもっているギリシア語は、本来は、「ヒュポスタシス」ではなく「プロソーポン」である。プロソーポンとは、「顔」という意味である。つまり、西方のラテン世界は、三位一体論を翻訳する際、「ヒュポスタシス」を、もともとは「プロソーポン」の訳語であった「ペルソナ」によって解釈したのである。

いわゆる「キリスト論」においては、キリストは、「人性と神性という二つの本性(ピュシス)をもつ一つの位格(ヒュポスタシス)」であるとされる。ここでも、当然ながら、「ヒュポスタシス」の訳語は「ペルソナ」である。ところで、一般に、ギリシア哲学の伝統に従えば、事物は、本性（本質）であることにおいて存在する。たとえば、石はまさに石として存在し、犬は犬として存在し、また人間も人間として存在する。このように本性と存在は一体である。しかし、こうした構成は、キリスト論にとっては、まことに不都合である。キリストは二本性を担うからである。もし本性が存在と不可分であるとすれば、二本性を担うキリストは、異なる二つの実体になってしまう。キリストは人性だけを持つとするアリウス派のような異端が出てくる論理的な必然性は容易に理解できる。

異端を回避するにはどうしたらよいのか。本性を担うところの、存在の基体――つまりヒュポスタシスまたはペルソナ――を、本性から切り離すしかない。つまり、どのような性質をも担わない裸の存在を、裸の個体的存在を想定しなくてはならない。このような存在の概念は、ギリシア哲学にはなかったものである。これによって、本性と個体との間の優劣関係が逆転する。本来の構図においては、個体が存在するためには、本性を担わなくてはならない。「石である」とか「犬である」といった本性をもったとき、初めて、それは存在することができる。本性が個体に存在を与える、というわけである。だが、キリスト論を維持するためには、この構図を逆転させて、ペルソナ（ヒュポスタシス）という個体的存在がまずあって、それが本性を担う、と考えなくてはならなくなる。坂口（さかぐち）ふみによれば、三位一体論の最大の成果は、「個体」の概念を産み出したことにある。個体の概念が、今日では神学や宗教とは独立に用いられている「人格 person」の語に受け継がれ、反響している。[*7]

六世紀の初頭、ボエチウスは、東ローマで主として展開していたキリスト論論争を、西ローマに紹介する際、「ペルソナ」を、「理性的本性を持つ個的実体」と定義した。この定義には、今日の「人格」に通ずる意味内容がすでに盛り込まれている。この個体としての「ペルソナ」の概念は、西方キリスト教世界の神学・哲学の中で継承され、研ぎ澄まされていった。その過程を、坂口ふみは、簡単に跡づけている。[*8] たとえば、ポワチエのジルベール（一二世紀）は、ボエチウスを解説しつつ、「単一者 singulare、単一性 singularitas、単一的実在 singularis subsistentia」について語る。あるいは、トマス・アクィナスの「esse（存在）」の概念にも、「ペルソナ」の含意は継承されている。「存在そのもの ipsum esse」という語を最初に使ったのも、ボエチウスである。

　こうした継承の終着点には何があるのか。ドゥンス・スコトゥスの「個体」の概念こそ、まさにそれであろう。この概念について、われわれは、すでにパースや坂部恵に導かれながら、考察を加えておいた（第7章）。スコトゥスの「個体（性）」の根本的な特徴、それは、不確定性にこそある。個体は、何であるとも定義することができない。ここにこそ、個体の個体たる所以がある。この点は、個体の源流が、人性からも神性からも――つまりいかなる本性（ピュシス）からも――解放されたペルソナにあったことを思えば、納得がいくだろう。あるいは、個体を指示する固有名は確定記述（個体を諸性質によって定義する試み）に置き換えることができない、という現代の分析哲学の知見は、個体の本来的な不確定性を裏打ちするものだと解することができる。

　スコトゥスの個体の概念は、いわゆる普遍論争に決着をもたらすもの――あるいは少なくとも決着への鍵を提供するものである。近代的な世界観を前提にしたとき、個体の概念を前面に押し出すスコトゥスは、唯名論（実在するのは個々のものだけだとする説）と実在論（「犬（一般）」とか「人間（一般）」のような普遍者が実在するとする説）の対立において、当然、前者に属するのではないか、と理解したくなる。しかし、この論争において、スコトゥスは、実在論の方に属していると見なすのが一般的であり、唯名論を唱導したオッカムのグループと対立していたとされる。どうして、スコトゥスが実在論に親和的であると見なされたのだろうか？

それは、次のように考えることによって解決されるだろう。個体の不確定性が極限にまで推し進められたとき、個体の個体たる所以、つまり個体の個体性・単一性さえも不確定化し、否定にまで推し進められるのだ、と。「個体が単一であること」までもが不確定なものとなり、「個体が一であるのか／二であるのか」「個体が同一であるのか／他であるのか」さえも決定できないとしたらどうであろうか。このときこそ、個体そのものの内に、普遍への通路がある、と見なすことができるのではないか。実際には、スコトゥスはここまでは主張してはいない。だが、スコトゥスの個体概念のポテンシャル（潜在的可能性）を徹底的に引き出せば、このように主張することもできるのではないか。われわれは、思い切った補助線として、アゴタ・クリストフの『悪童日記』を援用することによって、こうした含意をすでに示唆しておいた（第7章）。『悪童日記』の主人公（たち）は、純粋な素朴さにおいて、キリストの説く隣人愛を、実践の内に移してみせる。ところが、彼（ら）は、個人なのか双子なのか、一人なのか二人なのか、一なのか二なのか、確定することができない。スコトゥスの個体（性）とは、このようなところまで行き着きうる。

ところで、もし、この個体の概念が、普遍論争を超克しうるものであるとすると、われわれの目下の考察にとってはすこぶる興味深い。個体の源流は、ここに述べたように、キリストのペルソナである。この個体に、もし単一（特異）であることと普遍であることとを架橋する機能があるとすればどうであろうか。われわれの問いは、聖霊が普遍的な共同性へと至るにあたって、子なるキリストの媒介が必要であると見なされたのはどうしてなのか、にあった。とするならば、ここには、答えへの手掛かりがあるのではないか。

4　教会を出産するキリストの傷口

だが、一であり二（他）である個体などというしろものは、まったく神秘的に過ぎて、およそ合理的に把握しえないものではないか。そんなことはない！

その点を理解するためには、前章で論じたこと、聖餐に関して考察したことを想起する必要がある。われわれは、エマニュエル・レヴィナス等の議論に依拠しつつ次のように論じた。人間にとって食の原型はカニバリズムである、と。聖餐において、実際、われわれはカニバリズムを擬態する。キリストの血を飲み、肉を食べるのだ。聖餐は、だから、（人間の）食の本来性を純化し、誇張して提示するものである。ここで重要なことは、食という営みそのものではない。そうではなく、食をカニバリズムとして構成する一般的なメカニズムである。それは、食に限って見出されるものではない。

そのメカニズムを、われわれは、人間の身体が発揮する〈求心化〉と〈遠心化〉の作用の共軛（きょうやく）性によって説明したのであった。食べること、享受することが可傷性を伴うのは、求心化すること（同化・消化すること）が同時に遠心化（傷つけられること）でもあるからだ。同じ二重性、〈求心化―遠心化〉の二重性は、身体に帰属するあらゆる心の働きに見出すことができる。レヴィナスは、食と触をしばしば類比させているが、それは、触覚において、求心化と遠心化の作用の表裏一体性を最も明確に認めることができるからである。

さて、まず、次の点を確認しておこう。〈私〉がまさにこの〈私〉であること、〈私〉が絶対的に特異的 singular であること、つまり、〈私〉が宇宙そのものの唯一性にちょうど匹敵する単一性 singularity をもつこと、このことの究極の根拠は、〈求心化作用〉にある。宇宙は、今・ここの〈私〉を求心的な参照点としてのみ現われるからであり、かつ、その求心点であるところの「今・ここ」は、定義上、〈私〉によってのみ占められるからである。ここまでであれば、しかし、とりたてて新しい論点を含んではいない。こうしたことは、たとえば現象学がすでに強調してきたことである。あるいは、デカルトの「コギト」やカントの「超越論的自我」の概念においても前提にされていることである。ところで、求心化作用と遠心化作用は厳密に連動しており、むしろ両者は、同じことの二側面であった。たとえば、触れること（求心化）は触れられること（遠心化）であり、見ること（求心化）は、見られうること、見られること（遠心化）である。遠心化作用を通じて、〈私〉に対して〈他者〉が必然的に顕現する。前章で用いた慎重な表現にあらためて訴えれば、〈他者〉は、〈私〉から逃れ行くものとして、〈〈私〉の宇宙から〉もはや去ったものとして、つまりは否定・屈折を孕んで、たち現われるのだ。〈私〉が〈他者〉をその他者性のままに把握しようとしても、〈他者〉は（すでに）不在という形式でしか現われないが、だからといって、〈他者〉の存在が、〈私〉にとって疑わしいものになるわけではない。〈他者〉の存在は、〈私〉がここにいるのと同じ程度に――〈私〉にとって――自明である。これが、〈求心化〉と〈遠心化〉が厳密に相即しているということの必然的な帰結である。

ここから、一つの逆説的な結論が導かれる。「〈私〉がここにいること」、この命題と、「〈他者〉がそこにいること」はまったく同値（同じ意味）である。〈私〉の「ここ性」と〈他者〉の「そこ性」はまったく互換的なのだ。それゆえ、純粋に論理的には、こう言わなくてはならない。〈私〉とは〈他者〉である、と。

ところで、これこそ、前節でスコトゥスの個体概念を徹底させる中に導き出そうとしたことではないか。〈私〉という単一性が同時に〈他〉でもあるということになるからである。つまり、個体の一性の中に、すでに他性（二性）が含まれているという逆説は、求心化作用と遠心化作用の厳密な一体性から導かれる事実なのである。

＊

さて、謎の核心は、子なるキリストにあった。キリストの身体、死にゆくキリストの身体——あるいは「殺しても死なないキリストの身体」と言うべきか——を通じて、信者たちが体験していること、これを一般的な水準で捉えれば、述べてきたような〈求心化―遠心化作用〉である。それは、言うまでもなく、信者自身の身体を求心点とし、キリストの身体を遠心点とするような体験である。

たとえば、キリストの脇腹の傷に対する中世の人々のエロチックなまでの関心を想い起こすとよい（第3章）。信者は、その傷を見つめ、そして触れようとする。聖トマスがそうしたのと同じように、である。傷口はしばしば女性器のように描かれている。見つめたり、触れたりしているうちに、信者たちは——とりわけフォリニョのアンジュラのような熱心な信者は——、傷口を通じて自分の身体が吸いこまれていくかのように感じるのだという。つまり、信者は、やがて、自分がここにいるのか、それともあちら――キリストの身体の内側――にいるのかわからなくなってしまうのだ。これこそ、求心化作用（ここ）と遠心化作用（あちら）の両者が、これ以上にはありえないほどの純粋状態で活性化している様であると言うほかない。

傷への関心は、キリストの血に対する愛着につながっている。たとえば、聖者たちは、ときどき乳（母乳）のように表象されることもあったというこの血を集め、また飲んだとされている。一般の信者もまた、聖餐において、この血の隠喩的な代理物を口に入れるのだ。ここで、あの「足萎えの王」の物語――「円卓の騎士」の物語群の中のひとつ――に立ち戻ってみよう（第３章）。この王は、足に深い傷を負っているために、外出することもままならず、ほとんど無為の内に閉じこもり、実質的な統治の活動に携わらないままただ君臨するだけである。この無為の王の傷は、どうやって癒されたのか。ガラハッドが探し出してきた槍の先についていた血を、傷口に塗り付けることで、傷はたちどころに完治してしまうのだ。この槍こそは、キリストの脇腹を刺したとされるあの槍である。先端の血は、言うまでもなく、キリストの血である。われわれは、このような血の呪力のイメージへと結晶していく、体験の原点――求心化と遠心化――を抉り出してきたのだ。

キリストの傷は、しばしば女性器に見立てられていた、と述べた。実際、一三―一四世紀には、この傷口から女児が産み出される絵が頻繁に描かれた。この女児、生まれたときから王冠を被っているこの女児こそは、教会、つまりキリスト者の共同体の寓意である。

われわれの疑問はこうであった。聖霊の普遍的共同体に達するために、どうして、神のみならず、子なるキリストが必要だとされていたのか?

われわれは、この問いに、とりあえず現段階では、次のように答えることができるのではないか。普遍性に到達するためには、無限に〈他者〉を、共同性の内に吸入する開口部——キリストの身体に開いた傷のような開口部——が必要である。人間の体験の最も基礎的・原初的な水準にまで遡行するならば、それは、身体の〈求心化〉と〈遠心化〉の作用が直接に、いかなる妨害もなく現われ出うる場でなくてはならない。〈求心化〉と〈遠心化〉の同権的・同時的な活動によってこそ、〈私〉は〈他者〉とまったき純粋性において出会うからである。あるいは、この二つの作用によってこそ、〈私〉は、自分自身がすでに〈他者〉であることを受け入れるほかないからである。こうした体験を、「隣人愛」と呼んでもよいかもしれない。キリストの身体、キリストの死んでも死にきれない身体は、〈求心化—遠心化〉の作用を常に活性状態に保つ触媒のようなものではないだろうか。つまり、キリストの身体は、即自的には神として現われ、対自的には聖霊として捉え直される共同体を、普遍的な連帯の可能性へといつまでも開いておく媒介なのである。だから、キリストとの結びつきによって、ギリシア人だとかユダヤ人だとか、男であるとか女であるとかの差異が停止する、とされたのだ。父と聖霊に加えて子が導入されなくてはならなかった必然性は、ここにある。

こう考えると、西方ラテン文化が、ヒュポスタシス（位格）の訳語として、ペルソナを充てたのは適切であった。先に述べたように、ペルソナ（ラテン語）、つまりプロソーポン（ギリシア語）の原義は「顔」である。顔は、レヴィナスの最も重要な哲学的主題の一つである。顔の特権性はどこにあるのか。それが「顔」であるとは、〈私〉が見ているその対象の方こそが、〈私〉を見ているということを、つまり、その対象との遭遇において求心化と遠心化がともに十全な状態で確保されていることを意味しているからである。

あの「死の舞踏（ダンス・マカーブル）」を誘発する力もまた、以上の論理の延長上で説明できるのではないか（第７章）。それは、生者たちが死者に連れられるようにして墓所へと向かう行進——ゆっくりと踊るようにして前に進む行列——を描いた図像である。この死者を聖人（聖遺物）に置き換えた上で儀礼化すれば、中世の都市で最も重要だった行事「プロセッション」になる。さらに、そうした死者の中の死者、至高の死者こそ、言うまでもないことだが、キリストである。

求心化—遠心化作用のシンプルで直截の帰結は、自己と他者の身体の共鳴的な同調、ほとんど伝染のような相互的な模倣である。〈私〉が為していることと〈他者〉が為していることとの一種の混同こそが、求心化しつつ遠心化するということなのだから。死者の身体が、生者たちにこうした共鳴的な同調の波を引き起こす震源地のようなものとして機能したらどうだろうか。このとき出現するものこそ、死の舞踏にほかなるまい。死の舞踏は、キリストの身体を原点として中世で起きていたことの、小規模な反復だったのではないだろうか。

5　『綴り字のシーズン』

父なる神と子なるキリストと聖霊の三つの契機がひとつの同じものとして統合されて機能しなくてはならない。聖霊なる共同体が普遍性を獲得するためには……。このように論じてきた。子なるキリストは、神性と人性とを不可分なものとして併せ持っていなければならない。さて、以上の論理の展開を追ってきたとき、次のような疑問をもたないだろうか。それならば、今度は父なる神を省略することはできないのか、と。父なる神がいるから、つまりキリストが父なる神と同一でもあるとされるがゆえに、キリストにおいて神性と人性とが結びつくという奇妙な逆説を受け入れざるをえなくなるのだ。初めから、父なる神の存在を想定しなかったら、やっかいな論理を避けることができるのではないか。

しかし、そういうわけにはいかないのだ。つまり、神がなければ、キリストもまた機能しないのである。（父なる）神は、とりあえず、「普遍性」として君臨する。「普遍的」価値の守護者としてそれは存在する。が、神において完遂されたとされている「普遍性」は、実際には常に不完全である。常に、その度に、この「普遍性」の未了性を開示し、普遍化をさらに前進させる契機として子なるキリストがある。したがって、神において一旦措定された「普遍性」を荒々しく否定する契機が必要になる。つまり、父なる神は、否定されるべき契機としてやはり必要になるのだ。この否定を端的に表現すれば、「神性は人性である」という逆説的命題に集約される。その命題を一挙に具体化している身体が、キリストである。

＊

本章での考察の最後に、神のこのような意味での否定の効果の寓話的な表現として、現代の映画作品を解釈してみよう。ここで俎上に載せるのは、『綴り字のシーズン』（二〇〇五年）だ。マイラ・ゴールドバーグの小説を原作とし、スコット・マクギーとデヴィッド・シーゲルの二人が監督したこの映画は、表面的には、典型的なハリウッド版の家族ドラマである。だが、われわれの関心を掻き立てずにはおかないのは、この映画の底に流れる神学的な含みだ。

ナウマン家は、一見、理想的な良き家族である。父ソール（リチャード・ギア）は、バークリーの大学教授で、その上、料理等の家事もよくこなし、バイオリンの演奏が得意だったりする理想的な夫、理想的な父でもある。大学教授としてのソール・ナウマンの専攻が重要だ。彼は、宗教、とりわけユダヤ教の専門家である。彼にとっては、学業優秀なティーンエイジャーの息子アーロンや仕事もよくこなす有能な妻ミリアムが自慢の種であった。だが、ソールは、ほんとうはある劣等感、ある欠如感をもって生きていたのだ。ユダヤ教を、たとえばカバラを学術的に研究しているにもかかわらず、彼の生活のどこにも、神的な超越性につながるもの、神性の存在を示唆する奇蹟はなかったからである。たとえば、アーロンの学校での成績など、まったく世俗的な能力に過ぎず、神的な超越性とは無縁であることを、ソールは自覚していた。ところで、この家族には、もう一人メンバーがいる。ソールの娘、アーロンにとっては妹にあたる十一歳のイライザである。学業においては兄のように優秀ではないイライザに対しては、ソールは一片の愛も抱いていなかった。彼女は、精神的に引きこもり、異様なまでに寡黙であった。

ところが、ある日、イライザが学校のスペリング・コンテスト[*9]で優勝する。ソールの目には、この事実は、イライザが神的な才能、形而上的な能力をもっていることの徴である。この才能は、アーロンの世俗的能力とはまったく質を異にするものだ。以降、ソールのすべての関心は、イライザに向けられる。彼は、イライザをスペリング・コンテストで勝たせるために、つまり彼女の訓練に、あらゆる努力を傾注する。ソールの世界に初めて、神的な奇蹟が組み込まれたのだ。

しかし、ソールがイライザにだけ関心を向けていくのに従って、この家族の内的な関係に軋みが入る。あるいは、隠れていた問題が顕在化する。父からの愛を失ったアーロンは、腹いせに、異教徒の新興宗教教団（クリシュナ教団）に加入して父を激怒させる。妻ミリアムの病的な嗜癖が次第に明らかになる。彼女は、両親を交通事故で失って以来、他人の物を盗みたいという衝動を抑えることができないのだ。ミリアムは、おそらく、自分が愛されていることに——夫から愛されていることに——自信をもつことができず、唯一の頼りだった両親を失ったあとは、その精神的な空洞を埋めることができないのであろう。

容易に理解できるように、ソールは、イライザを神に仕立て上げようとしているのである。ユダヤ教というコンテクストを考えると、スペリング・チャンピオンであるということは、たくさんの単語の綴り字を記憶しているということをはるかに超える意味がある。神にとっては言葉と事物は一体である。神は、言葉を発することにおいて、その事物を創造しただろうから。だから、ソールにとっては、イライザがどういう理由によるのか、スペリングに異常な才能を有するということは、彼女が神に連なる者であることの証になる。ソールは、言ってみれば、イライザを神と見る厳格な祭司である。

この映画のクライマックスは最後にやってくる。イライザは、スペリング・コンテストを勝ち進み、ついに全国大会に進出する。そして、この単語の綴りさえ正しく言えれば優勝するという場面――テレビで放映されている――に至って、イライザは、わざと言い間違って、優勝を逃すのだ。その瞬間、ソールは失望するが、他の二人の家族は解放感を味わい、幸せそうに笑う。そして何より、それまで一度も笑顔をみせたことがなかったイライザが、子どもらしいいたずらっぽい笑みを零す。家族の調和が戻ってきた――というよりここに至って初めて創出されたのである。

ここで、ナウマン一家を聖霊の共同体に喩えてみるとよい。イライザという神が君臨し、ソールがファリサイ人のように、あるいは厳格な律法の徒のように、それに仕えている間は、この家族は、事実上、崩壊しているに等しかった。イライザがスペルを意図的に間違ったことで、なぜ、（ソール以外の）家族は幸福になったのだろうか。わざと間違えること、わざと父の期待を裏切ることで、初めて、イライザ（たち）が人間としての自由を、父の欲望からの自由を獲得したことになるからである。このとき、イライザは、神としての役割を逃れ、一人の女の子、一人の人間になる。この映画の意義は、アメリカの著名な映画批評家ロジャー・エバートの次の一言がよく要約している。「それ〔イライザの最後の行為〕は彼女を神にしたのだろうか。いや違う。それは、彼女をまさにイライザにしたのである」[*10]。神であることを否定し、イライザになることで、つまり神性を――人生への置き換えを通じて――荒々しく拒否することを通じて、聖霊（家族）の連帯がもたらされているのである。重要なのは、この全面的な否定である。

＊

本章では、西洋中世の精神を本質的に特徴づける「三位一体の教義」を考察してきた。これで、中世をめぐる謎は基本的には解けたことになるのか。とんでもない！　教義についての哲学的な謎解きは、社会学的な疑問をより先鋭なものにしてしまう。「子なるキリスト」は、聖霊の共同性の普遍化への指向性を引き出す触媒である、と論じてきた。ところで、中世のヨーロッパは、非常に特徴的な社会構造をもっている。それは、一般に「封建制」と呼ばれている。封建制とは、誰も一元的な権力をもたないまま、支配圏が多元化している社会構造である。つまり共同体は細かく分散している。普遍的な共同性どころではない。普遍的な共同体と言うのであれば、東方のビザンツ帝国の方がまだそれに近いと言うべきではないか。どうして、西洋中世に封建制的な社会構造が生まれたのだろうか？

＊1　西部邁「憶い出の人々30」『表現者』二〇一〇年七月号参照。

＊2　第二次羽田闘争は、その約一ヵ月後に起きた、佐藤栄作の訪米を阻止しようとする闘争である。羽田闘争（あるいは羽田事件）としては、第一次の方がよく知られている。その最大の原因は、おそらく山崎の死にある。

＊3　川本三郎『マイ・バック・ページ』河出書房新社、一九八八年。引用は以下より。原武史「中央線の空

間政治学」『1970年転換期における「展望」を読む――思想が現実だった頃』筑摩書房、二〇一〇年。
＊4　川本三郎「同時代を生きる『気分』――『しらける』ことと『いらだつ』ことを超えて」『展望』一九七六年二月号。後に以下に収録。『同時代を生きる「気分」』講談社、一九八六年。
＊5　加藤典洋『村上春樹の短編を英語で読む』講談社、二〇一一年、第一部第4章。
＊6　第二のエピソードは大晦日のパーティの話だった。ところで、一九七二年の大晦日は、連合赤軍のリーダー森恒夫が拘置所で自殺する前日である。つまり大晦日という設定にも、連合赤軍への暗示が孕まれているかもしれないのだ。
＊7　坂口ふみ『〈個〉の誕生――キリスト教教理をつくった人びと』岩波書店、一九九六年。
＊8　坂口ふみ『信の構造』岩波書店、二〇〇八年、第I部第1章。
＊9　与えられた単語の綴りをアルファベットで答える競争である。できるだけ多くの、めずらしい単語の綴りを知っている者が勝者になる。アメリカでは非常に盛んである。
＊10　http://rogerebert.suntimes.com/apps/pbcs.dll/article?AID＝/20051110/REVIEWS/51019003

第10章　空虚な玉座に向かう宮廷愛的情熱

1　玉座の準備

中世のヨーロッパで、「玉座の準備 hetoimasia tou thronou」と名づけられた図像が盛んに描かれている。「玉座の準備」とは、簡単に言えば、空虚な玉座、誰も座ってはいない玉座の表象である。

たとえば、ローマのサンタ・マリア・マッジョーレ大聖堂にある教皇シクストゥス三世の凱旋迫持（せりもち）（五世紀）のモザイク画は、色鮮やかな細かい石で作られた空っぽの玉座を提示している。この玉座の上には、クッションと十字架が置かれているが、誰も座ってはいない。その両脇には、ライオン、ワシ、有翼の人間（天使）等が見られる。このような空虚な玉座が、別の主題の絵画の中に組み込まれていることもある。たとえば、ジョット・

ディ・ボンドーネが、一三世紀末期頃に描いたフレスコ画「聖フランチェスコの生涯」の中に、「玉座の幻視」という場面があり、この中に「玉座の準備」が描かれている。十字架に祈っている聖フランチェスコの頭上に――中空に浮かぶように――五つの空っぽの椅子が描かれている。五つの内、中央にあるひときわ大きく豪華な椅子が玉座である。

誰もが抱く疑問は、どうして、これらの玉座は空虚なのか、ということである。玉座に座るキリストなり、王なりが描かれることが絶対になかったのは、なぜなのか。主役であるべき玉座の主が描かれないのはどうしてなのか。誰も座っていない椅子だけが執拗に反復される。このことは、玉座が断じて空っぽでなくてはならないと考えられていたことを如実に示している。

空虚な玉座の崇拝は、キリスト教よりもはるか前、古代にその起源をもつという。ウパニシャッドにも記されているし、またミュケナイ文明においては、「玉座の間」と呼ばれる部屋があって、玉座が崇拝の対象になっていたらしい。あるいは、マケドニアの軍隊の中では、アレクサンドロスの空虚な玉座が崇拝の対象になったことがある。[*1] こうした東方の風習が、（キリスト教以前の）ローマに導入された。ローマにおける最初の例は、「行政官の椅子」と呼ばれるもので、元老院は、これを「カエサルの椅子」であるとして、競技会において空虚なまま展示することを許した。ローマにおける、空虚な椅子の活用例は、その後もいくつも見出すことができる。

だが、空虚な椅子の礼拝的な価値が頂点に達するのは、キリスト教の領域においてである。それ以前の諸例においては、椅子が価値をもったのは、換喩によって、それが王や神の代理となったからであろう。この場合には、空虚は消極的な意味しかない。つまり、椅子は、本来であれば、王や神によって占められているべきなのだが、技術的な理由によって、仕方なしに空っぽのままに提示されているだけである。しかし、椅子に「玉座の準備」という名前が与えられ、空虚なままに、意図的に――一千年近くにわたって――繰り返し描かれているとすれば、今や、空虚であることに積極的な意味があるのだ。玉座は、どうして空虚だったのか？

玉座の「準備 hetoimasia」は、まず何よりも、「ヨハネ默示録」を最も重要な典拠とする終末論的な文脈において意味をもつ。この図像は、ヨハネの終末論的幻視と深く結びついていると考えなくてはならない。その幻視は、さらに旧約聖書の「イザヤ書」や「エゼキエル書」の預言からモチーフを得ている。どちらの預言書の中でも、終末の像と玉座が関係している。したがって、「玉座の準備」と旧約の預言に根をもつ終末論のイメージとの繋がりは明白だ。とはいえ、默示録によって、「玉座の準備」の図像を十分に説明できるわけではない。まず、「イザヤ書」でも、「エゼキエル書」でも、玉座には、誰かが座っている。すなわち、「イザヤ書」（六章一節）ではヤハウェが、「エゼキエル書」（一章二六節）では、「〔怪物ではなく〕人のような姿をしたもの」が座っているのだ。これを受けて、「ヨハネ黙示録」（四章三節）では、玉座には「碧玉や紅玉髄のような」相貌の存在が鎮座していることになっている。それに対して、繰り返し述べてきたように、「玉座の準備」の表象では、玉座には誰も座ってはいない。つまり、黙示録の記述を無視して、玉座はあえて空虚として提示されているのだ。

どうして、キリスト教においては、終末の玉座は、空虚でなくてはならないのか？ 次のように考えたらどうであろうか。これは、福音書に記されたあの「空虚」の反復ではないか、と。イエスが十字架上で死んだ後——安息日を挟んで——、マグダラのマリアを初めとする女たちが、イエスの墓を見に行った。しかし、墓が空っぽであった。そのため、女たちは驚き、悲しむ。しかし、ここで、彼女等は、御使からイエスの復活を告げられた。福音書を、イエスの復活の経緯に関する物語として読むとすれば、この部分は、福音書のクライマックスシーンである。そこで、われわれの仮説はこうだ。「玉座の空虚」は、この決定的な「墓の空虚」の反復ではないか。墓と同じように、玉座も空でなくてはならなかったのではないか。

かつて、われわれは、次のように論じた（「古代篇」第2章）。このような意味でのキリストの殺害と復活は、第三者の審級（キリストの身体）を抽象化——不可視化——し、それに伴って第三者の審級を超民族的で普遍的な実体として（再）措定する操作を含意している、と。たとえば「マタイによる福音書」では、御使は、復活に関して、次のように告げる。イエスはもうここにはいない、あなた方に先だってすでにガリラヤにいる、と（二八章七節）。つまり、イエスの身体の「今ここにおける現前」が否定され、「常にすでに別のところでの遍在」が肯定されるのである。第三者の審級としてのイエスの身体の支配圏が、今ここを中心とした局域から、民族的な限定性を超えた普遍的領域へと置き換えられているのだ。眼前の墓の空虚は、このような置換を含意している。玉座の空虚は、このような墓の空虚の再演であると解釈してみたらどうであろうか。このとき、「空虚」は、単なる不在ではない。逆である。それは、むしろ、強められた存在、抽象化された遍在を意味する。

以前論じたように、イエス・キリストの殺害には、対立的な二つの効果がある（『古代篇』第6章第3節）。一方で、それは、第三者の審級を、抽象的であるがゆえに超民族的でありうるような実体として投射することを意味する。他方で、それは、超越的な第三者の審級を、経験的な現象の世界の中に否定的に解消する。前者は、「復活」に力点を置くとすれば、後者では、「死」に力点がある。福音書は、前者に止目すれば悲劇であり、後者の地平では喜劇である（『古代篇』第7章）。聖餐の儀礼や三位一体に託して、前章まで論じてきたことは、後者のアスペクトを直接に継承する契機であった。だが、もし——ここに仮説的に提起したように——空虚な玉座が、空虚な墓（キリストの復活）の反復であるとすれば、前者のアスペクトもまた、西洋中世の社会を構成する力として機能していたと解釈しなくてはならない。

2　神の栄光化

実際、中世社会には二面性がある。ジャック・ル゠ゴフは、この二面性を、ブリューゲルの絵画のタイトルを借りて、「謝肉祭と四旬節の喧嘩」と表現したのであった（第4章）。聖餐式において、キリスト教徒は、イエス・キリストの肉を食べる。その意味では、肉食は、キリスト教徒の共同体の中で、ポジティヴな意味を担う（謝肉祭的な要素）。だが、同時に、中世においては、肉食は、ネガティヴに評価されてもいた。というより、大食は――肉食の延長上にある大食は――最悪の罪の一つであり、食に関しては、このような意味づけの方が主流であると言ってよい（四旬節的な要素）。

同じような両義性は、血液を中心とした体液に関しても認めることができる。イエスの身体の傷、そしてそこから滴り落ちる血は、中世においては、ポジティヴな価値を帯びた対象の極にあると見なすことができる。人々は、聖餐の儀式の中で、この血の隠喩的な代理物を飲む。だが、同時に、中世社会は、身体の内側から出てくる液体を激しく嫌悪した。血液は、精液と並んで、最も忌むべき体液であった。したがって、体液（血液）は、ポジティヴでありつつネガティヴである。この両側に引き裂かれるようなベクトルの均衡点に、例外的な体液が、好ましいとされる唯一の体液が析出される。涙である。かつて論じたように、体液は全般的に悪と見なされていたのに、涙だけは恩寵の徴として歓迎された。なかなか涙が出てこないという、聖王ルイの嘆きを想い起こすとよい。いったん抑圧された血が、涙へとずらされた形式で回帰しているのである。

肉食や血液が肯定的な価値を担う文脈については、われわれは、第8章から前章にかけて論じてきた。それは、キリストという神が——人間として、あるいは人間であるがゆえに——死んでしまうという事実と相関していた。だが、肉食や血液は、まったく逆の価値をも帯びており、むしろ、このような意味づけの方が主流である。こうした意味づけを帰結する機制については、われわれは未だ説明していない。それは、肉や血に肯定的な価値を与える機制とは反対方向のダイナミズムであるに違いない。つまり、具象的な人間を抽象的な神へと転化するダイナミズムが、この結果に与(あずか)っているはずだ。玉座を空虚なままに表象する衝動は、こうしたダイナミズムの現われとして解釈することができるだろう。

*

とはいえ、このダイナミズムをさらに原因にまで遡れば、キリストを人間化し殺害したメカニズムとまったく同じところに行き着く。次のように言えば、わかりやすいだろう。

キリストが復活するためには、それ以前に、キリストが死ななくてはならないのだ、と。言い換えれば、「復活」が「殺害」の事実から分離し、自立したとき、固有の結果を産み出すのだ。

この地点から振り返ってみると、前章でのわれわれの考察は、キリストの死と復活の関係について、特殊な解釈を提起していたことになる。普通は、キリストは、死んでから後に復活すると考えられている。だが、前章でわれわれは、神(の子)であるキリストが死ぬことにおいて、信者の共同体(聖霊)として復活するのだということを確認した。とするならば、この場合には、キリストの復活と死とは異なるものではない。キリストの死が、そのまま、別の観点から見れば(聖霊としての)復活である。このように理解した場合には、キリスト教徒にとって、キリストの死は哀しむべきことであるだけではなく、同時に喜ばしいことでもある。

このような復活と死との間の厳密な同一性が崩れたとき、つまり復活が死から分離したとき、もう一つのダイナミズムが機能する。それは、――繰り返せば――抽象化されつくした神(空虚)を、墓=玉座の位置に措定する操作である。この場合には、「復活」に対して「死」が先行する。この点を、ジョルジョ・アガンベンの議論をもとにして検証しておこう。実は、「玉座の準備」における(玉座の)空虚に注目を促しているのは、アガンベンであり、[*2] われわれの議論は、これを下敷きにしている。神(第三者の審級)を抽象化する操作は、アガンベンが用いている神学上の語彙に対応させれば「栄光化」ということになる。

アガンベンによれば、教父たちは、神の栄光化に関して、ある視覚体験が、すなわち、神を顔と顔とをつきあわせるように見る体験が肝心であると論じている。[*3] モーセに律法の石板を与えたときには、神は、モーセに対して、自身の顔を見ることを禁じ、言わば、モーセの顔に覆いをかけた。それに対して、メシア（キリスト）とは、その覆いを働かなくすることである。こうした論の根拠になっているのは、「コリント人への第一の手紙」にある、パウロの次のような言葉である。

完全なものが到来する時〔終末の時〕には、部分的なものは壊されるだろう。（中略）実際私たちは、今は鏡において謎を見ているが、しかしその時には、顔と顔とをつきあわせて見るであろう。（一三章一〇節・一二節）

ここで「顔」のギリシア語原語は、言うまでもなく、「プロソーポン prosōpon」――つまり「三位一体」の「位格（ペルソナ）」に対応するギリシア語――である。この部分を教父たちが解釈するとき、念頭にあるのは、次のような理路である。現在は、（神の）栄光は、鏡を見るように謎めいてしかわれわれには見えていないが、しかし、「その時」

には、神は「キリストの顔において」栄光の認識の光を輝かせる。したがって、ここで強調されているのは、三位一体的な、対等な父と子の間の相互栄光化というよりも、むしろ、東方正教が聖霊の流れに関して想定していたのと同じ、父から子へ、そしてさらにメシア的共同体（教会）の構成員へと輻射していく光である。

いずれにせよ、われわれにとって重要なことは、次の点である。栄光化が完成された状態は、空虚な玉座によって表象されている。つまり、このときには、神自身はまったく抽象化されていて、人はそれを対象化して見ることができない。だが、栄光化の原点となるような体験の中では、逆に、人は、顔と顔をつきあわせるように神を見ることになっている。この点にわれわれは注意を差し向けなくてはならない。顔と顔を見合わせること、鏡を覗きこむときのようなやり方で顔をつきあわせること。これこそ、われわれが前章で論じたような、〈求心化―遠心化作用〉が活性化している状態であろう。〈私〉がそれを見たとき（求心化）、それもまた〈私〉を見ている（遠心化）ことが明白であるとき、それは、まさに「顔」だからである。

それゆえ、われわれは次のように言うことが許される。傷つき、血を滴らせつつ死んでいくキリストに信者たちが接するときに中核に置かれているのと同じメカニズム（求心化―遠心化作用）が、神の栄光化（抽象化）へと至るダイナミズムの起点にも置かれているのだ、と。したがって、同じひとつのメカニズムが、相反するベクトルを有する二つのダイナミズムをそこから発生させる温床となっているのだ。復活（栄光化）に先だって、死（において焦点化するメカニズム）が先行する、と述べたのは、この意味である。

3　封建制とは何か

ここで確認しておきたいことは、神を抽象性において措定するダイナミズムが、西洋中世を構成するもうひとつの力線として機能している、ということである。このことを踏まえた上で未解決の問いに立ち向かおう。西洋中世の社会構造の顕著な特徴は、聖権と俗権の極端な二元性にあった。聖なる権威（教会）と俗なる権力（領主・諸侯）は、どちらも他方を圧倒することがなく、拮抗していた。本来であれば、教皇（教会）の意向を映し出すはずの皇帝（神聖ローマ皇帝）は、実際には、教皇と激しく対立したので、この二元性をむしろ維持するのに寄与していた。

この二元性は、アガンベンによれば、中世キリスト教神学の二つのパラダイムに対応していた。存在論的パラダイムとオイコノミア的パラダイムが、その二つである（第3章）。通常、「神学」と解されているのは、前者のパラダイムである。後者の主題は、神による救済活動、つまり神の世界統治であり、それゆえ、結局は、世俗権力の問題に関わることになる。また、中世の神学者たちは、この二元性を、キリストが最後の晩餐の後に弟子たちに用意させた二振りの剣に由来すると考えている。われわれとしては、聖権と俗権の拮抗的な二元性は、西洋中世が、父なる神と子なるキリストとを対等な契機として維持したことにその究極の原因を見るべきであろう。

この二元性を現実化している政治秩序こそが封建制である。だが、どうして封建制なのか？　封建制とは、絶対的な優位を握るものが誰もいないままに、権力が分散している状態である。王や貴族や教会や都市などが、絶えず対立し連合しており、誰が誰の味方／敵なのかを確定できない状況が延々と続いた。ところで、われわれは、三位一体論を考察することで、子なるキリストという契機が、普遍的な共同性の触媒となる所以について、説明してきた。だが、封建制における多元的で多様な共同体の分立は、普遍的な共同性どころではない。むしろそのまったくの対立物のように見える。「子なるキリスト」という特異な要素を維持していた西洋において、このような社会状態が実現するのはどうしてなのか？

封建制は、非常に興味深い歴史社会学的な主題である。厳密な意味での封建制は、ほとんど西洋にしか実現しなかった。「封建制」という語は、ルーズに用いられているが、真に封建的と見なしうる秩序はきわめて稀であって、西洋中世以外のところにそれを認めるのは難しい。さらに、すぐ後で述べるように、封建制は、特殊な心的態度と結びついており、それは、西洋を、ひいては近代を定義する重要な要件を構成している。マルクスもヴェーバーも、とりわけ後者は、この点に強い関心を寄せている。

世界=帝国のようなモデルが崩壊し、あるいはそのようなモデルが成立せず、中央集権的な権力が不在であるような状況の下では、人々はより強い者に頼るようになる。封建制は、こうした歴史的状況の中から生まれた。したがって、封建的諸制度は、本来は、戦士から成る騎士団の創出という目的にかなうものとして産み出された。

小領主や個々の戦士は、有力な支配者に（軍事的に）奉仕し、その見返りとして報酬を与えられる。その報酬が封土（Lehen, fief）である。かつて述べたように、「封土（フィエフ）」（ゲルマン語起源の語）とは、もともとは紛争の解決のために双方が互酬的に交換しあう物の意味である（第6章）。つまり、ここでは交換関係、交換的正義の感覚がベースになっている。ここにすでに示唆されているように、封建制の最も重要な根幹的関係は、主君たる支配者と臣下との間の完全に双務的な契約関係である。封土と軍事奉仕が交換されているのだ。関係は双務的なので、主君が義務を果たさなければ、臣下は関係を破棄することもできる。また封土は次第に世襲され、臣下の領地に転換する。こうして封建制と呼ばれる秩序が出来上がってくる。

封建制の最盛期は、中世の中でも、一〇世紀から一三世紀にかけての時期である。以前に述べたことがあるが、一部の学者、マルク・ブロック、ジョルジュ・デュビィ、あるいはドミニク・バルテルミー等は前期の封建制時代（一一世紀中頃まで）と領主制時代（一一世紀中頃以降）とを区別することを提案しているが、ここでは、こうした区分には拘らないことにしよう。

＊

封建制の何が、一体、それほど特別だというのか？　封建制のどこが、それほどめずらしい特徴なのか？　これに対しては、マックス・ヴェーバーが答えを与えている。[*4] 封建制は、少し聞いただけでもとうてい両立し難いと思われる、二つの態度を、ともに十全に維持しているのだ。一方には、支配者に対する非常に強い人格的忠誠心、つまり恭順の感情がある。しかし、他方には、自立する者としての誇り、自尊心がある。この後者の感情は、被支配者であるところの臣下の階層に集合的に分け持たれていたので、身分的な名誉の感情として、社会的には現われることになる。特定の他者への絶対的な忠誠と、自立する者としての誇りとは、互いに背反的であって、矛盾しあうように思える。実際、歴史の中では、これらは、別個に生ずるのが普通である。一方が強まれば、他方が足をひっぱられ、弱体化するのである。

ヴェーバーは、封建制と家産制とを、伝統的な支配の二大類型としている。家産制とは、マルクス主義者だったらアジア的専制と呼ぶような支配の形態であり、別の言葉で表現すれば、世界＝帝国や大規模な王国がこれにあたる。封建制の下での被支配者の典型的な姿が封臣であるとすれば、家産制の下での被支配者は、典型的には官僚制的な官吏という形態を取る。封臣が封土を与えられるとすれば、官吏は職禄を与えられる。職禄は、在職者の生涯にわたる給料である。この収入は、――封土の場合とは違って――個人ではなく官職に帰せられるべきものである。

このような家産制の下では、皇帝や王といった支配者に対する忠誠心や献身的態度が育つことになる。別言すれば、それらの心情や態度は、官吏等臣下の王や皇帝に対する依存心でもある。つまり、ここでは、献身が、自立者としての誇りを犠牲にして獲得されているのだ。逆に言うと、王や皇帝は臣民の依存心に応じるために、絶えず、彼らの機嫌をとらなくてはならない。つまり、家産制的支配者は、臣民の福利厚生に配慮せざるをえない。家産制は、一種の「福祉国家」である。それに対して、封建制の下では、主君が臣下の福利厚生を気にすることは一切ない。

このように家産制の下では、支配者への忠誠心や献身を確保しようとした結果、臣下たちの間では、身分的な名誉や自立への誇りの意識が後退した。逆のケースもある。つまり名誉心が、忠誠心とは独立に生ずるケースもある。古代ギリシア、とりわけスパルタをそうした事例として挙げることができるだろう。スパルタでは、身分的な威厳の感情や態度が、武人・戦士としての名誉を基礎づける典範をベースにしながら育てられた。その代わり、人格的な忠誠という要素は、排除されることになる。誰かに強い忠誠心をもって献身することは、武人としての威厳に相応しくないものと見なされたからである。

つまり、一般には、忠誠心と身分的名誉の感情の間にはトレードオフの関係がある。にもかかわらず、西洋の中世では、両者が両立しているように見える。どうしてこんなことが可能だったのか？　いずれにせよ、こうした対立する二つの態度の均衡の直接的な表現こそ、封建制を成り立たしめる「主君と家臣の双務的な契約関係」という構成である。家臣が主君に対して絶対的な恭順の念をもっていることを思えば、両者は垂直的な上下の関係にある。しかし、双務的な契約の当事者であるとすれば、両者は、ともに自立的で互いに対等でなくてはならない。

ちなみに、ヴェーバーを含め、多くの歴史学者や社会学者が、日本にも封建制があったことに注目している。この指摘は間違いとは言えないが、やはり、日本の「封建制」は、西洋中世のそれと似て非なるものと見なさざるをえない。その最も重要な理由は、封建制の根幹となるべき、この双務的な契約の観念が、つまり権力そのものをときに拘束し牽制する契約の観念が、日本では、まったく希薄だという点に求められる。マルク・ブロックは、日本に契約の観念が発達しなかった原因は、日本に国家と封建制という二つの制度が互いに相手をのみ込まずに併存していたことにあると論じているが[*5]、私の考えでは、こうした説明は肝心な部分への繊細さを欠いている。

ともあれ、封建制の成立を説明するということは、ここに述べてきたような、とうていありそうもない主観的な態度がいかにして可能だったかを説明することでなければならない。一方には、高度に理想化され、神聖視された、支配者への人格的な忠誠心がある。他方には、自立を尊重する身分的な名誉の感情があるために、権利と義務はただ双務的な契約によってのみ規定されるべきであるとする常識がある。これらは、どうやって共存し、両立することができたのか？

4　マゾヒズムとしての宮廷愛

問題を純化し、理念化した上で解くために、宮廷愛を素材にして考察を進めてみたい。なぜ、宮廷愛なのか？　周知のように、西洋中世においては、騎士はしばしば、貴婦人に対して情熱を抱く。貴婦人は、一般に、騎士自身よりも身分が高く、すでに結婚している。つまり、騎士の貴婦人への恋愛感情は、不貞に属する。騎士は、貴婦人に対して絶対的に従順で、貴婦人の方は、しばしば、騎士に勝手気ままな無理難題を課してくる。騎士はこの試練に耐えなくてはならない。

つまり、宮廷愛における「貴婦人―騎士」の関係は、封建制的な「主人―臣下」の関係のモデルになっているのだ。ヴェーバーは、封建制的な生活様式の下では、必要な能力や性格的資質を育て上げるために、しばしば、「ゲーム」が用いられた、と論じている。ゲームは、単なる気晴らしではなく、訓練であった、と。このときヴェーバーの念頭にあるゲームは、主として狩猟のような軍事につながるゲームだが、この考えを延長させてみれば、宮廷愛もまた、あるいは宮廷愛こそとりわけ、封建制的な態度を涵養（かんよう）する最も重要なゲームではないか。宮廷愛を素材にして、われわれは、他の諸要因から攪乱されることのない、純粋な封建制的な主従関係を取りだすことができるのである。

宮廷愛の最も重要な特徴、それは、絶対に成就しないということである。つまり騎士が思いを遂げ、貴婦人と結ばれることはない。宮廷愛の代表的な例は、ドニ・ド・ルージュモンがよく知られているその著書で分析している、「トリスタンとイゾルデ」の悲恋物語であろう。[*6] これは、騎士トリスタンと彼の主君マルク王の妻イゾルデの恋愛を語る。ド・ルージュモンも指摘していることだが、この物語を知った誰もが抱く疑問は、次のことにある。この物語の中で、トリスタンは、登場する誰よりも、どの敵よりも肉体的に勝っている。とりわけ彼は、マルク王よりも優れている。さらにイゾルデもまたトリスタンを愛している。したがって、トリスタンは、自らの実力によって、容易に、マルク王からイゾルデを奪い、彼女と結婚することができるのだ。実際、トリスタンは、その直前にまで到る。にもかかわらず、彼は、イゾルデをマルク王に返してしまうのだ。どうしてだろうか？　宮廷愛において、一般に、愛しあう二人は、つまり騎士と貴婦人は、結婚のような最終的な結合に至るのをあえて回避しているように見える。

この事実から一般に引き出されている結論は、次のようなものであろう。騎士がほんとうに愛しているのは、この具体的な婦人ではなく、抽象化された、観念としての女性なのだ、と。真の愛の対象は、具体的な性質をもって存在することができない女性、昇華された女性、不在の抽象的な女性である。実際、宮廷愛を詠う詩は、どれも同じ女性に向けられているかのような印象を与え、そこから、女性の間の判別をつけることはできない。詩は、どの具体的な女性でもない、抽象的な女性へと向けられているからである。そのため、宮廷愛において、具体的なあの貴婦人、この貴婦人は、ほんとうの愛の対象ではないものとして、ことごとく拒否されてしまう。

このように考えたとき、われわれは、冒頭で見た、「玉座の準備」との接点を見出すことができる。この場合にも、玉座には、どの具体的な王も座ることができない。だから、それは、空虚なままにしておかなくてはならない。そこを占めようとする者は、すべて拒否されるだろう。

だが、こうしたありがちな説明は、つまり、騎士が真に愛しているのは、現実には存在しない幻想的で観念化された女でしかないという説明は、宮廷愛の謎を半分しか解決していない。確かに、騎士たちの行動は、彼らの真の目標が、抽象的な神のごとき観念的な女であることを示している。だが、それならば、どうして、具体的な貴婦人を必要とするのか？　貴婦人は、しばしば、気まぐれで、冷淡で、とうてい理想的な女の代理物とは思えない。騎士は、どうして、そのような貴婦人を、まずは愛さなくてはならないのか？

ここで、われわれは、次のような類比を立てることができる。「玉座の準備」にあるような抽象的な神に到達するためには、惨めで気まぐれなイエスという男を媒介にしなくてはならなかった。同じように、騎士は、理想の女にいきなり到達することができない。現実の気まぐれな貴婦人との恋を媒介にしなくてはならないのだ。どうしてだろうか？

＊

ここで、われわれの考察にとって有益なヒントを与えてくれるのは、ザッハー・マゾッホについての、ジル・ドゥルーズの研究である。[*7] ドゥルーズの中核的な主張は、マゾヒズムとサディズムは、決して相補的な関係にはない、ということである。俗説では、サディストとマゾヒストは、理想的なカップルである。しかし、ドゥルーズの考えでは、この俗説は完全に間違っている。サディズムとマゾヒズムは、同じ論理の中の二つの項目ではなく、それぞれまったく異なる論理に基づいているからである。

サディズムの論理を特徴づけているのは、否定の様相である。否定は、サディストの、犠牲者に対する直接的な暴力や拷問という形式で現われる。それらの仕打ちは、犠牲者の欲望や快楽を否定するものである。それに対して、ドゥルーズによれば、マゾヒズムを構成する論理は、否認の様相を基礎にしている。否認と否定とはどう違うのか。ここで言う否認とは、簡単に言えば、「本当はPである（とわかっている）けれども、あたかもQであるかのようにふるまう」ということである。こうした「あたかも」の振る舞いによって、現実Pが宙づりにされ、否認される。マゾヒズム的な関係においては、男は、あたかも女主人の忠実な奴隷であるかのように、振る舞っているのである。

ここで提起しておきたい仮説はこうである。宮廷愛における貴婦人と騎士の関係は、マゾヒズムにおける女主人と男の関係と類比的である、と。[*8] この仮説を支持するかのように、ドゥルーズは、マゾヒズムの関係性を、封建制的な関係にたいへん相応しい用語で記述している。サディズム的な関係が「制度」によって代表されるとすれば、マゾヒズム的な関係は「契約」によってこそ記述される、というのである。

まず、サディズムが「制度」に対応するという論定は、サドとカントとを並べた、ジャック・ラカンの有名な議論を想起すれば、理解できるだろう。[*9] カントの定言命法は、人が快楽（への傾き）に屈するのを一切許さない絶対の法であった。これと同じように、サディストは、厳格な法や制度に従うかのように、犠牲者を容赦なく拷問にかけ、その抵抗の中から徹底して快楽を引き出そうとする。

それならば、マゾヒズムが「契約」の論理に基づくというのは、どういうことか。マゾヒズムにおいては、実は、犠牲者（マゾヒスト）にあたる人物が、（女）主人と契約をして、関係を設定しているのだ。サディズムにおいては、主導権を握っているのは拷問者の方である。しかし、マゾヒズムにおいては、契約を創始するのは犠牲者の方であって、彼にこそ主導権がある。犠牲者が、（女）主人に、彼を痛めつけ、辱める（はずかし）のを、契約を通じて許可しているのである。したがって、シナリオを書いているのは、マゾヒストである犠牲者の方である。マゾヒズムが、否認の様相に立脚しているとは、このような意味である。男と女は、現実をいったん宙づりにした上で、――仮想的な契約を通じて――あたかも奴隷と女主人であるかのように相互に行為するのである。

もし関係がこのような契約によって構築されているのだとすれば、主人に対する絶対の人格的忠誠心と自立に対する誇りの感覚とが、容易に両立することだろう。確かに、彼は、主人に従属しているかのように振る舞っている。しかし、それは、主人へのほんとうの隷従を意味してはいない。忠誠の関係自体が、彼と主人との間の合意に基づく契約によって仮に設定されているだけだからだ。彼が、真に従属しているのは、この眼前の主人ではない。それならば、彼は、あるいは彼らは、誰に従っているのだろう。否認の原理を採用したとき、彼らは、何に従っているのか。この眼前の主人ではない何か、主人を超える誰かである。

こうして、われわれは、もう一度、実際に対面している具体的な他者を超える「抽象的な他者」、つまり抽象的で理想化された婦人、抽象化されているがゆえに見ることができない神という主題に回帰していることになる。しかし、このような抽象的で超越的な他者（第三者の審級）を存在せしめるためには、もう一段のひねりが必要になる。

5　貴婦人という回り道

ここで、再び、宮廷愛のあの根本的な条件、騎士と貴婦人は断じて結ばれてはならないという条件を、想い起こそう。どうして、彼らが幸せな結婚や性交に至ってはならないのだろうか？　どうして、二人の間の関係が成就してはならないのだろうか？

ここで陥りがちな過ちは、侵犯の快楽をもちだす説明である。禁じられた関係、つまり不貞や禁忌にふれる関係の方が、言わば「盛り上がり」、より大きな快楽を引き出すことができる、というわけである。規範や法への侵犯が、まさに侵犯であるという事実に由来する過剰な快楽をもたらすことは確かだが、しかし、宮廷愛の説明としては、明らかに不十分である。宮廷愛においては、侵犯そのものが拒否されているからである。騎士が最も恐れていることは、ほんとうに関係が成就してしまうことである。トリスタンもそうだったが、騎士たちは、十分に「それ」が可能なときでも、「それ」を拒否するのだ。ここでは、侵犯による過剰な快楽とは別のものが賭けられている。

実は、この点では、ラカンが、セミナー『アンコール』の中で、宮廷愛について述べていることが、決定的なヒントになる。ラカンは、こう言っている。「性的関係の不在を返上する最も洗練された方法は、『われわれ自身がそのような仕方で〔性的関係が存在しないようにと〕障害を設定しているのだ』という振りをすることである」と。[*10] この主張は、「性的関係は存在しない」というラカンの有名な——しかし難解な——命題が前提になっているのだが、ここでは、その解釈に拘る必要はない。ただ、このラカンの主張の中には、不可能を可能に転換する、あるいは不在を存在に置き換える、きわめてシンプルな方法が示唆されているのだ。

どういうことか？　たとえば、もともと不可能なことがあったとする。その不可能なことをわざわざ禁止したらどうなるだろうか。その不可能なことが、「実際には可能なのに、禁止されているがためにできないこと」に見えてくるのだ。存在しないものに関して、それを見たり、それにアクセスしたりすることを禁止したらどうなるだろうか。「現実には存在しているのに、禁止の規定があるがために見たり、獲得したりすることができないもの」に転換するのだ。禁止の設定によって、不可能なものが本来は可能だったものに、不在が存在に完全に置き換えられる。宮廷愛が果たしているのは、まさにこの機能、不可能なものの禁止という機能である。

貴婦人との結合、貴婦人へのアクセスが絶対的に禁止されたときにどうなるだろうか。その途端に、現実の具体的な貴婦人の彼方に、まさに禁止されているがゆえに到達することができない、抽象的で超越的な対象、理想化された崇高な対象が存在し始めるのである。これは、「回り道」の論理と同じである。行程の中に、困難な迷路のような回り道が組み込まれていたとしよう。われわれはどう感じるだろうか。こんなめんどうな回り道がわざわざ設定されている以上、ゴールにはよほど貴重なものが隠されているはずだ、という錯覚をもつだろう。貴婦人は、この回り道のようなものである。（ほんとうは存在しない）理想化された女を存在させるためには、そこへの障害物となるような具体的な貴婦人が必要になる。

同じ論理は、キリストと神の間にも作用するのではないだろうか。具体的な人間としてのイエス・キリストという障害物が存在するがために、不可視の神――玉座の上の空虚としての神――が存在し始めるのである。キリストという障害物を媒介にして、抽象的な神が措定されるのだ。さらに、封建制下の臣下たちにとって、主人は、キリストの代理物のようなものだ。彼らは、騎士が貴婦人に仕えるように、主人に忠実に従う。このことの反作用として、現前する具体的な主人の彼方に、抽象的な神（第三者の審級）が投射される。その抽象的な神は、理念上は、この宇宙を全体として統括する普遍的な神である。だが、そのような普遍性に到達するためにも、現実の主人への人格的従属が必要になる。人格的で親密な関係にもとづく忠誠のネットワークは、その本性上、小さな局域的な共同体しか覆うことができない。西洋中世の社会構造が、封建制的な多元性を呈する必然性はここにある。[*11]

*1　これらの諸点については、以下を参照。Charles Picard, "Le Trône vide d'Alexandre dans la cérémonie de Cyinda et le culte du trône vide à travers le monde gréco-romain," *Cahiers archéologiques*, 7, Paris: Klincksieck, 1954.

*2　Giorgio Agamben, *Le Règne et la Gloire*, Joël Gayraud et Martin Rueff tr. Paris: Seuil, 2008, pp.362-366.

*3　ibid., pp.304-309.

*4　マックス・ウェーバー『家産制と封建制』浜島朗訳、みすず書房、一九五七年。

*5　マルク・ブロック『封建社会2』、新村猛ほか訳、みすず書房、一九七七年、九九頁。

*6　ドニ・ド・ルージュモン『愛について』鈴木健郎・川村克己訳、平凡社、一九九三年（原著一九七二年）。なお以下も参照。大澤真幸『性愛と資本主義　増補新版』青土社、二〇〇四年、五九―七一頁。

*7　ジル・ドゥルーズ『マゾッホとサド』蓮實重彥訳、晶文社、一九九八年（原著一九六七年）。

*8　宮廷愛における貴婦人との関係が、ドゥルーズが分析しているマゾヒズムに対応しているという指摘は、スラヴォイ・ジジェクによる。Slavoj Žižek, *The Metastases of Enjoyment: Six Essays on Woman* *and Causality*, London: Verso, 1994, pp. 91-92.

＊9　Jacques Lacan, "Kant avec Sade", *Écrits*, 1966.

＊10　Jacques Lacan, *Le séminaire, livre XX: Encore*, Paris: Seuil, 1975, p.65.

＊11　ここで説明してきた理路は、ラカンの「ファルス（男根）の論理」と同じ形式をとっている。ラカンにとっては、ファルスはシニフィアンである。何のシニフィアンなのか。「去勢」である。ファルスの現前が、まさにその不在（去勢）を意味しており、そのことによって「不在」が「より以上の存在」「超越的な存在」へと転換する。同じように、貴婦人の存在が、「不在の貴婦人（抽象的で超越的な女性）」を意味している。

第11章　利子という謎

1　利子という謎

宮廷愛は、しかし、封建的な主従関係のすぐ脇で、あるいはむしろそのただ中で展開していたことである。両者の間の類比が成り立つとしても、驚くことはないだろう。だが、もし宮廷愛のモデルを拡張することで、中世の社会経済史の最大の謎に説明が与えられるとしたらどうであろうか。最大の謎とは、利子である。利子は、どうして許容されるに至ったのか？　利子――ラテン語では「usura（ウスラ）」と呼ばれていた――を徴収することは、もともと、かたく禁じられていた。が、中世の末期に、それは、いつの間にか許容され、正当なものと見なされるようになった。どうして、このような転換が生じたのか？

宮廷愛と利子の間に関係があるのか？　無論、直接の関係はない。が、宮廷愛を一般化して、愛の言わば源流、つまり愛の宗教としてのキリスト教にまで遡れば、「関係がない」どころではない。利子の禁止も、またその許容も、専らキリスト教の問題だからである。

利子の正当性がいかにして確立されたのかという疑問に関心を寄せるのは、それが資本主義という主題と直結しているからである。資本主義が社会システムの根幹の原理になるには、利子の徴収が、当然のこととして認められていることが必要条件となる。資本主義は、われわれにとってとりわけ興味深い主題である。それは、われわれの考察を駆動する謎、普遍性と特異性の短絡を最も端的に具現する現象だからである。一方で、それは、どのような文化的なコンテクストにも適用できるニュートラルな機械のようなものであり、その意味で、きわめて高い普遍性を有する。だが、他方で、ヴェーバーの有名な研究が示すように、資本主義の精神は、非常に特殊でローカルな文化、つまり西洋のキリスト教の中で産み出された生活様式を原点としている。資本主義にとって不可欠な要素である利子の成り立ちの解明は、この両極の短絡という謎にアプローチする手掛かりとなるだろう。

この後、少していねいに見ることになるが、西洋の中世において、もともとは、利子は、非常に恥ずべき不正であるとされていた。無論、そのような判断の根拠を提供したのは、キリスト教である。が、やがて、利子を取ることへの嫌悪は緩和され、気が付けば、それはまったく当たり前のことになっていた。

こうした変化に関して、一般に用いられる説明は、世俗化を根拠とするものである。宗教の影響力が低下することによって、その教義に根拠をもつ禁忌が次第に弱まってくる、というわけだ。しかし、この件に関しては、こうした説明は不適切であろう。今しがた述べたように、資本主義は――このいかにも世俗的なシステムは――、西洋の最もラディカルなキリスト教徒たちのエートス（倫理的生活様式）を源流とする。西洋で逸早く本格的な資本主義が発達したのは、西洋においてこそ、まずは徴利を悪と見なす感性が弱くなったからである。しかし、初期の資本主義へと社会システムを転換させるのに与（あずか）ったのは、決して冒瀆的な人たちではなく、むしろ熱心で純粋なキリスト教徒だった。とすれば、利子を許容する精神は、まさにキリスト教は、利子教の中から生まれてきたと解さなくてはならない。したがって、中世のキリスト教は、利子を一方では否定し、他方では肯定（あるいは容認）もしたことになる。利子は、その否定（禁止）の様相においても、肯定（容認・正当化）の様相においても、キリスト教の敏感な部分に触れているように見えるのだ。これは奇妙なことではないか。

2 罪としての高利

「高利。一二世紀から一九世紀に至る西洋七百年の歴史で、この現象ほど、経済と宗教、金と救済の強力な爆発性混合気体を提供しているものが他にあろうか」。ジャック・ル＝ゴフは、『中世の高利貸』をこのように書き出す。そして、高利は「長い中世の（中略）表徴」であると述べたあと、「高利をめぐる激烈な論争は、言わば《資本主義の産褥》である」と続けている。言い換えれば、ル＝ゴフによれば、高利（利子）そのものの蔓延は、資本主義の誕生と対応していることになる。[*1]

新約聖書には、こうある。「誰も二人の主人に仕えることはできない」と。二人の主人とは、神とマムモンである。マムモンとは、不正の富、金の象徴である。述べてきたように、キリスト教は、ウスラ（高利・利子）を禁止した。高利の断罪の根拠となっている聖書の上での記述は、主に五つである。そのうちの四つは旧約聖書である。「出エジプト記」には、同胞に金を貸すとき、高利貸のようにふるまってはならない、同胞から利子を取ってはならない、とある。同趣旨のことは、「レビ記」と「中命記」にもある。また「詩篇」には、高利貸はヤハウェの客にはなりえない、と解釈できる一節がある。ここから、高利貸に対しては天国の門は閉ざされている、とキリスト教徒は判断した。新約聖書では、「ルカによる福音書」に、「そこから何も期待せず貸しなさい」とあり、この一節が中世では非常に重視された。このように、利子は、聖書の中で何重にも否定されている。

利子の禁止は、しかし、とりわけキリスト教の特徴だというわけではない。というより、近代以前の伝統社会では、少なくとも共同体内の取引に関する限り、なべて高利は否定的に評価された。多くの宗教や共同体の規範の中で、厳しさの程度には差があるとはいえ、利子や高利は、望ましくないこととして言及されている。たとえば、アリストテレスは、『政治学』で、貨幣は子を産まない「石」であり、それゆえ貨幣が貨幣を産むのは自然に反するとして、利子の徴収を批判した。キリスト教の利子の禁止が旧約聖書に根拠があることからも明らかなように、ユダヤ教もまた、（同胞との取引の中での）利子の徴収を禁じている。イスラム教は、ムハンマド自身が商人でもあり、さまざまな意味で商人の活動には非常に好意的だが、利子に関しては、これを禁止している。中国や日本でも、伝統的には、少なくとも高利は悪いことであるとされてきた。ところで、手数料等の理由をつけられない利子はすべて「高利」と見なされるのだから、高利が禁止されれば、結局、それは利子一般の禁止へと繋がっていく。

このように、前近代においては、利子を不正と見なす規範はきわめて広範に見出される。キリスト教が例外だったわけではない。が、しかし、それでも、キリスト教にあっては、利子に対する嫌悪は特別に強い。高利は、ただの違法行為ではなく、深い「罪」だった。たとえば、オセールのギヨーム（一一五〇頃―一二三一頃）は、「ウスラは、それ自体、その本性上、罪である」とはっきり断じている。ウスラは、「貪欲 avaritia」の罪の一つである。チョバムのトマス（一一六〇頃―一二三三頃）は、ウスラはただの貪欲ではなく、霊的な貪欲であるとしている。「法の裁きによって罰せられる〈貪欲〉には二種類ある。すなわちウスラと聖職売買（霊的財の取引）とである」と。現在でも、たとえば公務員の職を金で入手する者がいたとしたら、それはとてつもない不正だが、利子に関しては、そのような嫌悪はまったく消えてしまった。
ハイステルバッハのカエサリウスは、一二三〇年頃、『奇跡に関する対話』において、登場人物である修道士と修練士に次のように語らせている。

修練士――ウスラは極めて重く矯めがたい罪と思われますが。
修道士――その通りだ。時折まどろむことを知らぬ罪はないが、ウスラは間断なく罪を犯す。その主人が眠っている間も、ウスラはまどろむことなく絶えず成長し、増えつづける。

時間さえ経過すれば増加する利子を、このような論法で非難する者は多かった。
利子をとる仕事、つまり高利貸は、特別に恥ずべき職業であるとされ、彼らは、神の目も人の目も恐れていた。ヴィトリのヤコーブスが「教訓逸話」の形式を利用して描いている、次のような情景は、このことをよく示している。

高利貸業はとても告白できないほど恥ずかしい職業であることをみんなに教えようと

して、ある説教師が説教中に「諸君の職業、諸君の仕事に応じて、わたしは罪の許しを与えようと思う。鍛冶屋は立ちなさい」と言った。鍛冶屋は起立した。鍛冶屋に罪の許しを与えると、彼は「毛皮屋は立ちなさい」と言った。毛皮屋は起立した。こうして、さまざまの職人が名指されるにしたがって、次々と起立した。最後に説教師は「高利貸は立って罪の許しを受けなさい」と大声で言った。彼らは他の職業の人より数多くいたのだが、恥ずかしさのあまり隠れて出てこない。揶揄嘲笑を背に彼らは狼狽して退散した。

ここで言及されている、毛皮屋等の仕事は、中世のキリスト教社会の中で蔑視されていた職業である。そうした職業の中にあっても、高利貸は別格的に悪い、というのだ。

それどころか、高利貸は、人間の枠をはみ出し、動物の水準にまで落ちていると見なされさえした。中世の教訓逸話や説話の中で、高利貸は、さまざまな動物と隠喩的に連合し、共鳴している。たとえば、朝起き出せば、獲物を捕らえて子のところへ持ち帰るまで休まないライオン（子のために財産を得ようと、盗んでは利子をつけて貸すから）、蝿を捕らえるために自分の臓物を吐き出し、わが身はおろか、わが子まで貪欲の炎のなかに引きずりこんで、悪魔のいけにえに供する蜘蛛、地面を掃くほどにふさふさした尻尾に恵まれていながら、それを少しだけ分けてくれという猿の懇願を拒絶するケチな狐、食品倉庫の中の食料を食べ過ぎ太ったために、入り口の狭い穴から出られなくなった貪欲な狼……。これらがすべて高利貸である。

＊

聖書に明確な根拠があるのだから、利子断罪の歴史は、キリスト教の歴史よりも長い。だが、高利非難がこれほどまでに高まったのは、一二世紀半ば以降である。その原因は簡単で、一二世紀を通じて貨幣経済が一般化したことにある。貨幣の流通や使用が部分的であるような小規模経済の下では、高利の問題は第一義的なものにはなりえない。加えて、一二世紀までは、貸付の大部分は修道院によって提供されていた。[*2] しかし、一二世紀を通じて、貨幣経済が浸透し、都市ブルジョワだけではなく、騎士や貴族もまたそこに巻き込まれるようになると、ウスラが、活躍の場を見出す。これに、まずはでき上がりつつあった初期の教会法が、少し遅れてスコラ学が反応し、ウスラの蔓延を食い止めようとした。

高利貸の断罪は、商人への蔑視の一部ではないか。商人への蔑視の延長上に高利貸の忌避があるのではないか。半分は、然りであり、半分は、否である。商人は必ずしも高利貸ではない。商人への蔑視が、高利貸への非難よりもはるかに小さかったことは、高利貸たちが、自分の職業を公然と認めたがらず、「貸元」とか「商人」とか呼ばれることを望んでいたという事実からも明らかである。つまり、「商人」という看板を、高利貸であることを粉飾する隠れ蓑に使ったのである。

だが、この事実は、同時に両者が近接もしていたことを示している。一三世紀には、未だ正規の銀行家など存在しないから、正当な銀行家と高利貸の区別はありえないし、また商人と高利貸との間の遷移も連続的であった。高利貸は、商人中で最も軽蔑すべきカテゴリーだったということになる。

ヴィトリのヤコーブスの説教手本の中にある人間の分類が、この点で興味深い。それによると、神は三種類の人間を定めた。人間の生活を支える農民と労働者、彼らを護るための騎士、彼らを治めるための聖職者。しかし、四番目の種類の人間、高利貸だけは悪魔が設けた、とヤコーブスは語る。この話題が興味深いのは、ル゠ゴフが指摘しているように、これが、ジョルジュ・デュメジルが定義した印欧神話の三機能図式——西洋中世に関してはジョルジュ・デュビィによって再確認された——の変異体になっているからである。三機能図式とは、印欧神話には、すべて、F1「主権」、F2「戦闘」、F3「生産」の三つの機能からなる構造があり、各機能は、神話の登場人物や社会システムの特定の層によって担われている、とする仮説である。この図式に基づけば、ヤコーブスの分類は、当然、F1聖職者、F2騎士、F3農民・労働者と対応づけることができる。だが、ここに回収されない余剰的な第四機能があり、これに「高利貸」という名が充当されているのだ。しかし、第四機能は、高利貸に限定するより、商人機能一般を指すと見なすべきであろう。商人機能の究極の貶価形態として、高利貸が考えられているのである。高利貸は、だから蔑視された商人の最悪のカテゴリーであり、その極限である。だが、極限に達することで、やはり、商人一般からは質的に断絶していると見なさねばならない。先に述べたように、イスラム教のように、商人やその行動様式を称賛しているのに、利子を断罪している場合もあるからである。

高利あるいは利子の何が、それほどいけないのか？　何がかくも深く罪悪視されているのか？　この点を理解することは、難しくはない。聖アンブロシウスは「ウスラとは与える以上に受けとることである」と定義しており、聖ヒエロニムスは、「何であれ与えた以上に受けとれば、ウスラ、過剰と呼ばれる」と書いている。高利・利子が罪であるのは、それが、不当な剰余だからである。正義の原点となる等価性が、ここでは否定されている。加えて、高利断罪が盛り上がった一三世紀は、正義の世紀であった。国王の徳としての正義が強調され、たとえば、聖王ルイのときに、フランス王の左手には、旧来の「王杖」に代わって、「裁き（正義）の杖」と呼ばれる司法権の象徴が現われる。

高利貸たちは、無論、自分たちが罪人であることを自覚している。哀れ高利貸は、地獄に行くしかないのか。それを何とか免れる方途がないわけではなかった。最も確実なやり方は、稼いだ金をすべて返してしまうことだ。しかし、それは容易なことではない。貸した相手はすでに死んでいるかもしれない。また、高利貸が蓄財に成功していればいるほど、生前にそれをすべて放棄することに苦痛を覚える。さらに高利貸の遺族が、彼の資産を頼りにしているかもしれない。だから、高利貸としては、財産を生前にすべて返却するのはかなり難しい。

せめて高利貸としては、告解・痛悔を済ませておきたい。しかし、サタンの方も、せっかく、確実に地獄で捕らえることができそうな魂を、みすみす逃してしまいたくない。サタンの策略で、死の直前に啞に陥ってしまう高利貸がたくさんいたことになっている。サタンのもっと恐ろしく強力な攻撃は、告解・痛悔の余裕を与えずに、不意打ち的に殺してしまうこと、つまり急死させてしまうことである。高利貸に限らず、急死は、中世のキリスト教徒にとって最も恐ろしい死であった。

3　ウスラからインテレストへ

さて、問題は、これほどまでに深く忌避されていたウスラ、罪の中の罪とも言うべき利子が、どうしていつの間にか許容され、正当化されるに至ったのか、ということである。見てきたように、中世のキリスト教会は、とりわけ利子を嫌悪した。しかし、利子の徴収が逸早く正当な経済活動になったのも、同じキリスト教が支配的だった社会においてなのである。西洋で利子を正式に容認したのは、ヘンリー八世（イングランド王）の一六世紀半ばの法令であるとされている。カトリック教会は、一九世紀まで、正式には利子を認めてはいない。が、いずれにせよ、こうした正式の是認の前に、一四世紀末期頃には、利子は、おおむね正当なものと見なされるようになった。正当な利子は、「ウスラ」ではなく、「インテレスト inter-est ＝中間期間」と呼ばれた。利子が正当化されるまでの過程について、歴史家や思想史研究者は、さまざまなことを調べてはいる。それらを基にしながら考えてみよう。

スコラの哲学者たちは、当然のことながら、たいてい利子には批判的である。利子徴収を擁護する議論を最初に展開したのは、ペトゥルス・ヨハニス・オリヴィ（一二四八―一二九八）だとされている。[*3] オリヴィは、トマス・アクィナス、ボナヴェントゥラの時代、つまりアリストテレス受容の終期にあたる中世哲学の最盛期と、ドゥンス・スコトゥスやウィリアム・オッカムによって代表される中世後期とを繋ぐような位置にある哲学者である。トマスやスコトゥス等に比べれば、その名は広く知られていないが、専門家は、オリヴィなしにはスコトゥスやオッカムによる発展もありえなかったと見なすほど、独創的で重要な哲学者である。そのオリヴィが、貨幣は、子をなさぬ石（アリストテレスの比喩）ではなく、種籾（たねもみ）――一粒から数十粒を産み出す種籾――であるとして、利子を正当化した。オリヴィは、どうして、主流に反して、わざわざ利子を正当化しようとしたのか？　彼の他の論との関係で、その利子擁護論はたいへん不可解だ。オリヴィは、「『清貧思想の守護聖人』とすらいえるほど、フランシスコ会の清貧主義を、教会の保守派から守った偉人」[*4]だ。つまり、商業活動や高利貸に反対するとしたら、まずこの人こそが先頭に立つだろう、と思わせる人物なのだ。このような人物が、どうして利子の積極的な正当化に踏み切ったのか？　利子の正当化や是認が、キリスト教に反してではなく、むしろ、利子を恥ずべき罪の極限に置いたキリスト教の真ん中から、キリスト教に正接するような形で現われたのではないか、というここでのわれわれの仮説を支持する現象ではないだろうか。

＊

利子への寛容さと繋がる歴史的な道は、少なくとも二つある。現実の社会経済的活動の道と観念（価値観）の道である。

まず、現実の道。テクストの上では、高利を断罪する言説が、量的に圧倒している。しかし、現実の経済の拡大は、利子の徴収を全面的に否定するわけにはいかない水準に達してきた。このとき、市場の利率が、極端に高いものでなければ、つまり黙認された習慣的限度の範囲内であれば、認められるようになる。教会は、利子を禁じるのではなく、それを限界内に収めるべく、ブレーキをかけるのだ。一二世紀から一三世紀にかけては、節度の理想がもてはやされるのだが、利子を適当な限界内に収めることも、そうした理想に由来する。ル＝ゴフは、「節度を心得た高利貸にはサタンの網の目を通りぬけるチャンスが恵まれ」[*5]たと論じている。

次に、観念の道。今しがた述べたオリヴィの論考のように、スコラ哲学の伝統は、利子を認めてもよい条件、ウスラ（高利）とは見なさずにすむ「宥恕条件」を規定するようになる。それらの条件を満たしていれば、それはウスラではなく、正当な利子だというのである。宥恕条件は五つあったが、興味深いものは、次の二つである。

第一に、利子もまた一種の報酬、労働の対価と見なすことができる場合がある、というのだ。もともと、利子の徴収がなぜ罪だったかを想い起こしてみよう。それは、利子が、何も与えずに得る、不当な剰余だったからだ。しかし、もし利子を取る者もまた何かを与えていたらどうであろうか。中世の初期においては、大学の教師が、何かを教えたことに対して授業料を取ることも、高利の徴収と同じように不当なことだと考えられていた。教師は、ただ言葉を発しただけで、何の労働もしていないからである。あるいは、商人もまた、ただ物を移動しただけで、ほかに何もしてはいないので、その利益は不当なものとされていた。が、やがて、教師や商人もまた労働していたということが見出され、教育や商業活動への対価が正当なものと目されるようになる。同じように、高利貸にも労働がある、というわけである。貸すための金を獲得しなくてはならないし、また高利で得た金を運用しなければならないからだ。

第二に、不確定性の計算と呼ばれる条件がある。これは、「確実なもの」と「不確実なもの」との交換という主題に関わる条件である。当時の教会法学者や神学者には、これに異議を唱える者が多かった。しかし、後の資本主義の準備ということを考えれば、興味深い条件である。

このように、利子の徴収の許容へと至る、二つの道筋があった。しかし、これら二つの道筋（現実のそれと観念のそれ）を提示しただけでは、われわれの問いに答えたことにはならない。まず現実の道に関して言えば、それは、ただ、一定の限度の利子が容認されるようになった、という事実を記述しているだけである。どうして容認されるようになったのかが問題なのだ。たとえば、イスラム教は商業活動を推奨し、実際、その下で商業が繁栄したが、それでも利子の容認には至らなかった。どうして、西洋キリスト教の下では、利子が許容されたのか。

観念の道もまた、説明にはなっていない。観念は、利子を容認へと導くために道を切り拓いたわけではない。逆である。利子が切り拓いた道を、観念が後から辿っているのだ。すでにある程度の利子を徴収することが、当たり前の現実になってしまったとき、その現実を正当化し、追認するための理屈が案出されたのである。たとえば、「よく見れば、高利貸もそれなりに労働をしているではないか」といった具合に。観念の道は、利子の徴収が普及したことの原因ではなく結果である。

4　疑似終末としての煉獄

それならば、あれほど断罪されていた利子が、どうして許容されるようになったのか？あらためて問おう。ル゠ゴフは、ある一つの要因が決定的な意義をもった、と述べている。それは、時間の領域に関連するある発明品である。

考えてみれば、ウスラは、もともと時間についての問題である。高利貸が、広義の商人だとして、彼は何を売っているのか。彼が売っているものは、時間である。貸す瞬間から、利子付きで返済される瞬間までに経過した時間、それこそが、彼が売ったものだ。それならば、時間は高利貸のものなのか。そうではない。時間の持ち主は神である。つまり、高利貸は、自分が持ってはいないものを売って、利益を得ているのだから、盗人だということになる。しかも、普通の盗人は、他の人間の持ち物を転売したりしているだけだが、高利貸は、神のもの（特定の誰のものでもないもの）を奪って売っている。そうして得た利益は、不当な利益、つまり本来は得てはならない剰余である。これが高利貸を断罪する論理だ。

このように、高利貸は、時間についての罪である。そうであるとすれば、利子の徴収が正当化されるためには、時間の観念に劇的な刷新がもたらされなくてはならない。ル゠ゴフによれば、実際に、一二世紀末に、そのような刷新があったのだ。それこそ、煉獄の発明、煉獄の誕生である。[*6] 煉獄とは何か？

キリスト教にとって、時間とは、本来、神による創造の日から終末の日までの有限の期間である。終末のときには何があるのか？　最後の審判である。最後の審判のさらに後には、何があるのか？　そこには、無時間的な二つの世界が広がっている。天国と地獄である。最後の審判は、人生の究極の合否判定であって、ここで、それぞれの人ごとに、天国行きか地獄行きかが決定される。天国行きとなれば（合格とされれば）、天国での永遠の生が保証される。逆に、地獄行きということは（つまり不合格であったときには）、地獄で永遠の責苦にあう。合（天国）／否（地獄）は、その人が生きているときに何をやったかによって決まる。したがって、死んでしまった者は、ただ墓場で、最後の審判という合否判定を待つばかりである。

中世のキリスト教（カトリック）は、死と終末との間に「煉獄 purgatorium」を挿入した。どうしてこんなものが発明されたのか？　最後の審判は、極端な二元論に基づいている。つまり、それは死刑と無罪の判決しかないような法廷である。しかし、これは不都合ではないだろうか。ちょっとした罪を犯し、天国に行けるほどではない者が、皆一律に、いきなり死刑であるというのは、あまりに過酷ではないか。万引き犯も凶悪殺人犯もどちらも死刑であるというのでは理不尽ではないか。こうした不都合に応じているのが、煉獄である。

煉獄とは、要するに、刑の執行猶予の期間に人が収容されている場所である。それは、また矯正のための施設でもある。煉獄の機能は次のようなものだ。罪人は、天国には行けない。とはいえ、小さな罪を犯した者は、死刑（地獄行き）が執行される猶予期間に、煉獄で、その罪を償えば――罪を浄化すれば――、死刑の執行を免れるのである。おそらく、煉獄で、地獄の「それ」ほどではない罰を受けることで、たいしたことのない罪であれば浄化されるのであろう。さらに、生者（遺族）の「とりなし」によって、煉獄にいる死者の罪が軽くなるとされていた。「とりなし」とは、具体的には、祈りや奉献である。比喩的に言えば、罪を犯して監獄（煉獄）に収容されている男の妻や子どもが、頑張って善いことをすると、その男の罰が軽くなったということである。一種の連帯責任の原理が取られていたことになる。煉獄を設けることによって、「全面的に善くも悪くもない人間」（アウグスティヌス）を地獄送りにするという不合理を免れることができるようになった。

煉獄を、死刑（地獄）に対する有期刑のようなものだと考えてもよいだろう。有期刑を終えれば、（一部の）罪人の罪は晴れたと考えるのだ。別の表現を用いれば、煉獄とは、真の地獄（死刑）に対する、媒介的な小地獄（有期刑）である。煉獄を、現世の時間と真の終末の間に組み込まれた、中間的な疑似終末であると見なすこともできる。だから、人はほんとうの終末に到達する前に、小さな終末を経過しなくてはならないことにもなる。

この状況を現世の時間の側から捉え直せば、終末が一段階、先送りされたかのように見えるはずだ。一つの終末（煉獄）を越えた向こう側に、もう一つの終末（地獄／天国）があることになるからだ。

煉獄が案出されたことが、高利貸にとって、どれほどよいことかは、容易に理解できる。高利貸としては、死んでも直ぐに地獄行きが決まるわけではない。煉獄での「敗者復活戦」があるからだ。高利貸も、煉獄で罪を償えば、地獄に送られずにすむのだ。こうして、利子を徴収することへの心理的な抵抗が大幅に小さくなる。正当な「利子interest」は、先に示唆したように、ラテン語の「inter-est（中間期間）」に由来する。無論、これは、金を貸してから返済されるまでの中間期間を直接には指している。しかし、同時に、現世での時間と終末とをつなぐ中間期間（＝煉獄）が積極的な価値を与えられたことによって、利子の徴収が容易になったことを思うと、「interest」という語は、たいへん暗示的ではないか。高利貸は、煉獄という中間期間を通じて、その罪を浄化する。同様に、彼が貸したお金の利子は、貸してから返すまでの中間期間を通じて、浄化されているのだ。

＊

これで、謎は消えたのか？　利子の徴収がいかにして正当性を得るようになったのか、という問いへの回答は得られたのか？　未だである。

第一に、煉獄によって、高利貸を営むことへの心理的な抵抗が大幅に小さくなったとしても、それで利子を得ることが善いこと、あるいは少なくとも当然のこととして承認されるわけではない。煉獄は、利子の悪さをいくぶんか緩和するかもしれないが、利子を善いものにするわけではないのだ。たとえば、強盗によっては必ずしも死刑にはならない、と法が改正されたとしよう。だからといって、強盗が善いことになるわけではない。強盗が「悪くないこと」にすらならない。ただ、強盗の悪さの程度が小さくなるだけだ。同じように、煉獄という猶予期間が設けられたとしても、利子の徴収は「悪くはないこと」にすらなりえない。利子の徴収が当然のこととして承認されるためには、まだ何か積極的な条件が必要だ。

第二に、煉獄に最も重要な原因を求める、ル＝ゴフの説明は、よく考えてみれば、謎の位置を変えただけで、謎そのものを消してはいない。つまり、この説明は、利子の謎を煉獄の謎に置き換えているだけなのだ。どうして、西洋中世のキリスト教（カトリック）だけが、煉獄などという中間的な場所を創出したのだろうか？　確かに、煉獄があることによって、先に述べたように、都合のよいことはある（微罪を犯した者に救済のチャンスが与えられる等）。しかし、同じような終末論をもっていたからといって、煉獄的なものが自然に生み出されるわけではない。東方正教も、イスラム教も、やはり来世を想定しているが、どちらも、煉獄のような中間的な終末を創出したりはしなかった。どうしてカトリックだけが、このような中途半端な終末を発明し、これに重要な機能を与えたのだろうか？

この点に関して、次のような仮説を立ててみよう。西側のキリスト教（カトリック）の特徴はどこにあっただろうか。それは、子なるキリストの役割の圧倒的な重要性にあった。イスラム教には、もちろん、（神の子としての）キリストは存在しない。[*7]東方正教会では、子なるキリストは父なる神に対して従属的であり、キリストの役割は後景に退く（第1章）。この事実を前提にして、仮説を提起してみよう。

先にも述べたように、煉獄は、小地獄、疑似地獄である。地獄は、悪魔の中の悪魔、神に対抗する悪魔たるサタンが統括している。こうしたことを念頭においたとき、地獄と煉獄との関係は、神と子（キリスト）との関係に類比的ではないだろうか。神でありかつ人間であるような中間的な存在キリストは、神に対して、ちょうど、煉獄が本物の地獄に対してもつのと同じ関係をもっていると言えないか。ここから、善の領域における、神とキリストの関係を、悪の領域に写像したときに、煉獄が得られたと、考えてみるのだ。次のような方程式を解くとしたらどうなるか。

神：キリスト＝地獄（サタン）：x

このとき、「x＝煉獄」という解が導かれることになる。

5　持っていないものを与える

こうして、われわれは、イエス・キリストという契機に、また連れ戻された。

第2節に引用した、ハイステルバッハのカエサリウスの『奇跡に関する対話』の最終章には、次のような、高利貸の妻の美談が紹介されている。――リエージュのある高利貸が死んだが、司教は彼を墓地に埋葬することを拒んだ。妻は、教皇座にまで赴き、夫を聖なる土地に埋葬してくれるように、と懇願した。教皇はこれを拒否した。しかし、妻が夫を弁護して、「夫のし忘れたことを、夫の肉体の一部であるこのわたしが、夫に代わって喜んでいたしましょう。夫のために私は世を捨て、夫の罪を神から贖う覚悟です」と強く訴えた。教皇は、ついにこの請願に屈し、高利貸の遺体を墓地に移させた。妻は、夫の墓の近くに住居を定め、昼夜の別なく、夫の魂の救いのために祈り、施し、断食し、神の怒りを鎮めようと努力した。七年後、夫が黒衣をまとって妻の前に現われ、「おかげで地獄の底から引き上げられた」と妻に感謝した。さらに妻が勤めを続けると、その七年後、夫が、今度は白衣を着て現われた。幸せそうな夫は、「そなたのおかげで、今日、私は解放された」と妻に深謝した。

この逸話から二つのことを引き出しておきたい。第一に、ここで妻が夫（高利貸）のためにやったことは、キリストが人類のためにやったことに等しい。キリストは、十字架の上で犠牲になることで、人類の罪（原罪）を贖った。同様に、リエージュの高利貸の妻は、隠者となって己を犠牲にすることで、夫の罪を贖った。

第二に、妻の愛によって夫の罪が贖われたと解釈されている点が興味深い。夫の罪とは、言うまでもなく、ウスラ（高利）を徴収したことである。その徴収した利子は、妻の愛によってキャンセルされる。ということは、単純な算術によって、妻の愛と利子とが等価であるとされていることになろう。

これら二点を念頭に置いて、もう一度、考え直してみよう。どうして、利子の徴収が容認されたのか？　どうして、利子が正当化されるようになったのか？

＊

煉獄の重要性を強調するル＝ゴフの説明は、前節に述べたように、未だ不十分なものだが、しかし、ひとつの教訓を残した。イエス・キリストが鍵である、と。またリエージュの高利貸の逸話も、キリスト的な契機（＝妻）の働きを重視している。キリスト教の論理の中でイエス・キリストとは何であるか？　この文脈で、すでに何度も繰り返し問うてきたことをまた考え直してみよう。どうして、神が人間として現われなくてはならなかったのか、を。

人間は神を信じ、神を愛する。このとき、神もまた、人間を愛するとしたらどうか。その際、「愛する者」としての神は、イエス・キリストという人間の姿をとるほかない。なぜなら、愛する主体である神は、その対象である人間に、言わば、手を差し延べ、触れることができなければならないからだ。神が人間として出現するという設定を支えている論理は、こうしたものであろう。われわれがすでに導入した概念を用いるならば、これは、求心化作用〈〈私〉が神を愛する〉と遠心化作用（神が〈私〉を愛する）が連動することによって生起する、愛の相互反射である。

このことが、目下の主題である「利子」とどう関係するのか？　この点を明らかにするために、「愛とは私が持っていないものを他者に与えることである」というラカンの格言を媒介にしてみよう。「私が持つ全てを与える」ということならばわかる。しかし、どうやったら、私が持っていないもの、私に欠けているものを他者に与えることができるのか？　しかし、中世の高利貸が、どのような廉で非難されたかを想い起こしてみるがよい。彼らは、まさに自分たちが持ってはいないもの（時間）を人に与えている、とされたのではなかったのか。また、利子の徴収は、本来他者が持ってはいないものまで奪っているがゆえに罪深い、ということではないだろうか。しかし、それにしても、どうやったら持ってもいないものを与えることができるのか？

この問いには、あの宮廷愛の後に何が起きるのか、を考えることで答えることができる。宮廷愛の関係に写像させれば、神が貴婦人に、信者が騎士に、それぞれ対応している。ならば、宮廷愛の後に――論理的に後に――来るべきことを知るにはどうしたらよいのか？　意外だと思われるだろうが、典型的なスパイ小説・映画の展開を想起すればよいのだ。なぜ、いきなりスパイ物なのか？　スパイ物では、しばしば、女スパイが、自らに課せられた任務として、敵である男性幹部を誘惑し、彼から機密情報を引き出そうとする（男女の関係は、これと逆であってもよい）。女スパイは、自分を愛させるように男性幹部を誘うが、しかし、彼女自身は、職務としてそうしているのだから、男を本気で愛してはならず、それゆえ、本来、幸せな恋愛や結婚に到達してはならない。この関係が、宮廷愛と同じである。前章で述べたように、貴婦人（女スパイに対応）は、騎士（男性幹部に対応）を誘惑はするが、しかし、幸せで安定した結合に至ってはならないのだった。*8

この後、スパイ物はどう展開するのか？　それでも、女スパイは、敵である男を愛してしまうのだ。二人が愛し合ったからと言って、両者を隔てる壁は消えない。つまり、女はスパイであることを離れることはできないし、男は、敵の幹部として任務を遂行するほかない。男は、最後には、女がスパイであって、与えられた使命として自分にアプローチしてきたことを知ることになるが、そのことによって男の愛が冷めることはない。というより、最後には、二人を隔てている外的な障壁に見えるもの——女と男が敵同士であるということ——は、二人の恋愛の内在的条件に転化してしまう。つまり、障壁は愛を深めこそすれ、弱めることはないのだ。

こうした典型的な筋書きの近年の実例として、アン・リー監督の映画『ラスト、コーション』(二〇〇七年)を挙げることができるだろう。これは、日本占領下の上海でのレジスタンスを背景とした物語である。抗日運動に共感した女子学生ワン・チアチーは、日本の傀儡(かいらい)政権の幹部イー(トニー・レオンが演じる)を誘惑する任務を引き受ける。イーから秘密を引き出し、最終的にはイーを暗殺するためである。ワンは、裕福な貿易商の妻マイ夫人と名乗り、イーに近づいた。猜疑心の強いイーも、ワンを愛するようになり、二人は激しいセックスを繰り返す。ワンもまた、孤独に闘うイーに惹かれてしまう。抗日グループは、イーがワンにダイヤモンドの指輪を贈るとき、宝石商の店で、イーを襲撃する計画を立てる。しかし、宝石を贈られた直後、ワンは、イーの目を覗きこみながら言ってしまう、「逃げて」と。おかげで、イーは、危機一髪で難を逃れる。この場面でワンがイーに差し向ける不安なまなざしと、「逃げて」の一言が、彼女のイーへの愛を証明している。ワンの愛の深さは、彼女の抗日闘士としての使命の重さを越えたのだ。結局、ワン等のレジスタンスのグループは逮捕され、イーは部下に彼らの処刑を命じるほかないのだが、このときのイーの哀しみを湛えた表情が、真実を知った後でも、彼のワンへの愛がいささかも衰えてはいないことを示している。

こうした展開が、宮廷愛の後に何が起きるかを教えてくれる。一種の反射のメカニズムによって、女が男に愛を返すのだ。愛される対象だった女が愛する主体へと転換する。どうしてこのような反射が生ずるのだろうか？

女は男に激しく愛される。このとき、女は、ある困難、ある当惑の中に投げ込まれることになる。どうして自分は男にかくも愛されるのだろうか。自分のもっている何が男をそれほどに惹きつけているのだろうか。こうした疑問、こうした当惑は、二人の間の幸福な結合が決してありえないときには、ますます深く、大きなものにならざるをえない。女の観点からすると、自分のもっているどのような性質、どのような地位も男の幸福を保証するものではない。それなのに、どうして男は女を愛するのか。結局、女としては、自分の中に自分自身がもっている（と自らが自覚している）こと以上の何かがある、と見なさざるをえない。その何かを「y」と表記しておこう。男の愛が、女の中に、女自身のどのような性質とも等値できない何かyを産み出す。これは、女が、本来、欲してもいなかったもの（y）を男から与えられた状況である。

女は、一種のアイデンティティ・クライシスに陥る。自分は（男にとって）何かわからない。自分は何ものとも規定できないyである。この行き詰りは、どうやったら打開できるだろうか？　女の方が男を愛してしまえばよいのだ。女が男に愛を返すのだ。女は愛する主体になることで、対象としての自分が何であるかという難問から逃れることができる。

男の側から見たとき、これはどのような事態なのか。男にとっては、それは、女の中のあのyが自分へと応答してきた状況である。yが男に返され、与えられた、と言ってもよいだろう。これこそ、ラカンの格言めいた命題が言わんとしていたことである。女は、「自分がもっていないものy」を男に与えたことになるからである。

yは、男と女の間の愛の反射によって生み出された純粋な剰余である。それは、もともとなかったものだ。女が、愛される対象から愛する主体へと変貌することで、それは、男のもとに剰余としてもどってくる。信者が神を愛し、人間と化した神が信者に愛を返すとき、これと同じことが起きているのではないか。このとき発生した剰余yが、信者の罪を贖う、とされるのである。

いま説明した愛のメカニズムは、第7章第2節・第3節で論じたこと、アゴタ・クリストフの『悪童日記』を解釈しつつ述べたことと対蹠的である。第7章で、われわれは、すべてを与えることの困難について論じた。「隣人愛」がないとき、人は、持っているすべてを与えたつもりでも、なお「何か」を残してしまう(being の水準に)。逆に、愛し合っているとき、人は他者に、持っているものを越えて、つまり自分が持っていないものまでも与えてしまうのである。

6　利子の発生

ここで提起しておきたい仮説は、したがって、こうである。この剰余yの物質的――あるいは貨幣的――表現こそが利子ではないか。信者と神との愛の相互関係は、剰余＝利子の発生を本来、許容しているのだ。

かつて、キリスト教には二つの側面がある、と述べた（「古代篇」第6章）。一方の側面では、神は、抽象的な実体として、どこまでも信者から離れていく。神が信者の前に現われ、信者に手を差し延べることはない。この側面における神に準拠した場合、剰余は決して発生しないので、利子は厳しく禁じられる。しかし、他方の側面では、神は人間として姿を現わし、信者に触れ返してくる。このとき、述べてきたようなメカニズムによって、剰余yの発生が許容される。これを現実の経済活動に隠喩的に適用すれば、利子という形態をとるのだ。

どうして、利子の徴収が容認され、正当化されるようになったのか？　これが問いであった。聖書には、利子を呪う言葉が記されているので、人はどうしても、利子が普及していく過程で、キリスト教の影響力を低下させる何かが生じていたのではないか、と考えてしまう。だが、そうした理解は挫折する。利子の受容が進んだ、一二世紀後半から一四世紀にかけての時期は、キリスト教の影響力や権威はいささかも衰えてはいないからだ。むしろ、この時期は、（キリスト教以前の）土俗的な異教の影響がほぼ一掃され、キリスト教が民衆にまで広くかつ深く浸透していった時代にあたる。だから、われわれはむしろ逆に考えるべきなのだ。キリスト教の影響力が増し、その精神が純化されたことで、利子の徴収は許容されるようになったのだ、と。キリスト教に伏在しているポテンシャルが十全に発揮されるようになったとき、むしろ、利子は正当な報酬と見なされるようになったのである。これは、ラディカルなキリスト教徒（プロテスタント）の生活態度が資本主義の精神の原点となったという、あの機制の、先触れである。

繰り返し確認しておけば、キリスト教やイエス・キリスト自身が、意識的に利子を擁護したわけではない。キリスト教の公式の教義も、またキリスト自身も、利子の徴収を積極的に正当化することはなかった。利子は、イエス・キリストという契機――神が人間としての立場で人間を愛するという構成――を導入したことの、純粋に意図せざる結果である。それは、論理的にして、行為事実的な結果であって、意図することなくもたらされる副産物である。意図的に発せられた言葉（利子の禁止）と行動（利子の容認）との間には捩じれが生じている。この捩じれの原因になっている利子、ル＝ゴフが示唆したように、これこそは中世のキリスト教の歴史を集約する表徴である。（神と人間の間の）愛の反射が思いもかけぬ場所に姿を現わしたもの、それが利子である。

＊1　ジャック・ル・ゴッフ『中世の高利貸――金も命も』渡辺香根夫訳、法政大学出版局、一九八九年。以下、キリスト教における「高利をめぐる議論」に関連した諸事実は、主としてこの書に負っている。
＊2　修道院が貸付業務から撤退したのは、教皇庁が譲渡抵当を禁止したことによる。譲渡抵当とは、担保として用いられた不動産からの収益を貸手が受け取る仕組みである。担保からの収益を一種の利子と解すれば、修道院こそ、熱心な高利貸だったと見なせなくもない。
＊3　八木雄二『天使はなぜ堕落するのか――中世哲学の興亡』春秋社、二〇〇九年、三二五―三三五頁。
＊4　同三三三―三三四頁。
＊5　ル・ゴッフ、前掲書、九〇頁。
＊6　ジャック・ル・ゴッフ『煉獄の誕生』渡辺香根夫・内田洋訳、法政大学出版局、一九八八年。
＊7　第6章注6参照。
＊8　スラヴォイ・ジジェクは、以下で宮廷愛と映画『クライング・ゲーム』（ニール・ジョーダン監督、一九九二年）とを関係づけて論じている。『クライング・ゲーム』は、スパイ物ではないが、ＩＲＡの活動家を扱っている。ジジェクのこの議論が参考になった。Slavoj Žižek, *The Metastases of Enjoyment: Six Essays on Woman and Causality*, London: Verso, 1994, pp.102-109

第12章　「物自体」としての聖地

1　「新〇〇」という土地

ニューヨークは、現在、世界で最も有名な都市であろう。世界中の誰もが、この都市の名前や位置を、そして何よりこの都市が所属する国を知っている。だが、よく考えてみると「ニューヨーク」は一連なりの語ではなく、「ヨーク」の「新」版という意味である。このことに気づいてあらためて見直してみると、南北アメリカ、アフリカ、そしてアジアやオセアニアのヨーロッパ人の植民地に、類似の方法で名づけられた土地名が実にたくさんあることに気づく。類似の方法とは、植民地となった遠隔地を、植民者たちにとって出身地となるヨーロッパの本来の地名に対して、「新」として位置づける慣習のことである。ヌエバ・レオン、ヌーヴェル・オルレアン（→ニュー・オーリンズ）、ノヴァ・リスボア、ニュー・ゼーラント（↓ニュー・ジーランド）、ニュー・アムステルダム（ニュー・ヨークの古名）……いくらでも挙げることができる。

このような命名法を、当たり前で自然なものと見なしてはならない。ヨーロッパからの植民者や移民以外は、このような土地名を採用することはなかったからである。つまり、アジア等から出てくる移民も、新たに土地を獲得し、定住するとき、その土地に名前を与えるが、それを出身地名の新版として意味づけることはなかったのだ。

間違ってはならないが、政治的・宗教的に意味ある場所に「新」が付く名前を与えること自体が、めずらしいと言っているわけではない。そのような単純な意味での「新」であれば、昔から、世界中の至るところで使われていた。たとえば、タイの大都市「チェンマイ」は「新しい都」という意味である。これと、一六世紀以降のヨーロッパ人の植民者の命名法と、どこが違うのか？　どこにでもある伝統的な用法では、「新」は、単純に文字通りの意味である。つまり、この場合、「新」は、すでに消滅したり、廃れたりしてしまった土地の後継者ということを示しているのだ。それに対して、ヨーロッパ人の植民地に付けられた「新」は、消滅した都市や地域の後継者を意味してはいない。というのも、「旧」にあたる本来の都市や地域は問題なく継続しているのに、植民地に「新」とされる都市や地域が生まれているのだ。たとえば、フィリピンにヌエバ・ビスカヤが建設されたとき、スペインにはビスカヤがあり、アメリカのコネチカットにニュー・ロンドンが拓かれたときに、イングランドにもちろんロンドンが存在している。このように、ヨーロッパの植民地においては、「新」が「旧」と共存している点に顕著な特徴がある。[*1]

この植民地の土地の奇妙な命名法は、ヨーロッパからの移民や植民者が、他の地域からの移民には見出せない、非常に特殊な感覚や態度をもっていたことを示している。それは何であろうか？　とりあえず、確実に言えることは、ヨーロッパの移民が、どれほど彼らの出身地から離れても、その出身地であるところの帝国・本国との独特の関係を、一種の依存関係を保っていた――保つことができた――ということである。

絶対に誤ってはならないことは、次の点である。世界中に、ヨーロッパのどこかを本来の「旧」とするような「新○○」という土地が生まれた原因を、ヨーロッパからアメリカその他の外部へと移動した人口が、他の地域からの移民の人口よりも大きかった、ということに求めてはならない。つまり、ヨーロッパの人々が、どういうわけか、特に冒険心が旺盛だったり、商売に熱心だったりして、さかんにその外へと移動したのに、アジアやその他の地域の人々は、つつましやかに故郷にしがみついていたから、こういう結果になった、と考えてはならない。事実はまったく異なっているからである。

ヨーロッパからの大量の移民が、その外部に大規模な植民地を建設するようになるのは、いわゆる大航海時代からである。すなわち、それは一六世紀頃である。同じ時期、ヨーロッパからの移民の規模が、他の地域からの移民の人口を圧倒していたのだろうか？

そんなことは決してない。ほぼ同じ頃、中国（明・清）からも大規模な人口移動があった。あるいは、アラブ人の移民も、それに負けないほど多かった。しかし、世界中どこを探しても、「新広東」とか「ニュー・リヤド」のような名前の都市は開発されなかったのだ。とすれば、違いは、移民の人口の規模から来るものではない。

それならば、ヨーロッパからの移民のどこがどう特別だったために、このような結果に至ったのだろうか？ この問いは、とりあえず銘記するに留め、後にふりかえることにしよう。というのも、大航海や植民地化がさかんに行われる時期は、われわれが目下主題にしている時代よりも少し後に属するからである。だが、あえてここで疑問を提起しておいたことには、もちろん、理由がある。ヨーロッパ人固有の移動・移民の原点は、中世にこそあると考えられるからである。

2　十字軍

ヨーロッパ史で言うところの「大航海」の端緒にある航路は、言うまでもなく、イベリヤ半島からアフリカを経由してアジアへと向かう東回りの経路と、イベリヤ半島から西へと向かい、大西洋を渡って新大陸へと至る経路の二つである。巡礼を初めとする中世のヨーロッパ人の移動について論じた著書の結論にあたる部分で、大航海時代に関して、関(せき)哲行(てつゆき)は次のように述べている。大航海時代は中世ヨーロッパ社会からの断絶としてではなく、移動に馴化(じゅんか)した中世ヨーロッパ社会を前提とし、その移動のベクトルを西方へと転換することで実現するのだ、と。[*2]つまり、中世ヨーロッパの内部での巡礼や商人の移動を、そのままヨーロッパの外へと、とりわけ西の大洋へと転換させれば、大航海時代の移動が導かれる、というわけである。

無論、この断定には、留保を付ける必要はあるだろう。大航海は、その名の通り、海へと向かう移動である。それに対して、中世の移動は主として陸路による。陸へと向かうエートスと海へと向かうそれとの相違を小さく見積もってはならないだろう。だが、この点に関しても、もう一段階の留保を付すことができる。つまり、中世にも、海上の移動はある、と。

その代表がヴェネチアの商人の移動、ヴェネチア共和国の海上支配である。一〇〇〇年頃、当時のビザンチン皇帝ニケフォルス・フォカスは「海の支配圏はわれのみにあり」と豪語しているが、その五百年後にコンスタンチノープルにいたトルコ皇帝(スルタン)は、ヴェネチア人に向けて「これまでは海との契りを結んでいたのはお前たちであったが、今後は海はわしのものである」と宣言した。ということは、一〇〇〇年から一五〇〇年までの五世紀間は、ヴェネチアこそが海の女王だったということである。この場合の「海」とは、アドリア海、エーゲ海、そして東地中海だ。

ヴェネチア共和国では、「海との結婚式」と呼ばれる儀式が、毎年、執り行われた。共和国の総督(ドージェ)は、キリスト昇天の前日「センサの日」に、飾り立てられたガレー船ブチントーロで海へと乗り出し、海との婚約の証として指輪を波の中に投じた。このように、中世後期の繁栄の中心地ヴェネチアは、海の移動と深く結びついていた。

だが、——議論が何度も細かく蛇行していくようだが——ヴェネチア商人の地中海での移動と、大西洋への遠洋航海とを連続的に捉えてよいものだろうか。『陸と海と』で、カール・シュミットは、両者の違いを強調している[*3]。そもそも使われた船がまったく異なる。大航海時代の船は巨大な帆船だが、ヴェネチアは、オール船、つまりガレー船しか未だ知らなかった。ガレー船は、追い風のときしか帆を使わず、普段は人間の腕で前に進むほかなかった。大航海時代にとって不可欠の道具は、コンパスである。エルンスト・カップは、コンパスによって「船になにか精神的なものが吹き込まれ、そのお陰で人間はこの乗り物と連帯、血縁関係を結ぶことになった」(『比較一般地理学』)と、この道具の画期的な意義を詩的に表現している。中世のヴェネチアの船は、コンパスをほとんど使ってはいなかった[*4]。

ヴェネチアの「海岸帝国」は、一〇〇〇年頃になされたダルマチアへの艦隊出動に始まっていると言われる。しかし、その艦隊がたいしたものでなかったことは、ダルマチアの後背地であるハンガリーやクロアチアのヴェネチアへの従属が、あいまいなものにとどまったという点からも明らかだ。

結局、ヴェネチアが示した「海への志向」は、「陸への志向」――陸を移動し、陸上に己の場所を占めようとする志向――と明確に区別された、断固たるものにはなっていなかった。このことを象徴的に示す事実として、シュミットは、当時の海戦は、結局「船上での陸地戦」でしかなかった、という点を指摘している。当時の船は、火器を積載してはいなかったので、距離をおいた砲撃戦はできなかった。艦船は互いにぶつかりあい、最終的には、板一枚で敵艦への橋を渡し、敵方に直接乗り込んで、戦ったのだ。まさに海上での陸地戦である。

ヴェネチアの海上支配の完全なる終焉を象徴する出来事は、一五七一年のレパントの海戦である。この戦争で、ヴェネチアとスペインは協力して、オスマン帝国のヨーロッパへの侵出を防いだ。ヨーロッパにとっては大勝利ではあったが、シュミットは、この戦争は、船舶技術の上では、千六百年も前に、アントニウスとオクタヴィアヌスが同じ場所で交わした海戦（アクティウムの海戦）とあまり変わらなかった、と述べている。しかし、レパントの海戦のしばらく後（十七年後）、イギリスがスペインの無敵艦隊を打ち負かした海戦では、まったく異なる技術が用いられている。

したがって、結論的には、大航海時代の海への進出と中世の旅や移動との間には、かなりの質的な相違があったと見なさないわけにはいかない。が、しかし、この事実を考慮した上でのことであれば、なお、関哲行が述べたように、中世の人々の旅や移動の延長上に、大航海があったと見なしてよいのではないだろうか。大航海時代の冒険や交通をその源流にまで遡れば、中世の旅があったと見なすべきではないだろうか。

＊

それならば、中世の旅とは何か？　その典型は、聖地への巡礼である。聖地には、聖人の死体が、聖人の死体の断片（聖遺物）が置かれている。次いで、挙げられるべき旅の類型は商人の移動であろう。しかし、商人の旅と巡礼者の旅は、明確には区別できない、とかつて論じておいた（第6章）。しばしば、巡礼者はそのまま商人でもあった。とすれば、中世の旅の原型は、巡礼であることになる。

その上で、巡礼の中の巡礼、巡礼の至高の形態は何かと考えれば、言うまでもなく、それは十字軍である。十字軍は、ローマ教皇の号令によって、西洋のカトリック教会の支配下にあった諸国や諸侯が、聖地エルサレムをイスラム教国から奪還するために派遣した遠征軍である。参加した兵士たちは、武装した巡礼者とも見なすべきものであった。最初の十字軍は、ビザンチン皇帝アレクシオス一世コムネノスの依頼をきっかけとして、ローマ教皇ウルバヌス二世が派遣した軍隊で、一〇九六年から一〇九九年にかけて戦った。この軍勢は、エルサレムにまで到達し、エルサレムの征服に一応は成功した。以降、何度か十字軍は派遣され、その回数は、数え方によって七回にもなれば九回にもなるが、ここでは八回としておこう。一二七〇年に、聖王ルイ九世が二度目の出兵をした十字軍を最後の十字軍と見なすことにする。

曲がりなりにも一時的にエルサレムの征服に至った第一回を別にすると、「聖地エルサレムの奪還」という本来の目的との関連で言えば、十字軍はことごとく失敗したと言わざるをえない。攻撃目標が、イスラム教徒ではなく、正教会にすり替わってしまったときもある。十字軍は、失敗とも言えるが、しかし、さまざまな副産物があったことは、どんな歴史の教科書にも載っている。たとえば、ビザンツ文明やイスラム文明が伝えられて、西欧の文化にさまざまな影響を与えた。アリストテレスの「逆輸入」などは、その典型である。また、東方の産物が運ばれ、莫大な商業的な利益が出た。そこで大活躍したのが、先に言及したヴェネチア商人である。

十字軍に関する詳細な事実をここで検討する必要はない。重要なのは、このように大規模で、危険の多い移動へと大量の人々を駆り立てた要因は何か、そのような要因を形成している心的な機制の形式はどのようなものだったのか、である。

第一に、十字軍の究極の目的地は、エルサレムであったということの意味を確認しておく必要がある。中世のすべての巡礼は、死体を——聖人の遺体を——目指している。エルサレムとは何か。その地が、あらゆる死体の中でも最高の死体に、聖人を超える聖人の死に関連づけられていることは、言うまでもない。エルサレムは、キリストと呼ばれたイエスが処刑された場所――そして復活した場所――なのだから。

第二に、十字軍へと人を駆り立てているのは、ユートピアへの憧憬、地上における天国（神の国）の模造品への憧れであろう。そのユートピア、楽園はエルサレムを中心に置いている。「憧れ」は、さらに、その原因にまで遡れば、一種の嫉妬に基づいていると見なすべきであろう。嫉妬は、一種の快楽・幸福の経済学のようなものを通じて、憧れへと転換する。すなわち、嫉妬は、不可避的に、人に、次のような条件を有するユートピアを、ある楽園を創造・想像させる。そのユートピアにおいて、他者は、この上なく十全な幸福や快楽を享受しているのだが、ユートピアを創造・想像している主体は、そこから完全に排除されているのである。つまり、嫉妬は、主体がそこから完全に排除されているユートピアについての想像と相関して産み出される。十字軍に関して言えば、ユートピアで快楽を貪っている（とされている）他者にあたるのは、何よりもイスラム教徒であり、またときに正教徒である。

それゆえ、嫉妬から憧れへと受け渡される心的な機制の中で、人は、ユートピアには所属しない浮遊する目となって、外からユートピアを眺めている。聖地の奪還とは、その外的な目の持ち主である自分自身を、ユートピアの中に埋め込む操作である。

もっとも、このようなユートピアへの憧憬は、とりたてて、ヨーロッパや十字軍に固有なものではあるまい。これは、新天地を求めて移動する人間に一般的に見出される心的な機制である。とすれば、ヨーロッパの特異性を構成しているのは、第一の条件、すなわちキリストの死に関連する条件であろう。両者は、つまりキリストの死や死体と、ユートピアへの眼差しとは、どのように相関しているのだろうか？

3　至るところに否定神学

何回攻略を試みても、聖地には到達しない。聖地を征服できない。曲がりなりにも、ローマ教皇側がエルサレムを制圧したと言ってよい状況は、最初の十字軍のときに実現しただけであり、しかも、そのとき建設されたエルサレム王国も長続きはしなかった。その後の十字軍は、エルサレムに到達することすらままならなかった。神聖ローマ皇帝フリードリヒ二世が率いた第六回十字軍だけは、平和的な外交を通じて、エルサレムの統治権を獲得するが、このとき、フリードリヒ二世は、教会から破門されていたので、逆に、その後フリードリヒ二世自身が、十字軍の制圧の目標とされるという転倒ぶりである。聖王ルイの場合は、聖地のはるか手前で捕虜になり（第七回）、また死亡した（第八回）。要するに、十字軍は聖地エルサレムを目指したのに、まるで永遠にエルサレムには辿りつかず、どこまでも続く回り道に迷い込んだかのようなのである。

ここで、われわれは次のことに気づかざるをえない。十字軍の巡礼において、中世の騎士たちが従っていた宮廷愛と同じ論理が働いていることに、である。宮廷愛においては、騎士と貴婦人との一体化、二人の幸福な結婚や性交は、固く禁じられているように見える。二人は、（第三者の目には）結婚や性交が容易に可能であるように思える状況でも、それを回避する。このような禁止を通じて、貴婦人の内に聖性・超越性が生み出されるのだった（第10章）。貴婦人が聖なる超越的な対象だから、接近できない、というわけではない。論理はまったく逆である。接近が禁じられているがゆえに、貴婦人が、神に類する超越的な対象であるという幻覚が生み出されるのだ。無論、これは、われわれ第三者だけが見出すことができる無意識の論理で、当事者である騎士や貴婦人には、反転して――つまり貴婦人が崇高であるがゆえに近づきがたいのだという形式で――事態は見えていた。

ともあれ、聖地エルサレムについても、宮廷愛の無意識の論理と同じ論理が作用するのではないだろうか。軍は、エルサレムに向かって進攻するが、いつまでも到達できない。まさに到達できないという否定性が、エルサレムを聖地へと、崇高な場所へと格上げするのである。ジャック・ラカンは、宮廷愛について論じたセミナーで、宮廷愛を「歪像（わいぞう）」に喩えている。歪像とは、正面から眺めたときには見えないが、わざと不自然なアングルから見たときに、有意味な対象がたち現われるように描かれている、一種の騙し絵である。十字軍の目標であるエルサレムも、これにいささか似ている。エルサレムにまっすぐ正面から向かい、あっさりと到達してしまえば、そこは何ものでもない。何やら奇妙な回り道を経て、いつまでも到達が引き延ばされているとき、そこは、崇高な場所へと、聖地へと変貌する。[*5]

*

宮廷愛の論理は、中世の至るところで作用している。これが、全ヨーロッパ規模の集合行動のレベルで働けば、十字軍になる。同じ論理は、内面的な形而上学のレベルでも作用している。それこそ、否定神学にほかなるまい。

否定神学という語は、偽ディオニシオス文書に由来する。偽ディオニシオス文書とは、ディオニシオス・アレオパギテースと名乗った人物のテクスト群である。このテクストは、中世では、非常に高い権威をもった。彼が、「使徒行伝」に出てくる、パウロの直弟子のひとりと見なされたことが、その大きな原因の一つである。使われている理論が、パウロの時代のそれよりもかなり後に属しているのではないか等、疑念は出されていたが、最終的に、著者が偽名で書いていたことが判明するのは、つい最近、つまり一九世紀末のことである。それゆえ、今日では、「偽」ディオニシオスと呼ばれる。

その偽ディオニシオスによれば、神へと至る道は、ふたつある。肯定の道と否定の道である。重要なのは、否定の道、つまり否定神学である。否定の道とは、神へと至ることを否定することによって逆説的に神に到達する方法であり、十字軍の聖地への道行きに喩えられる。神は、存在を超えた存在であり、善を超えた善であって、一切を超越しているので、感覚によっても、知性によっても把握することができない。とすれば、神については、「……である」と肯定的に述定することは不可能であって、ただ、「……ではない」と否定的に言いうるのみである。つまり、神について積極的・肯定的に言うことをあえて否定することで、神について語ったことになる、というわけだ。これが否定神学である。

否定神学が、宮廷愛の論理と類比的であるのは容易に理解できるだろう。語ることを禁止することによって、神が、まさに「語りえないもの」として実定的な対象性を獲得しているのである。知性や感覚を超えた神の超越性は、語ることの禁止が相関的に産み出したものだ。ちょうど、貴婦人との性交が禁止されたとき、貴婦人の内に聖なるものが宿るのと似ている。

否定神学的な神の理解（あるいは理解の不可能性）は、中世の神学を席巻したと言ってもよいほど広く見られる。古くは、神を「暗闇において見る」（つまり見えないものとして見る）ものと見なした、ギリシア教父、ニュッサのグレゴリウスに、類似の論法を認めることができる。あるいは、中世の後期に目を転じるならば、エックハルトが、代表的な論者であろう。エックハルトは、知性の発展は、常識とは逆に、知から無知へと至るべきだ、と述べた。神は、知りえないこととして知るしかないからである。

神についての否定神学的な理解の最も体系的に完備された論は、エリウゲナの『ペリフュセオン（自然について）』に認めることができるだろう。この書物は、異端宣告されたこともあるが、否定神学の可能性を徹底的に引き出したものだと言える。エリウゲナは、存在するものと存在しないものとを包括するカテゴリーとして「自然」を用いる。彼は、「創造するもの—創造しないもの」という能動性の差異と「創造されないもの—創造されるもの」という受動性の局面での差異とを掛け合わせて、自然を四つの種へと分類している。その中で、「創造し創造されないもの」と「創造せず創造されないもの」が、ともに神である。

創造もしなければ、創造もされない不可能性の極にある神は、エリウゲナによれば、否定神学（上りの道）を通じてしか接近できない。肯定神学的には、神は存在し、真理であり、本質であり、善である等と言われる。しかし、神は、存在も真理も善も超えているのだから、こうした表現は比喩以上のものにはなりえない。神の真実には否定神学によってしか至りえないのだ。神は存在を超えているので、あえて言うならば、「無」と否定的にしか表現しえないのだが、それは、神が不在であるということを意味しているのではなく、逆に、神が被造物の存在の仕方を超えて存在していること、あまりに存在していることを含意している。同じことは、もっと詩的に「輝く闇」とも言われたりする。神は、あまりにも暗く、見えないものとして自己主張しているがゆえに、輝いているのである。

4 中世解釈者革命

十字軍も否定神学も、宮廷愛の論理の変奏である。それらは、禁止や否定を通じて、逆説的に神の実定的＝肯定的な存在を確保する方法である。このことを考えたとき、一二世紀に、ピエール・ルジャンドルが「中世解釈者革命」と呼んだ法制史上の大転換があった事実は、ことのほか興味深い。われわれは、一二世紀がさまざまな意味で重要な画期であった、ということを、本書の中で何度か確認してきた。法の歴史にとっても、一二世紀は決定的な時期である。ルジャンドルは、ここに近代的な法への端緒があったと見ているほどである。[*6]

一一世紀の末に、ピサの図書館で、突然、ユスティニアヌス法典が発見された。ユスティニアヌス法典は、別名「ローマ法大全」とも呼ばれ、ビザンチン帝国のユスティニアヌス皇帝が編纂させたローマ法の法典である。この法典は、六世紀に公布・施行された後、一一世紀末までの六百年近く、うち捨てられ、忘れられていたのである。解釈者革命とは、ユスティニアヌス法典を読み、解釈することを通じて、「教会法」を整備したことを言う。教会法は、一種の民法のようなものである。教会法の確立によって、キリスト教会（カトリック教会）は、西ヨーロッパの全体を包括する一つの法共同体として成立した。この教会こそは、ルジャンドルによれば、近代国家の範型となった。

さて、この事実に関連した疑問は、次のことだ。もともと、キリスト教は、法（ユダヤ教の律法）の否定、法の無効化にこそ主要な関心があった。だから、新約聖書に固有の法というものはない。法の無効化にこそ特徴があったキリスト教が、中世のこの時期、むしろ、法の積極的な措定へと向かったのはどうしてなのだろうか？　教会が、忘れられていた法――キリスト教とは直接的には関係のない法――の助けを借りて、自身に固有な法の体系の確立に情熱を傾けたのは、なぜなのだろうか？

次のような仮説を立ててみたらどうであろうか。ここに見てきた論理、つまり宮廷愛、十字軍、否定神学に共通した論理は、否定の基礎の上に肯定を置く逆説である。たとえば、否定神学は、神の存在の積極性・肯定性を、神についての否定的な述定を通じて、確保した。「神は無である」は、まさに「神は存在している」を意味している。これと同じ論理、同じ原理が法の領域で作用したらどうなるか。法の否定、法の排除が、法の肯定や措定へと転換するのではないか。教会法――つまり忘れられ排除されていたローマ法の回帰した形態としての教会法――とは、このような逆説を通じて呼び寄せられた法の体系ではないだろうか。解釈者革命もまた、宮廷愛と同じ論理に従っているのである。

5 「物自体」としての聖地

巡礼の中の巡礼であるところの十字軍を駆り立てている、ユートピアへの憧憬という主題に立ち返ろう。第2節の最後に述べたように、ユートピアは、主体がそこから排除されている、このことを条件にして成り立つような空間である。つまり、ユートピアは、入ることができない限りで、主体にとって存在するのである。この構成が、否定神学や宮廷愛と共通していることは、容易に見て取ることができるだろう。実際、騎士にとって、貴婦人は、ユートピアのようなものである。

だが、しかし、単にそこから排除されているというだけであれば、ユートピアは、主体にとって疎遠な現実に留まるだろう。人をそこへと惹きつけるためには、まだ何かが必要だ。大きな犠牲をものともせずに、そこへと向かおうとする情熱が、抑えがたく出てくるためには、ユートピアに、まだ何かが付け加わらなくてはならない。それは何であろうか？　ここでジル・ドゥルーズの「潜在的なもの virtuel」の概念が、考察のための有効な補助線を与えてくれる。[*7]

なぜこの概念が役立つのか。ドゥルーズの「顕在的なもの actuel／潜在的なもの virtuel」の二項対立は、カントの「現象／物自体」の区別の焼き直しである。だが、それは、ただの言い換えではない。ドゥルーズは、焼き直しを通じて、重要な変更を加えている。その変更が、われわれにとって参考になるのだ。

よく知られているように、カントは、われわれの認識はただ現象についての認識であって、叡智界に属する物自体には及ばない、と述べた。物自体は、認識の可能性の領域の彼方にあるのだ。まずは、物自体の論理的な位置が、否定神学における神と類比的である、ということを指摘しておこう。否定神学によれば、神は、人間の認識可能性を超えているのだから。このことはさらに、人間をそこへと近づけないという意味で、物自体が、ユートピアの条件と対応した性質をもっていることをも意味している。つまり、「物自体―神(否定神学)―ユートピア」という等価性の系列を得ることができるのである。

ドゥルーズの「潜在的なもの」が物自体に、「顕在的なもの」が現象に、それぞれ対応している。だが、このことを確認しただけでは、言葉を置き換えているだけで、実質的な認識の深化は何もない。しかし、ドゥルーズは、カントの理論に決定的な変更を加えている。ドゥルーズは、「潜在的なもの／顕在的なもの」の区別が、したがって「物自体／現象」の区別自体が、現象に内在していると見なしたのだ。しかし、物自体と現象という区別が、現象そのものの内部に孕まれているとは、どのような事態を指しているのだろうか？

答えを与える前に、二点ほど、留意を求めておこう。

第一。前節で述べたように、中世の神学者たちは、しばしば、神を、輝く闇、光でもある闇に見立てていた。「闇」は、物自体のように、認識の彼方を指している。だが、その彼方は、「光」によって表象されている。光であれば、それは可視的な現象である。つまり、物自体に対応する認識の不可能性が、現象の否定ではなく、現象の過剰によって特徴づけられているのである。中世の「輝く闇」という表現に、「物自体／現象」の区別が現象そのものの上に重ねあわされる可能性が、早くも予示されている。

第二。われわれの問題は、ユートピアが、「主体を排除した空間」としてのみ特徴づけられるのであれば、ユートピアが発揮する魅力を十分に説明できない、という点にあった。この特徴づけは、今しがた述べたように、認識者にとっての物自体の疎遠性に対応している。しかし、物自体もまたある種の現象だとしたらどうなのか。物自体が、認識者への近さを回復するだろう。つまり認識者が物自体へと到達する可能性が保証されるだろう。このことをユートピアの方に投げ返したらどうなるのか。ユートピアが人を惹きつけてやまない原因を見出すことになるのではないか。

*

さて、あらためて問おう。物自体と現象の区別が現象そのものに内在している、とはどういうことなのか？

もう一度、オリジナルであるカントの議論を振り返っておくと、理解の助けになる。カントは、その倫理学の中で、事実と当為の関係を、一般の哲学者とはまったく逆に描いている。普通は、事実としてなしうることがあり、その中から、当為としてなすべきことが選ばれる、と考える。つまり、事実が当為にとっての条件になっている。だが、カントは、こういうのである。「汝はなさねばならぬ。そうである以上、汝はなしうるのだ」と。なさねばならないという当為が根拠になって、なしうるという事実が規定されるというわけだ。この場合には、当為が事実にとっての前提になっている。このような論を展開するときに、カントの念頭にあるのは、むろん、「定言命法」のことである。定言命法とは、いかなる状況でも、絶対無条件で遵守しなくてはならない命令である。カントは、具体的にどの命令が定言命法に含まれるかを、システマティックには論じていない。しかし、「殺人の禁止」や「嘘をつかない」といったことが定言命法の中に含まれると思われる。たとえば、いついかなるときでも、他人に嘘をついてはならない、とする。そうである以上は、嘘をつかない、ということが現になしうるのでなくてはならない。このとき、当為が事実の前提になっている。

カントは、このように「なさねばならないがゆえに、なしうる」と述べた。しかし、この命題の「裏」もまた、ときに真実なのではないか。論理学でいう「裏」とは、この場合には、「なしてはならないがゆえに、なしえない」ということになる。[*8]「物自体」は認識することが、見ることができない。これは、後件の「なしえない」に対応する。この「なしえない」の根拠となる、倫理的な「なしてはならない」があるのではないか。このように考えることで、現象の中に、物自体と現象の区別が孕まれるということの意味が次第に明らかになってくる。

一つの例を出そう。私は、二〇〇一年の9・11テロの直後に、蓮實重彦(はすみしげひこ)が、あるインタヴューで述べたことを思いだす。[*9]蓮實の相手になっている三人の評論家は、この高名な映画批評家に、9・11テロと映画との関係を問おうとしている。つまり、テロの映像は、映画のようではなかったか、テロは、映画の中の仮想現実がほんとうの現実になったようなものではないか。三人は、実際の映画の場面をいくつか引きながら、執拗に蓮實にこの点を問う。これに対する蓮實の返答は、人を食ったようなものであった。

まず、蓮實は、自分が、常に決定的なものを見逃す、という習性があった、と言う。これまでの人生の中で、いつも、決定的なものを、その瞬間に見逃してきた、と。たとえば、連合赤軍による浅間山荘事件もオウムによる地下鉄サリン事件も、そのときのライブのニュース映像を見なかったと。そして、彼は、9・11テロもまた、ホテルに宿泊中のことで、その瞬間を見逃してしまった、と言う。映画の専門家、見ることの専門家が、最も肝心なものを常に見逃してきたのだ。9・11テロのときは、周囲が、そのことを噂しているので、ニュースを見ていなかった蓮實にも、「何かがあった」ということはわかったが、彼は、「そうである以上は絶対に見るまい」と強く決心して、テレビのスウィッチを入れなかったので、事件後、何日間もツインタワーが崩落する映像を見ることがなかった。さすがに、あれほど繰り返し、至るところで流される映像は、最後には蓮實の目にも入らざるをえなかったが、しかし、それはテレビがある環境の中に生きる者としては、最も遅い時期だったに違いない。

さて、その上で、9・11テロと映画との関係はどうか、という問いへの答えである。テロは、映画の映像のようなものだったのか？　テロの現実はそのまま映画のスペクタクルとなりうるものなのか？　蓮實の答えは、こうだ。9・11テロは映画にはなりえない、と。どうしてか？　蓮實によれば、映画にするには、ビルに突入する飛行機の中からの映像がどうしても必要だが、それが不可能だからだ。無論、ここで蓮實は、飛行機を内部から撮った監視カメラの映像がたまたまなかったとか、あったとしても飛行機とともに破壊されてしまったとかといった、経験的な事実を問題にしているわけではない。あのような飛行機の中は、われわれが見てはならないものなのだ。ここで、「見てはならない」ということは、先験的な命令のようなものになっているのである。「それ」を見ることはあまりにもおぞましい。それゆえに、われわれは「それ」を見ることができない。[*10]

現象に内在している「物自体」とは、まさにこのようなものである。ツインタワーへと突進していく飛行機の中の出来事は、まぎれもなく、経験的な現象である。しかし、何かきわめて基底的で強い倫理的な命令によって、見ることが禁じられているような現象でもある。それゆえ、実際に、見ることができない。

このような現象は、他にもいくつか挙げることができる。たとえば、ナチス政権下のユダヤ人絶滅収容所のフィルムがあって、そこに、生ける屍のようになってしまったユダヤ人——彼らは収容所の隠語で「ムーゼルマン（回教徒）」と呼ばれた——が映っていたとしよう。われわれはこれを、あの飛行機の中の映像のように、見てはならないもの、見るにはおぞまし過ぎるものと感じるのではないか。実は、これはただの想像で言っていることではない。アガンベンが記していることだが、ナチスが降伏した直後に、ベルゲン・ベルゼン収容所に連合軍が入り、映像を撮っている。そこには、折重なるように積まれた、ユダヤ人の夥しい数の死体が、映っている。と、そのとき、かすかに動く死体の一群がカメラのフレームの中に入った。それは、まだ死んではいないムーゼルマンだったのだ。その瞬間、カメラは撮ってはならないものを撮ってしまったかのように、見てはならないものを見てしまったかのように、あわてて向きを変えたのであった。[*11]

どうしてこれらのものは見てはならないのだろうか。それらを見ることはできないのだろうか。それらが、人間性の最小限の条件、人間が人間でありうるための最低の条件をはみ出す何かを含んでいるからである。それゆえに、こうしたものを冷静に見ていられるということ自体が、人間の尊厳に反することに感じられ、見る者が著しく強い恥の感情をもたずにはいられないからである。こうしたものは、現象の世界に内在しているにもかかわらず、見てはならず、それゆえに見ることができないために、一種の「物自体」のように機能する。これがドゥルーズの潜在性の概念に込められていることである。

＊

しかし、この先がもっと重要である。現象に内在する「物自体」は、見るに堪えない。見ることができない。が、しかし、にもかかわらず、他方で、われわれは、それを異様に見たいという欲望をもつ。実際に「それ」をしっかりと見てしまったとしたら、今度は、人は、そこから目を離せなくなってしまうだろう。それを凝視せずにはいられないだろう。一方では、見てはならないものが、他方では、見ずにはいられないものでもあるのだ。それは、嫌悪の対象であると同時に、強烈な魅惑の対象でもあるのだ。

さて、問題は、このような意味での「物自体」が、中世とか、キリスト教とかといった文脈の中にあるのか、である。無論、ある。十字架の上での、キリストの、この上なく惨めな死が、それである。エルサレムこそ、その死のスペクタクルが展開した場所である。一方では、人は、それを絶対に見まいとする。だから、エルサレムに到達することができない。また、想像の物語の中で、キリストの死は美化された表象になるほかない。しかし、他方で、人は、その死にどうしようもなく惹かれてしまう。エルサレムを中核におくユートピアの魅惑の究極の源泉はここにある。

このように、中世という社会の謎は、ひとつの死なない死体の内に集約されている。この死体を目指していた巡礼の旅が、その具体的な目標を解消し、外部へと一般的に開かれたとき、いわゆる「大航海」が始まり、資本主義の本格的な展開期に入る。こうした社会変動のひとつの副産物が、ヨーロッパのいずれかの都市や地域に自分自身を結び付けた「新〇〇」という名前の土地、地球上の至るところに見出される奇妙な名前の土地である。だから、〈世界史〉をめぐるわれわれの探究は、このあと、本格的な資本主義によって特徴づけられる「近代」に向かわなければならない。

が、その前に、迂回路を通ることにしよう。イエス・キリストの死なない死体にいささかも魅了されることがなかった、文明や社会を考察の範囲に含めることにする。イエス・キリストの冤罪死の衝撃を直後に受けて展開した西洋という社会と、そうした衝撃とはさしあたっては無関係に展開した社会とを比較する作業が、「近代」をその最深部において捉えるためには、どうしても必要になるからである。

＊1　植民地の地名のこのような特異性を最初に指摘したのは、ベネディクト・アンダーソンである。ベネディクト・アンダーソン『定本　想像の共同体』白石隆・白石さや訳、書籍工房早山、二〇〇七年（原著一九

九一年)、三二一―三一七頁。また、大澤真幸『ナショナリズムの由来』講談社、二〇〇七年、第一部第Ⅳ章第4節も参照。

*2　関哲行『旅する人びと(ヨーロッパの中世4)』岩波書店、二〇〇九年、二七七頁。

*3　カール・シュミット『陸と海と――世界史的一考察』生松敬三・前野光弘訳、慈学社、二〇〇六年(原著一九四二年)、二五―三二頁。

*4　ヨーロッパ中世にコンパスが導入されたのは、一三〇二年とされている。

*5　エルサレムの統治権を平和的に獲得したフリードリヒ二世が、教皇グレゴリウス九世の憤激を呼び起こした理由は、ここから理解できるかもしれない。フリードリヒ二世がやったことは、騎士が、「お約束」を無視して貴婦人と性交してしまったのと同じなのである。だから、フリードリヒ二世に対して、十字軍が差し向けられることになってしまった。貴婦人と結ばれてしまった騎士が殺されなくてはならないのと同じである。ところで、このフリードリヒ二世は、西ヨーロッパのコンテクストでは、かなりの変人である。彼は、運命のめぐり合わせで、結局、神聖ローマ皇帝(つまりはドイツ皇帝)の地位に就くが、シチリア生まれのシチリア育ちで、宮廷もシチリア島に有していた。シチリア島は、アラブ人(イスラム教徒)に支配されていた時期があったこと等も原因して、アラブ人、ユダヤ人等も混在する、多民族地区であった。フリードリヒ二世自身も、アラビア語を母語のように使いこなしたと言われている。こうした背景から想像すると、彼は、神聖ローマ皇帝でありながら、キリスト教徒を拘束した呪縛から自由だったのではないか。そのため、歪像(エルサレム)を正面から見てしまったのだ。すると、そこは、何でもない場所であるかのように、戦いすら経ずに獲得

できてしまった。フリードリヒ二世と対照的なのが、聖王ルイであり、彼は、無意識の内に、宮廷愛的な論理に忠実に従ったように見える。つまり、彼は、最初は、捕虜となることで進攻を阻まれ、次には、わざわざアフリカへと回り道をしている間にあえなく死亡してしまった。

＊6　ピエール・ルジャンドルの「中世解釈者革命」に関しては、次の文献を参照した。佐々木中『夜戦と永遠』以文社、二〇〇八年、二六六―三三九頁。佐々木中『切りとれ、あの祈る手を』河出書房新社、二〇一〇年、一二九―一七二頁。

＊7　たとえば、以下を参照。Gilles Deleuze, *Cinéma, tome 1. L'Image-mouvement*, Paris: Minuit, 1983.

＊8　「AならばB」に対して、「BならばA」を「逆」と呼ぶ。そして、「AでないならばBではない」が「裏」である。さらに「BでないならばAではない」を「対偶」と呼ぶ。元の命題と対偶とは、論理的に完全に同値である。

＊9　このときの蓮實重彥の発言について、私は、次の対談で論じている。東浩紀・大澤真幸『自由を考える』NHKブックス、二〇〇三年、二三一―二八頁。

＊10　『ユナイテッド93』（ポール・グリーングラス監督、二〇〇六年）が、二〇〇一年九月十一日にニューヨーク近郊のニューアーク空港をサンフランシスコに向けて発った旅客機の中を、映画にした。これが、かろうじて映画として成り立ったのは、この飛行機が、自爆テロリストが乗った飛行機で唯一、テロを阻むことに成功した（目標に到達せずに墜落した）飛行機だったからである。映画になったのがこの飛行機の中だけで

あったという事実が、つまり9・11テロの「主役」であるツインタワーに衝突した飛行機は映画化の対象としては避けられたという事実が、「あの飛行機の中は映画にならず、見ることはできない」という言明の正しさを証明している。

＊11　ジョルジョ・アガンベン『アウシュヴィッツの残りのもの』上村忠男・廣石正和訳、月曜社、二〇〇一年（原著一九九八年）、六四―六五頁。

文芸文庫版あとがき

本書の主題は、（ヨーロッパの）中世である。中世とは何か？　それは、西洋という文明が萌芽した時代だ。

「西洋」が覇権的な文化となるのが近代である。近代においては、他のさまざまな文化の多様性は、西洋という「標準」の上でのみ展開することが許されるようになる。すると、どうしても問わないわけにはいかない。その西洋の起源はどこにあるのか？　いつから西洋は始まったのか？　その答えが中世である。

中世を通じて、ローマ帝国があった広大な領域の西半分と東半分、つまり西ローマ帝国があった場所とビザンツ帝国の影響が及んだ場所とでは、はっきりと異なる運命をたどり始めた。もちろん西側は、その内部にいくつもの差異をかかえているが、しかしそれでもなお、その差異を包摂するような共通性が優っており、当事者たちもそのことを自覚していた。同じことは、東側に関しても言える。いったい何が、西と東の歴史的な経路をはっきりと分けたのか。主に西側の方に光を当てることを通じて、本書は、このことを考えている。

本書は、二〇一一年に出した単行本の文庫版である。文庫化に際して、わが畏友熊野純彦さんが、すてきな――いや「すごい」と言うべきか――解説を書いてくださった。まず驚いたのは、熊野さんが、私のごく若い頃の研究や作品との関連で、本書を実に見事に位置づけてくださったことだ。私自身も、ここまで明確な自覚をもってはいなかった。もっと驚いたのは――私にとっては「過分」というほかないのだが――、本書を含む「〈世界史〉の哲学」のプロジェクトを、過去の、これ以上はないほどに偉大な知性の仕事と対比し、私の方法の特徴を浮かび上がらせてくださったことである。お礼の言葉が見つからないほど、熊野さんには感謝している。

文庫化にともなう校正その他のたいへんな作業のほとんどすべては、講談社文芸第一出版部の横山建城さんが担ってくださった。横山さんの、非常に的確かつ迅速な作業のおかげで、『古代篇』文庫版からそれほど時をおかずに、本書を送り出すことができる。横山さんにも、感謝しかない。

二〇二二年七月一一日

大澤真幸

ヘーゲルよりもひろく、ヴェーバーよりも原理的に

解説　熊野純彦

一

いまさらながら驚きを禁じえないが、すでに十年以上もまえのことになる。あらためて驚いてしまうのは、二〇二二年七月現在もなお『群像』誌上で思考を紡ぎつづけている、持続してやまない大澤真幸の意思に対してであるけれど、さしあたりいまこの件は措いておく。遥か十年をさかのぼる連載開始当時の感触に、ここでは立ちもどっておきたい。

文芸雑誌『群像』の二〇〇九年二月号の広告を新聞紙上で目にしたとき、多くのひとが覚えたのは一種名状しがたい戸惑いだったはずである。告知された新連載は「〈世界史〉の哲学」と題され、執筆者名には「大澤真幸」とあったからである。

ひとびとの覚えた戸惑いを、いま分析してみると、そこには「かつて存在していたが、現在では存在しえないはずの試みが、目のまえで展開されようとしている」さまを目撃したさいに感得される、にわかにはみずからの眼を信じがたいような違和感が含まれていたとも思われる。「〈世界史〉の哲学」はそれ以後ほぼ停滞することなく『群像』誌上に掲載されつづけ、つぎつぎと書籍化されて、いまでは八冊の単行本ともなっているから、当初の素朴な違和感はおそらくは払拭されていることだろう。だが「ありえないものがありえている」という感触は、すくなくとも私にとってはなお完全には消え去っていない。現在でも（一読者にはほとんど出口も見えないまま、とはいえ着実に）継続中の大澤の企ては――空前絶後ではないがしかし――破天荒なものと呼ぶほかはない試行なのである。

この「解説」（とはいえ、およそ本書の解説など可能なのだろうか？）ではまず「かつて存在していた」試みを、ほとんどそのなまえだけ三つ挙げておき、過去のそれぞれの企図に対する大澤の仕事の位置を、とりあえずはやや慌ただしく確認しておこう。

まず挙げておく必要があるのは、言うまでもなくヘーゲルの歴史哲学である。世界文学という概念をドイツ文学界に導入したのはゲーテであった。おなじようにそもそも世界史という発想をドイツ哲学界にみちびき入れたのは、たしかにヘーゲルそのひとであろう。けれどもまず注意しておかなければならないところであるが、ヘーゲル自身には歴史哲学という著書はない。存在するのは弟子たちがまとめ上げた講義録にすぎない。このことはある意味で、ヘーゲルにとっては「〈世界史〉の哲学」が、たんなる構想にとどまった消息を示していると言ってもよいだろう。

よく知られているとおり、ヘーゲルが講義で展開したのは、世界史とは「自由の意識における進歩」の歴史であり、その舞台はアジアから古代ギリシア・ローマへ、さらに民族の大移動を経て、アルプスを越えゲルマン的世界へと移動してゆくとする歴史像である。その図式の恣意性については、ここでは問題としない。ヘーゲルの講義が世界史の哲学と題されるゆえんであるが、ヘーゲルは、ひたすら事実と事件について報告するヘロドトス・トゥキュディデス的な「根源的歴史」、できごとから反省と教訓を得ようとするリヴィウス的（また、おそらくはマキャヴェリ的）な「反省的歴史」との区別において「哲学的歴史」にかんして語っていた。――「ヘーゲル的な体系に対する超克は、その当の体系の内部に宿されていた可能性から始まる」（『行為の代数学』）。一九八八年にじぶんの二十代の仕事をまとめた最初の著書で、大澤はそう書いていた。「〈世界史〉の哲学」を構想するさいも大澤はおなじ立場を守っていたことだろう。

ヘーゲルの歴史像に比べると、大澤の考察の範囲は遥かにひろく、また事実や事件との応接は比較を絶してきめ細やかである。とはいえ、世界史の総体を展望しようとする企図そのものは、やはりヘーゲル的な野心と言ってよいはずである。ほとんどの人間の考えでは、それはもはや禁じられている野心である。ただ大澤はそう考えなかっただけである。

歴史研究の細分化についてはいまさら言うまでもない。〈世界史〉という普遍的で統一的な視点に対する、根底的な疑念が提起されてからもまたすでに久しい。後者のほうが当面の論点にとって本質的な問題ともなるはずだ。

第二に挙げておく必要があるのはしたがって、ヘーゲルを継承しつつ、同時にヘーゲル歴史哲学を乗りこえようとした立場についてである。それもまたやはり「かつて存在していたが、現在では存在しえないはずの試み」のひとつにほかならない。じっさい、大澤の連載が開始されたとき、ひとびとの多くが戸惑いを隠すことができなかったのは、連載の題名がただちに、かつての京都学派の所論を、とりわけ典型的には高山岩男（こうやまいわお）の『世界史の哲学』を連想させるものであったからである。

高山岩男は、高坂正顕（こうさかまさあき）と並んでかつての「近代の超克」論を代表する哲学者であった。高山の一書が一方では、大学卒業後ただちに戦地に向かうことになる学生たちに対する、一哲学教師としての「せめてもの餞別」として執筆されたことはよく知られている。著者の主観的誠実については、私たちはとくにこれを疑問とする根拠をもっていない。高山の「世界史の〈哲学〉」は他方、「今次のヨーロッパ大戦は近代に終焉を告げる戦争」であるとする客観的（と高山は考えていたことだろう）認識に使嗾（しそう）されたものにほかならない。近代の終焉とはすなわちヨーロッパ中心主義の終焉であり、またヨーロッパ近代によって普遍性を代置させる立場の終焉である。

高山岩男『世界史の哲学』「序」はこう説いていた。「近代の世界史学は殆どヨーロッパの世界史学であり、ヨーロッパ近代の歴史的現実から成立したものであった」。社会や文化にかかわる「いわゆる発展段階説」もまたその例に漏れない。「私はこのような理論に根本的な疑問を抱く者であって、今日厳密な批判的検討を加うべき時期に来ったと考える」。たとえば、ほかでもないヘーゲルの歴史哲学にあってまさに典型的なかたちで、東洋的世界の歴史は世界史のたんなる「前史」とも捉えられる。中国やインドについては「歴史の停滞」すら喋々され、ギリシア・ローマのいわゆる古典古代にさらに先行する古代的な世界とも考えられる。高山もまた〈世界史〉の哲学を問い、〝大東亜戦争〟の末期、ヨーロッパ中心主義に対する（それなりに正当なものであったともいってよい）批判的視点のもとに「普遍的世界史」と「特殊的世界史」とを区別して、いわば世界史の《普遍性》と《特殊性》とを問いなおそうとしていたのである。

近代日本思想史にも通暁する大澤が、この件を意識していなかったはずはない。大澤は大著『ナショナリズムの由来』（二〇〇七年）を、第一次大戦勃発時の「普遍主義の倒錯」から、つまり普遍主義者であるはずのマルクス主義者がナショナリストとして（すなわち特殊主義的に）ふるまったことの悲喜劇から説きはじめていた。『ナショナリズムの由来』の著者が、大東亜戦争の思想的肯定へと横滑りしてゆく、京都学派の〈世界史〉の哲学の刻んだ前車の轍を踏むはずもない。もうすこし考えておく必要がある。

二

高山岩男の『世界史の哲学』が提起していた問いは、世界史をめぐる普遍性と特殊性とにかかわっていた。そのおなじ問題はまた、世界史にかんする《唯一性》と《多数性》についての問いと考えることもできる。高山にあってはじっさいにそのとおりであったのであって、それも、ヨーロッパに《普遍性》を認定することは同時に、西欧近代へといたる歴史の道程（として再構成された世界の経路）に《唯一性》を、すなわちただひとつその名にあたいする世界史を劃定することにほかならないからである。

すでに文庫となっている古代篇、つづいて文庫化されることになった中世篇（本書）のあと、東洋篇、イスラーム篇とつづく『〈世界史〉の哲学』が一方では、世界史に対して多数性の視点を携えていることは、見紛うことができない。現在まで八分冊が公刊されているこの大著が、とはいえ当初から、世界史への問いの（事実上の）唯一性をめぐる謎を強く意識していたことについてもなおさら疑いを容れない。後者にかんしてはもうすこし説明しておく必要があるだろう。ことはさしあたり社会学における古典的な先例にかかわっていることになる。この件を再確認しておくことで、私たちはようやく、テクストとしての『〈世界史〉の哲学』の問題設定に内的に接近してゆくことになるだろう。

マックス・ヴェーバー『宗教社会学論集』第一巻は、冒頭に「序言 Vorbemerkung」を収めている。ヴェーバーの「序言」あるいは直訳すれば「先行的注意」は、つぎのようにはじまる。

> 普遍史的問題を、近代ヨーロッパの文化世界の息子が論じようとする場合、それが以下のような問題設定のもとに置かれることは避けがたく、また正当なことでもある。すなわち、どのような諸事情の連鎖によって、ほかでもない西欧という地盤において、またその地盤においてのみ一定の発展方向のもとで、普遍的な意義と妥当性を具えた――とすくなくとも私たちには思われる――文化的諸現象が立ちあらわれることになったのだろうか?

ヴェーバーにとっては、西欧近代の科学、音楽理論、さらには官僚制が「普遍的な意義と妥当性」を有していたことは間違いがない。だが、その「発展方向」がとりわけ「現代の私たちの生」を覆い、それを支配しつつある「もっとも運命的な力 schicksalsvollste Macht」は、前世紀前半を代表するこの社会科学者にとって「資本主義」もしくは「資本制」そのものなのであった。

ヴェーバーは「近代ヨーロッパの文化世界の息子」として語り、問いを立てて、問題に答えようとする。ヘーゲルならその問題設定に対して本質的な異議を唱えず、高山であれば、ヴェーバーのかまえそのもののうちに、普遍性を僭称するヨーロッパ文化の特殊性を見ようとするかもしれない。大澤真幸はこれに対して、ヴェーバーの問題設定をいったんは承認して、けれどもそれをいわば論理的に深化させようとする。大澤の見るところでも「資本主義の普遍性は圧倒的である」。資本制は儒教的文化のなかでも、ヒンドゥーの文明のうちでも成功する。とはいえもう一方では「資本主義ほど、きわめて特殊な文化と深く結合している社会システムは他にない」(「古代篇」文芸文庫版、二七頁以下)。

ヴェーバーの問題設定とその研究の方向は、大澤自身にとっても、おそらくはその社会学的探究の始まりから、不断の参照枠としてかたわらに意識されていたものである。大澤の未完の大著『身体の比較社会学』(一九九〇、一九九二年)は、自身の修士論文の課題に端を発するものだが、比較社会学という発想と方法そのものは師・見田宗介(真木悠介)の所説を継承するものである一方、ヴェーバーの業績をも特徴づけるものなのであった。じっさい、ヴェーバーの宗教社会学的研究は「世界宗教の経済倫理」を問うことで、キリスト教(とりわけプロテスタンティズム)から始まり、儒教と道教、ヒンドゥー教と仏教を経て、最後にユダヤ教へと到達するものである。それはまさに宗教の比較社会学と呼ぶべき企てにほかならない。そして、やや奇矯な言いかたをすれば『〈世界史〉の哲学』は、比較社会学を標榜する未完の主著に対する膨大な傍註という性格も有しているのだ。

ひとは他方で今日、ヴェーバーほど端的に西欧の「普遍性」を信じることができない。そう考える者たちは多くの場合、普遍性の主張を一箇の偽装と見なし、それを「特殊性」のうちに解消することを試みる。たとえば、西欧近代科学を特殊なコンテクストへと還元することも現在ではむしろ容易であり、資本制そのものについてそうすることはなおさらたやすい。大澤の見るところでは、とはいえそのとき通りすぎられてしまう問いがある。それは「特殊な歴史的コンテクストの中から、その殻を打ち破るようにして、いかにして普遍性の次元が出現することができたのか?」(「古代篇」同、二七頁)という問いである。問いはここで歴史的であるとともに論理的なものとなる。——『〈世界史〉の哲学　近代篇2』の「まえがき」で大澤は、同書のうちではいくつかの「普遍的な哲学的な問い」との対決が企てられることに注意しつつ、「普遍的な問いにも、それを探究するにふさわしい文脈というものがある」と主張している。《普遍性》と《特殊性》の関係をめぐる問題とは、それ自体まさに普遍的な問題にほかならない。この普遍的問題を探究するさいにもっとも好適なコンテクストがあるとするなら、大澤の見るところでは、ほかでもない〈世界史〉総体という文脈そのものである。かくして問いは、歴史的であると同時に論理的なものとなる。かくてまた、比較社会学的論点であると同時に哲学的な難問となるのである。

資本制はそれが展開してゆく場所の差異を消去してゆくことで、圧倒的な《普遍性》をじじつ獲得している。資本制の浸透のまえで、あらゆる《特殊性》が解消される。資本制の制覇という歴史的現在からかえりみるかぎり、《世界史》は文化の《多数性》のただなかで歴史の《唯一性》を貫徹してゆく。とはいえ、ことの始まりに立ちかえるなら、資本制もまた特殊な文脈の内部で胚胎した、それ自体も一箇の《特殊性》であったはずである。とすれば、いったいどのようにして特殊性のなかから普遍性が立ちあらわれ、みずからを《唯一性》として貫徹するにいたるのか、が問われなければならない。

ヴェーバーにあってもそうであったように、こうしてキリスト教が、解かれるべき謎として浮かびあがってくる。くわえて大澤真幸の思考のなかでは、ヴェーバーのそれよりもさかのぼった仕方で、またヴェーバーの場合よりも原理的なかたちで、キリスト教が問題として浮上する。ヴェーバーは、探究の始まりで主要にはプロテスタンティズムに、わけてもまたカルヴァン主義とその予定説に突きあたった。大澤が直面した場面はより古く、また神学的にいっそう原理的なものとなる。「キリスト教は、こうした原理に、つまり特異性と普遍性の短絡という原理に依拠する（唯一の）宗教」、イエスという《特殊性》をキリストという《普遍性》とするただひとつの信仰だからである（「古代篇」同、三六頁）。

三

「古代篇」が開始されてまもなく、大澤真幸は「今日に至るまでの世界史の展開にとって、最も広くかつ深い影響力を及ぼした出来事」はなにか、という大胆きわまりない問いを提起していた。これまで確認してきた理路からすれば、しかし答えはあきらかである。すなわち、「キリストと呼ばれたイエスの、十字架上の死が、それである」。イエス＝キリストとその刑死が顕わにするものは、「まったき特異性が同時に普遍性としても作用しているという逆説」の、他に並ぶもののない純粋な範例であるからだ（同、四四頁）。

社会現象としては、「特異的であることの普遍性というこの二重性」を、これもまた比較を絶して明示しているのは「資本主義」にほかならない。このことこそ、西洋近代という《特殊性》が同時に《普遍性》を帯びて、やがてはグローバルな影響力を発揮した理由であり、その結果として文化の《多数性》を超えてなりたったものが、西洋近代の世界史的《唯一性》なのである。ところで「西洋」の文化とは、キリスト教あるいはヘブライズムと、ヘレニズムすなわち古典古代の「融合」であった。というよりむしろ――『〈世界史〉の哲学』の著者が忘れずに確認しているとおり――「ヘレニズムとの合体があって、キリスト教は初めてキリスト教になった」のである（二〇五頁以下）。

かくて『〈世界史〉の哲学　1　古代篇』は、ユダヤ＝キリスト教と（広義の）ヘレニズムをほぼ等分に論じることになる。その具体的な展開については、この「解説」で立ち入ることができない。読者各位には、先行して刊行された文芸文庫版を手にとって頂きたい。

本書『〈世界史〉の哲学　2　中世篇』は、右で見てきたような問題提起と問題解決の方向を精確に継承するところから開始される。著者は諸説を勘案して、「中世とは、五世紀末から始まるおよそ一千年間であると見なす」（本書、一三頁）が、周到な叙述は、ふたつのキリスト教、すなわち「西と東のキリスト教」を区別するところから、しかも「フィリオクエ」という一語の有無に注目することから始まる。本書にとってこれはきわめて徴候的なことがらであって、格別な留意にあたいする。

それはひとつには、ビザンツ帝国史というこの国の中世研究史上でやや手薄な領域に、著者が周到な視線を届かせているということである。第二にはまた、本書のほぼすべての章は、そういった特異で個別的な挿話から考察の纜（ともづな）を解いてゆくことになるからだ。これは、特異性と普遍性とをめぐる大澤の思考における、記述の内容と形式のみごとな一致であろう。第三にフィリオクエ、すなわち filioque, 子 filius もまたという、西方教会が東方正教会に対してだんじて譲らなかった、カトリックにとって決定的に重要な信仰箇条が、大澤真幸のいう〈世界史〉の重要な条件を端的に示しているからである。

ビザンツでは聖像が禁止される。東方正教会は「隠す宗教」であって、隠す宗教であることで「聖なる権威と世俗の権力」の一元化に成功している。西方教会はこれに対して、「現わす宗教」である。カトリックが譲りえない一点として強調する「子」の位格（ペルソナ）は「地上に受肉した神、人間としてこの地上に現われた神」だからだ。ビザンツはいわば「父の王国」であり、一元的な帝国である。資本主義を可能とした西欧の宗教では

「父」と「子」は同格であり、両者が同格であることで聖なる権威（父）と地上の権力（子）とが拮抗し、たがいに対立しあう。――西方の中世の根底には「子」イエス＝キリストの「死」がある。より精確にはその「死体」が存在するのだ（同、三三～三五頁）。

中世のひとびとは聖遺物に、すなわち聖人の死せる身体の痕跡に執着する。そのような「死体の原点には、キリストの身体、キリストの死体がある」。この「残された死体、消えない死体」のうちに「中世の秘密」があった（三七頁以下）。――本書には、ほとんどミステリーのような構成によって読者を引きつける魔力がある。全篇がやがてはひとつの筋へと合流していきながら、たほう章ごとに多彩で魅力的な謎が呈示されてゆくからだ。

たとえば中世神学の巨峰、トマスとスコトゥスの対立を考えてみる。よく知られているように、トマスは存在の類比を説き、スコトゥスは存在の一義性を求めている。要するに「普遍性」に執着しつづけたのがトマスであり、「特異性」あるいは個体性のがわに賭け金を積んだのがスコトゥスということになる。だがその対立を経ても普遍性そのものの謎、普遍性（キリスト）である特殊性（イエス）の謎は解けない。「キリストと呼ばれたイエスが、捉え損なわれたままに横たわっている」（六六頁）。さかのぼれば、キリストは同時にイエスという特殊性であり、つまり人間でもあるがゆえに「十字架の上で死んで」いった。その死体、「キリストの人間性の証」が謎として残りつづける（六四頁）。

イエス＝キリストという二重性こそ西洋中世を駆動した謎であり、そこにはらまれた数々の矛盾（と見えるもの）を生み、かつそれを正当化した源泉である。ブリューゲルの「謝肉祭と四旬節の喧嘩」からも見てとられるとおり、西洋中世のひとびとの生活は、食をめぐる禁止（禁欲）と推奨（大食）とのあいだで揺れうごいている（九九頁以下）。性をめぐっても同様だ。中世カトリックは「原罪」を性的なものと見なす。だがこれは「奇妙な逆説」である。「キリストの教え」は愛の教えであり、法（律法）を愛に置き換えてゆくものであったからだ。ここでもキリストであるイエスの二義性が、中世期の生活と社会のいわば決定不可能性を生みだしている（一一三頁）。――最後の晩餐でイエスは「これは私の肉だ」と口にする。肉食と大食はもっとも禁じられ、もっとも勧められる行為である。「同じ二律背反は、性において、より先鋭化する」。「笑い」もまたおなじである。「血」についても「涙」についても、つまり身体と身体が分泌するすべてのものについて同様なのである（一二五頁以下）。いたるところで、イエスの消えない身体、キリストの死体がその両義性をまき散らしている。そうであるとするなら「どうして、イエス・キリストが必要だったのか？」（一六五頁）イエスは人間として死に、死体を残した。イスラムでは唯一の神のみが存在する。普遍性が成立するには、精霊だけで十分なようにも思われる。キリスト教ではなぜ、イエスとその死体が（一般に聖遺物が）必要とされたのか？

すくなくとも西洋に中世都市が成立するために、イエスの死体と聖遺物は必要だったのだ。この間の消息を、いわば《諸事情の連鎖》（ヴェーバー）を解いてゆく大澤の叙述は、本書のなかでももっともスリリングな箇所のひとつである。中世都市は、ビザンツやイスラームでは不在であった権力の多元性を象徴する。西洋中世の都市はまた資本制の成立とも緊密に関係してゆく。都市はつまり、特殊性と普遍性を結びあわせる資本主義そのもののなりたちと関連してゆくことだろう（一六七頁以下）。中世都市とは「死体が結ぶ都市」である。「重要な中世都市の中心」に「死体」がある。「都市の発展の鍵を握るのは、重要な聖人の遺体や遺物を所有しえたかどうかにかかっている」からである（一六九頁）。死者が生者を捕える（le mort saisit le vif）とマルクスも語っていた（『資本論』第一巻「序文」）。本書後半部では、もうひとつマルクス的な主題が展開されている。「利子という謎」である。この解説の範囲ではもはやふれることもできないが、読者はそこでいまひとたび、上質なミステリーにも似た著者の筆のはこびに立ちあうことになるだろう。

本書は、『〈世界史〉の哲学　中世篇』（二〇一一年九月、小社刊）を底本とし、表現、ルビ等を多少調整しました。

また、文庫化にあたり、「〈世界史〉の哲学」シリーズとして通巻番号を付しています。

なお、初出は『群像』二〇一〇年五月号〜二〇一一年四月号です。

〈世界史〉の哲学 2 中世篇

大澤真幸

二〇二二年八月一〇日第一刷発行

発行者――鈴木章一
発行所――株式会社 講談社
東京都文京区音羽2・12・21 〒112-8001
電話 編集(03)5395・3513
販売(03)5395・5817
業務(03)5395・3615

デザイン―菊地信義
印刷――株式会社KPSプロダクツ
製本――株式会社国宝社
本文データ制作―講談社デジタル製作

定価はカバーに表示してあります。

講談社文芸文庫

ISBN978-4-06-528858-0

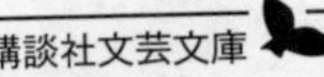

講談社文芸文庫

井上靖	崑崙の玉|漂流 井上靖歴史小説傑作選	島内景二——解／曾根博義——年
井伏鱒二	還暦の鯉	庄野潤三——人／松本武夫——年
井伏鱒二	厄除け詩集	河盛好蔵——人／松本武夫——年
井伏鱒二	夜ふけと梅の花|山椒魚	秋山 駿——解／松本武夫——年
井伏鱒二	鞆ノ津茶会記	加藤典洋——解／寺横武夫——年
井伏鱒二	釣師・釣場	夢枕 獏——解／寺横武夫——年
色川武大	生家へ	平岡篤頼——解／著者——年
色川武大	狂人日記	佐伯一麦——解／著者——年
色川武大	小さな部屋|明日泣く	内藤 誠——解／著者——年
岩阪恵子	木山さん、捷平さん	蜂飼 耳——解／著者——年
内田百閒	百閒随筆 Ⅱ 池内紀編	池内 紀——解／佐藤 聖——年
内田百閒	[ワイド版]百閒随筆 Ⅰ 池内紀編	池内 紀——解
宇野浩二	思い川|枯木のある風景|蔵の中	水上 勉——解／柳沢孝子——案
梅崎春生	桜島|日の果て|幻化	川村 湊——解／古林 尚——案
梅崎春生	ボロ家の春秋	菅野昭正——解／編集部——年
梅崎春生	狂い凧	戸塚麻子——解／編集部——年
梅崎春生	悪酒の時代 猫のことなど —梅崎春生随筆集—	外岡秀俊——解／編集部——年
江藤 淳	成熟と喪失 —"母"の崩壊—	上野千鶴子—解／平岡敏夫——案
江藤 淳	考えるよろこび	田中和生——解／武藤康史——年
江藤 淳	旅の話・犬の夢	富岡幸一郎—解／武藤康史——年
江藤 淳	海舟余波 わが読史余滴	武藤康史——解／武藤康史——年
江藤 淳 蓮實重彦	オールド・ファッション 普通の会話	高橋源一郎—解
遠藤周作	青い小さな葡萄	上総英郎——解／古屋健三——案
遠藤周作	白い人|黄色い人	若林 真——解／広石廉二——年
遠藤周作	遠藤周作短篇名作選	加藤宗哉——解／加藤宗哉——年
遠藤周作	『深い河』創作日記	加藤宗哉——解／加藤宗哉——年
遠藤周作	[ワイド版]哀歌	上総英郎——解／高山鉄男——案
大江健三郎	万延元年のフットボール	加藤典洋——解／古林 尚——案
大江健三郎	叫び声	新井敏記——解／井口時男——案
大江健三郎	みずから我が涙をぬぐいたまう日	渡辺広士——解／高田知波——案
大江健三郎	懐かしい年への手紙	小森陽一——解／黒古一夫——案
大江健三郎	静かな生活	伊丹十三——解／栗坪良樹——案
大江健三郎	僕が本当に若かった頃	井口時男——解／中島国彦——案

▶解=解説 案=作家案内 人=人と作品 年=年譜を示す。 2022年8月現在

講談社文芸文庫

講談社文芸文庫 

大澤真幸
〈世界史〉の哲学 1 古代篇
解説=山本貴光
資本主義の根源を問う著者の破天荒な試みがついに文庫化開始！ 本巻では〈世界史〉におけるミステリー中のミステリー＝キリストの殺害が中心的な主題となる。
978-4-06-527683-9 おＺ2

大澤真幸
〈世界史〉の哲学 2 中世篇
解説=熊野純彦
「中世」とは、キリストの「死なない死体」にとり憑かれた時代であった！ 誰も明確には答えられない謎に挑んで見えてきた真実が資本主義の本質を照らし出す。
978-4-06-528858-0 おＺ3